생각 읽기가 독해다!

이 책을 쓰신 분들

김보라   영동일고등학교

김보미   고척고등학교

나태영   국어전문저자

박성희   국사봉중학교

박석재   중앙대학교 사범대학 부속고등학교

박정준   오산고등학교

서경원   창현고등학교

유한아   국어전문저자

윤구희   효문중학교

윤치명   보성여자고등학교

이경호   중동고등학교

이민규   오산고등학교

정송희   고려대학교 사범대학 부속중학교

채재준   채재준 국어전문학원

홍성구   덕원여자고등학교

디딤돌 생각독해 [중등 국어] Ⅰ

펴낸날 [초판 1쇄] 2020년 8월 15일 [초판 6쇄] 2024년 7월 1일

펴낸이 이기열

펴낸곳 (주)디딤돌 교육

주소 (03972) 서울특별시 마포구 월드컵북로 122 청원선와이즈타워

대표전화 02-3142-9000

구입문의 02-322-8451

내용문의 02-325-6800

팩시밀리 02-338-3231

홈페이지 www.didimdol.co.kr

등록번호 제10-718호

※ (주)디딤돌 교육은 이 책에 실린 모든 글의 출처를 찾기 위해
   최선의 노력을 기울였습니다.
   저작권자를 찾지 못해 허락을 받지 못한 글은 저작권자가 확인되는 대로
   통상의 사용료를 지불하겠습니다.

생각 읽기가 독해다!

생각독해

디딤돌 해법 독해

생각을 깨우는
시 작 편

생각독해는 생각의 확장과 통합이 가능한 빅 아이디어로 구성되어 있어요. 빅 아이디어란 교과 지식뿐 아니라, 인문학에서도 주제를 선별, 이를 통합할 수 있는 대주제를 말합니다.

생각독해 I

Big Idea
1. 호기심
2. 빅 퀘스천
3. 해프닝
4. 도구
5. 차이
6. 기원
7. 소멸

생각을 만나는
기 본 편

생각독해 II

Big Idea
1. 발견
2. 빛
3. 아름다움
4. 힘
5. 신비
6. 라이벌
7. 존재

생각독해 III

Big Idea
1. 욕망
2. 운동
3. 원리
4. 패러다임
5. 비밀
6. 본질
7. 상상

생각을 생각하는
심 화 편

생각독해 IV

Big Idea
1. 즐거움
2. 위기
3. 선택
4. 효율
5. 아이러니
6. 공존
7. 한계

생각독해 V

Big Idea
1. 소통
2. 균형
3. 변화
4. 수수께끼
5. 진화
6. 시스템
7. 미래

Why 를 생각하다 ─────────────────────

생각은 '**왜**'라는
질문에서 시작한다.

생각의 문을 여는 모든 지식은 대부분 '왜'라는 질문에서 시작합니다.
인간 존재, 우리를 둘러싼 사회와 문화, 우주와 자연 등,
생각독해 1권에서는 진지한 물음을 던지고 답하는 과정에서 독해에 필요한
생각하는 힘을 깨울 수 있습니다.

What 을 생각하다 ─────────────────────

'왜'라는 생각에서
'**무엇**'을 생각하는가로

'세상은 무엇으로 이루어져 있는가'와 '그 속에서 우리는 어떻게 살아가야 하는가'라는
문제는 꼭 철학자가 아니더라도 여전히 수많은 사람들이 질문하고 있습니다.
생각독해 2, 3권에서는 '무엇'과 관련된 물음에 대한 답을 찾는 과정에서
다양한 생각들을 만날 수 있습니다.

How 를 생각하다 ─────────────────────

'무엇'을 생각하는가에서
'**어떻게**' 생각하는가로

어느 한 분야에서 달인이 되고자 한다면 필요한 도구의 용법을 익히고, 실력을 키워
나가야 합니다. 생각독해의 마지막 단계에서는 '무엇을 생각하는가'에서 '어떻게
생각하는가'로 초점이 옮겨지는 심화 과정을 통해
스스로 '어떻게'를 생각하는 단계에까지 이르도록 합니다.

생각독해,
왜 해야 할까?

1 생각독해는 '**독서**'와 '**독해**'를 모두 할 수 있습니다.

짧게는 초등 6년, 길게는 중등 3년의 시간이 '독서'의 전부입니다. 읽어야 할 책은 많고 그 범위는 넓은데, 시간은 늘 부족하기만 합니다. '독서'와 '독해'를 모두 할 수 있도록 생각독해를 구성한 이유가 바로 여기에 있습니다.

2 생각독해는 **글쓴이의 입장이 되어 글을 읽는 것입니다.**

글쓴이의 입장이 되어 제대로 사고하는 과정을 배우는 것이 독해의 핵심입니다. '독해력'은 지식을 암기해서 얻을 수 있는 것이 아니라, 복잡한 글에서 얼마나 빠르고 정확하게 글쓴이의 생각을 이해하고 논리적으로 사고할 수 있느냐에 달려 있습니다.

3 생각독해는 **서로 다른 영역의 통찰을 주고받는 것입니다.**

국어, 수학, 과학, 역사, 음악 등 과목을 나누는 것처럼 독해를 할 때에도 이렇게 독립적으로 생각하는 것은 '생각읽기'의 본질을 절반만 이해하는 것입니다. 생각은 서로 다른 영역의 통찰을 주고받을 수 있을 때 비로소 완성됩니다.

4 생각독해로 **수능에 맞춰 생각하는 힘을 기를 수 있습니다.**

중학생부터는 다양한 영역을 접해 생각을 넓히는 훈련에 익숙해져야 합니다. 각 영역에 속하는 지식을 깊게 학습하는 건 대학에 가서 해도 늦지 않습니다. 지금은 여러 영역의 생각들을 넓게 접하는 것이 어떤 지문이 나올지 예측할 수 없는 수능에 대비하는 가장 효과적인 방법입니다.

생각독해,
무엇일까?

글에 담긴 | 생각읽기

독해는 글을 읽고 그 뜻을 이해하는 능력을 말합니다. 독해력의 기본은 글쓴이의 생각에 따라 짜여진 정보들, 즉 글의 내용을 얼마나 정확하게 파악할 수 있느냐에 달려 있습니다.

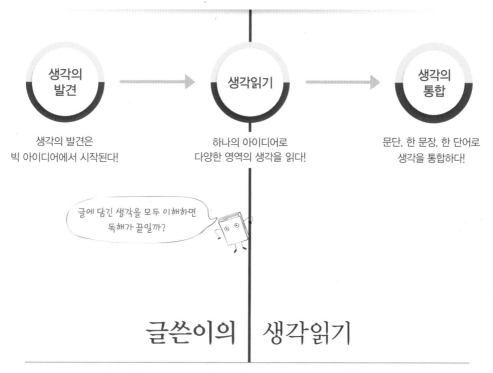

생각의 발견
생각의 발견은 빅 아이디어에서 시작된다!

생각읽기
하나의 아이디어로 다양한 영역의 생각을 읽다!

생각의 통합
문단, 한 문장, 한 단어로 생각을 통합하다!

글에 담긴 생각을 모두 이해하면 독해가 끝일까?

글쓴이의 | 생각읽기

어떤 글이든 글쓴이의 생각이 담겨 있지 않은 글은 없습니다. 그런데 글쓴이는 자신의 생각을 바로 말하지 않고 글 속에 꽁꽁 숨기곤 합니다. 독해력을 기르는 최고의 전략은 글의 내용을 읽어 내는 것뿐 아니라 **글쓴이의 입장이 되어** 글쓴이의 생각을 읽어 내는 것입니다.

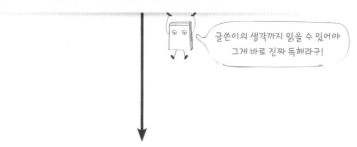

글쓴이의 생각까지 읽을 수 있어야 그게 바로 진짜 독해라구!

생각읽기가 독해다!

생각독해,
어떻게 해야 할까?

시작

기본

심화

똑같은 장면을 보고 왜 다른 생각을 하는 걸까?

생각독해는 '왜'라는 질문에서 시작해 '무엇을', '어떻게'에 관해 생각해 볼 수 있도록

다양한 영역을 관통하는 '빅 아이디어'를 선정해

단순히 글을 읽는 것을 넘어 생각하는 힘을 기를 수 있도록 도와줍니다.

독해, 이제 생각독해로 제대로 시작해 볼까요?

생각 읽기가 독해다!

생각독해 I

디딤돌

생각 읽기가 독해다!

'독해력'이 곧 '공부력'이라는 말 들어 보셨나요?

세상의 모든 지식은 문자로 되어 있고, 그 문자를 읽고 이해해서 자기 것으로 만드는 일이 바로 '공부'입니다. 모든 학습의 기초가 되는 과목인 '국어'를 잘하면 '공부'도 잘한다는 말이 나온 이유가 바로 여기에 있습니다.

독해력이 부족한 친구들이 부딪히는 부분은 크게 두 가지입니다.

하나는 지문을 끝까지 집중하며 읽어 내지 못하는 것이고, 다른 하나는 글쓴이가 말하고자 하는 바, 다시 말해 글의 초점을 제대로 파악하지 못하는 것입니다.

한 편의 글을 다 읽어도 글쓴이가 말하고자 하는 바를 이해하지 못한다면, 안 읽느니만 못한 결과를 가져오게 되죠. **결국 독해의 승패는 '얼마나 많이 읽었느냐'가 아니라 '글을 얼마나 잘 읽을 수 있느냐'에 달려 있습니다.**

수능은 교과 내용을 알기만 한다고 풀 수 있는 시험이 아니며, 높은 수준의 사고력이 뒷받침되어야 합니다. 제아무리 기술이 좋고, 멘탈이 강한 운동선수도 기본 체력이 따라 주지 않으면 시합에서 좋은 성적을 기대할 수 없는 것처럼 독해력이 뒷받침되지 않으면 우리가 곧 경험하게 될 입시에서도 성공할 수 없습니다.

한 편의 글에는 글쓴이의 고도화되고 정교하게 다듬어진 생각이 담겨 있습니다. 글을 읽을 때 글 속에 담긴 글쓴이의 생각을 따라가다 보면, 그 과정 속에서 글의 구조를 파악하게 되고, 글쓴이가 무엇을 말하고자 하는지도 알아낼 수 있습니다. 그리고 그 과정이 자연스러워질수록 글을 읽는 학습자의 생각은 깊어지고 독해력도 그만큼 높아지게 됩니다.

내신도, 수능도 독해력이 결국 답입니다.

글을 읽으면 핵심어와 중심 내용이 파악되고, 글쓴이가 무엇을 말하고자 하는 글인지가 머리에 들어와야 합니다. 글 안에 담겨 있는 정보를 이해하는 데서 그치는 것이 아니라 글 뒤에 숨어 있는 글쓴이의 생각까지 파악해야 하는 거죠.

정독이냐, 속독이냐, 다독이냐 … 독해의 속도와 양은 중요하지 않습니다.

이제부터는 왜, 무엇을, 어떻게 제대로 생각하느냐가 중요합니다.

제대로 된 방법만 쓴다면 독해력, 더 나아가 수능 국어영역 점수를 올리는 것은 그다지 어려운 일이 아닙니다. 생각독해는 독해의 제대로 된 방법, '정도(正道)'를 제시합니다.

글쓴이와 맞장 뜰 수 있단 각오로 독해에 임하십시오!

생각독해가 여러분의 자신감에 날개가 되어 줄 것입니다.

글에 담긴 생각 어떻게 읽어야 하지?
생각읽기로 시작하자

생각의 발견은 빅 아이디어에서 시작된다

우리를 둘러싼 수많은 이슈 중에서
중요하고 가치 있는 빅 아이디어를 선정했습니다.
빅 아이디어를 통해 다양한 생각을 발견하고
확장해 나갈 수 있습니다.

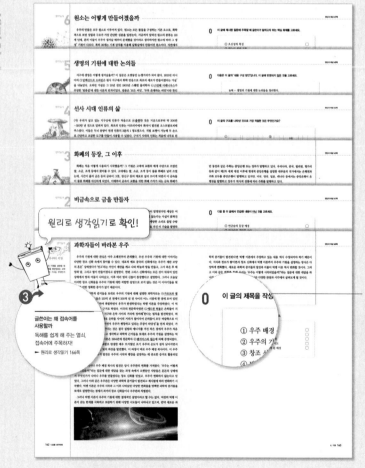

하나의 아이디어로 다양한 생각을 읽다

6개의 생각읽기에서는 빅 아이디어에 대한 다양한 영역의
이야기들이 펼쳐집니다. 같은 아이디어로 인문, 사회, 경제,
역사, 과학, 기술, 미술 등에서 어떤 생각들이 오고 가는지
궁금하지 않나요?

글쓴이의 생각이 궁금해?
0번 문제로 확인하자!

생각읽기 1~6의 0번 문제는 주제와 관련된
글쓴이의 생각을 묻고 있습니다. 글 안의 정보는 물론
글쓴이의 숨은 의도까지 볼 수 있어야 하는
종합적인 문제입니다.

글쓴이의 생각 어떻게 읽어야 하지?
원리로 생각읽기로 확인하자!

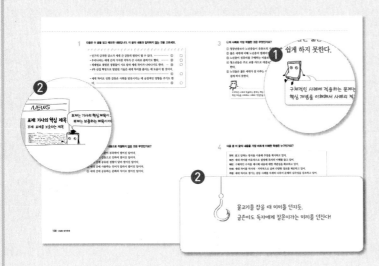

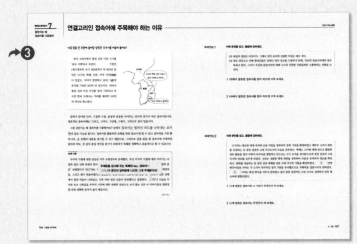

너무 어려워? 내가 도와줄게~
어려운 문제가 나와서 두렵거나, 문제를 풀다가 막히면
내가 하는 말에 힌트가 숨어 있으니깐 잘 봐 둬!

❶ 출제자의 마음이 궁금해?
도움팁으로 확인하자!

문제를 풀다 보면 출제자가 왜 이 문제를 냈을까
궁금하지 않나요? 문제를 풀 때 정말로 도움되는 꿀팁만
출제자의 마음으로 제시하였습니다.

❷ 독해원리가 궁금해?
그림으로 원리를 확인하자!

개념을 안다고 독해 문제가 술술 풀릴까?
문제 속에 숨겨진 독해원리는 그림을 통해 개념은 물론
그 원리까지 익힐 수 있습니다.

❸ 글쓴이의 생각이 궁금해?
글쓴이의 생각이 곧 독해원리다!

글을 읽다가 글쓴이의 생각이 궁금하면,
원리로 생각읽기에서 그 궁금증을 해결할 수 있습니다.
독해연습
독해연습1 → 문장독해   독해연습2 → 문단독해

생각의 구조화로 다양한 영역의 생각을 통합하다

하나의 빅 아이디어로 6개의 생각읽기가 끝나면,
생각의 구조화로 빅 아이디어에 대한 다양한 생각을
통합할 수 있습니다.

문단으로 생각읽기 → 한 문장으로 생각읽기
→ 한 단어로 생각읽기

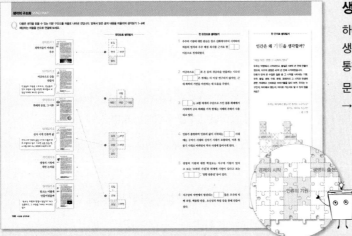

놀이처럼 각 문단에 담긴 생각을 퍼즐로 만드는
훈련을 반복하면, 나도 모르는 사이 한 편의 글
이 머릿속에 퍼즐 형태로 보여!

Contents

01 호기심

생각의 발견

호기심을 말하다!

평소처럼 길을 가다가 처음 접하는 무언가를 보게 되었을 때, 그것에 관심이 가는 것은 매우 당연합니다. 사람들은 누구나 호기심을 가지고 있기 때문이죠. 신기한 것, 낯선 것을 보게 되면 '어? 저게 뭐지?'라는 호기심이 생기는데, 단순히 호기심을 가진 채로 그치지 않고 호기심을 해결하기 위해 노력한 결과, 현재 우리 인류의 문명은 찬란한 꽃을 피우게 되었습니다. 지금부터 호기심의 정체가 무엇이고, 호기심으로 인해 어떤 일들이 벌어졌는지 살펴볼까요?

호기심에 대한
심리학적 연구

Q 호기심이란 무엇이고, 호기심의 유형에는 어떤 것이 있을까요?

호기심이란 무엇인가

　호기심은 새롭고 신기한 것을 좋아하거나 모르는 것을 알고 싶어 하는 마음을 뜻하는 말이다. 사람은 누구나 새롭거나 신기한 대상을 보면 관심을 가지게 마련인데, 이렇게 호기심이 생기는 이유는 자신이 알고 있는 것만으로는 그 대상을 온전히 이해하지 못하기 때문이다. 그래서 호기심은 학문 발전의 원동력*이 되기도 했고, 미지의 세계를 탐험하러 떠나는 계기가 되기도 했으며, 창의적인 생각을 이끌어 새로운 발명품을 만들어 내기도 했다. 인간의 마음을 연구하는 학문인 심리학에서는 이러한 호기심에 대해 오래 전부터 연구해 왔다. 초기의 연구자들은 호기심이 타고나는 것, 즉 본성인지에 관심을 두었다. 그래서 호기심이 타고나는 성격처럼 선천적인 것이라고 보는 관점과 학습을 통해 길러질 수 있는 후천적인 것이라고 보는 관점이 서로 대립했다. 하지만 연구가 계속되면서 ⓐ'어느 하나의 관점만이 옳은 것이 아니다.'라고 결론짓게 되었다.

　이후 연구자들은 호기심의 유형에는 어떤 것들이 있는지에 대해 관심을 가지기 시작했다. 그리고 무엇이 호기심을 불러일으키느냐를 기준으로 호기심을 ㉠'지적 호기심'과 ㉡'감각적 호기심'으로 나누었다. 지적 호기심은 대상에 대한 새로운 지식을 알아내는 데에 만족하는 호기심을 의미한다. 즉 대상에 대한 부족한 지식이 불러일으키는 호기심인 것이다. 지적 호기심은 인간만이 가지고 있는 능력으로, 깊이 있는 사고와 학습을 이끌어 내어 창의적 사고를 할 수 있게 만든다. 지적 호기심을 가진 사람들은 새로운 아이디어를 탐구하고 새로운 지식을 알아내는데, 이때 새로운 것을 알아내는 것 자체에서 즐거움을 느끼게 된다. 또한 어떤 문제를 해결하려고 하거나 대상이 어떻게 작용하는지를 알아내고자 노력한다.

　이와 달리 감각적 호기심은 새롭거나 복잡하고 잘 알지 못하는 감각적 자극에 의해 발생하는 호기심을 의미한다. 예를 들어 사람들은 대부분 이미 알고 있는 대상을 보면 호기심을 가지지 않지만, 처음 보거나 무엇인지 정체를 알지 못하는 대상을 보면 호기심을 가지게 된다. 이때의 호기심을 감각적 호기심이라고 한다. 어떤 대상에 대해 감각적 호기심을 가지면 그 대상의 정체를 밝히기 위해 노력한다. 그런데 만일 그 대상이 공포감을 불러일으킬 경우에는 개인의 성향에 따라 어떤 사람들은 그 대상을 회피하려고 하지만, 어떤 사람들은 무서워도 그 대상의 정체를 파악하려 노력하기도 한다.

　최근 한 연구에서는 어떤 종류의 호기심이든지 간에 호기심이 충족되었을 때에는 긍정적인 정서를 느끼게 되고, 이는 이후 다른 호기심을 해소하는 데에도 긍정적인 영향을 준다는 것이 밝혀졌다. 사람들은 호기심이 생기면 이를 해소하기 위해 정보를 탐색하기도 하고, 깊이 있는 사고 과정을 거치기도 한다. 그리고 호기심이 충족되면, 별다른 보상이 주어지지 않더라도 그 자체만으로도 큰 만족감을 가지게 된다. 이러한 긍정적인 경험은 일종의 학습으로 기억되어 이후 새로운 대상에 대한 호기심을 해소하는 데 큰 역할을 하게 되는 것이다.

* 원동력: 어떤 움직임의 근본이 되는 힘.

0 다음 ㉮, ㉯, ㉰에 들어가기에 알맞은 질문을 〈보기〉에서 고르세요.

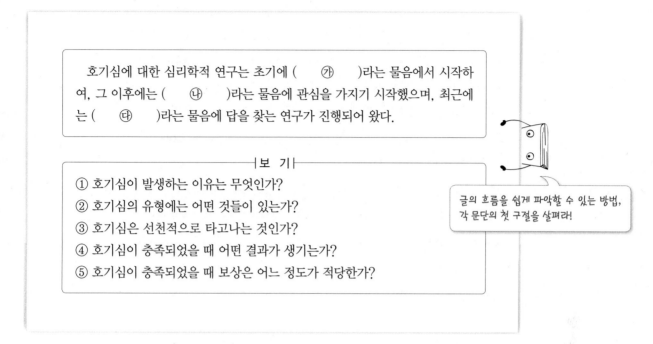

호기심에 대한 심리학적 연구는 초기에 (㉮   )라는 물음에서 시작하여, 그 이후에는 (㉯   )라는 물음에 관심을 가지기 시작했으며, 최근에는 (㉰   )라는 물음에 답을 찾는 연구가 진행되어 왔다.

┤보 기├

① 호기심이 발생하는 이유는 무엇인가?

② 호기심의 유형에는 어떤 것들이 있는가?

③ 호기심은 선천적으로 타고나는 것인가?

④ 호기심이 충족되었을 때 어떤 결과가 생기는가?

⑤ 호기심이 충족되었을 때 보상은 어느 정도가 적당한가?

글의 흐름을 쉽게 파악할 수 있는 방법, 각 문단의 첫 구절을 살펴라!

1 @의 문맥적 의미로 가장 적절한 것은 무엇인가요?

① 호기심은 학습하지 않으면 길러질 수 없는 능력이다.
② 호기심은 선천적인 것도 아니고, 후천적인 것도 아니다.
③ 호기심은 인간의 본능적인 욕구일 뿐 학습할 수는 없다.
④ 호기심은 타고나기도 하지만 학습을 통해 기를 수도 있다.
⑤ 호기심은 긍정적인 영향과 부정적인 영향을 모두 가지고 있다.

문맥은 강물의 흐름같은 글의 흐름을 의미해.
문맥적 의미도 결국엔 앞뒤 흐름으로 파악해야 해.

2 ㉠과 ㉡에 대한 설명으로 적절하지 <u>않은</u> 것은 무엇인가요?

① ㉠과 ㉡은 호기심의 대상이 무엇이냐에 따라 나뉜다.
② ㉠과 ㉡은 모두 대상을 파악하려는 노력을 불러일으킨다.
③ ㉠은 창의적 사고가, ㉡은 감각적 자극이 각각 원인이 된다.
④ 어떤 현상이 일어나는 원리를 파악하려는 것은 ㉠ 때문이다.
⑤ 무서워하면서도 공포 영화를 계속 보고 싶어 하는 것은 ㉡ 때문이다.

3 이 글을 바탕으로 〈보기〉의 자료에 대해 보인 반응으로 가장 적절한 것은 무엇인가요?

┤보 기├

　한 심리학자가 어린이와 원숭이 집단을 구분하여 두 집단의 호기심을 비교하는 실험을 진행했다. 그는 두 집단에 모두 신기한 기계를 보여 준 뒤, 기계를 작동시킬 경우 일정한 보상을 제공하였다. 실험 결과, 원숭이 집단은 보상을 받은 경우에만 기계에 호기심을 보인 반면, 어린이 집단은 보상 유무와 관계없이 기계에 호기심을 보이며 그 작동 원리를 궁금해했다.

실험 결과

기계를 작동하여 보상을 받은 경우		기계를 작동하지 못하여 보상을 받지 못한 경우	
어린이 집단	원숭이 집단	어린이 집단	원숭이 집단
Ⓐ	Ⓑ	Ⓒ	Ⓓ

① Ⓐ와 Ⓑ는 기계에 호기심을 보인 반면, Ⓒ와 Ⓓ는 기계에 호기심을 보이지 않았겠군.

② Ⓐ, Ⓑ와 달리, Ⓒ, Ⓓ는 보상을 받지 못하여 기계 자체에 관심을 보이지 않았겠군.

③ Ⓐ는 정보를 탐색하는 과정을 통해 호기심을 해소하여 보상을 받을 수 있었겠군.

④ Ⓑ의 경우를 통해 볼 때, 호기심은 인간만이 가진 능력이라고 판단할 수 있겠군.

⑤ Ⓒ는 보상 유무와 관계없이 호기심을 충족한 그 자체만으로도 즐거워했겠군.

인간의 호기심을
다룬 신화

Q 신화에 등장하는 '판도라'
와 '프시케'의 공통점은 무엇
인가요?

**글에서 첫 문단은 어떤 역할
을 할까**
글의 첫 문단에 주목하자!
첫 문단은 글의 가이드와 같
으니까~
▶ 원리로 생각읽기 18쪽

호기심, 금기를 깨다

ⓐ금기(禁忌)란 종교적인 이유나 관습적인 이유로 해서는 안 되는 일이나 피해야 하는 일을 의미한다. 금기는 아주 오랜 전통을 가지고 있어서 신화에도 자주 등장한다. 단군 신화에서 곰과 호랑이가 사람이 되기 위해 백일 동안 햇빛을 보지 않은 채 마늘과 쑥만 먹어야 한다는 것이 대표적인 금기에 해당한다. 단군 신화뿐만 아니라 세계 여러 나라의 신화들에서도 금기가 등장하는데, 금기를 깨면 대체로 위기에 처하거나 ⓑ곤경(困境)에 빠지게 된다. 특히 그리스·로마 신화 중에는 인간이 호기심 때문에 신이 정해 둔 금기를 깨뜨리는 이야기가 전해진다.

호기심 때문에 금기를 깨뜨린 내용을 담은 대표적인 신화로 '판도라'의 이야기가 있다. 티탄 신인 프로메테우스가 올림포스의 신 제우스를 속이고 천상의 불을 훔쳐 인간에게 선물한 일로 제우스는 화가 나서 인간을 벌하고자 마음먹었다. 그래서 올림포스의 대장장이 신 헤파이스토스에게 명해 최초의 여자인 판도라를 만들게 했다. 그리고 다른 올림포스의 신들에게도 명해 판도라에게 줄 선물을 하나씩 가져오도록 했다. 이에 미의 여신 아프로디테는 아름다움을 선물했고, 여행과 웅변 등을 ⓒ주관(主管)하는 신인 헤르메스는 설득력을, 태양의 신이자 음악을 주관하는 신인 아폴론은 음악을 선물했다. 그리하여 제우스는 그녀의 이름을 '모든 선물을 다 받은 여자'라는 뜻의 '판도라'라고 지었다.

[A] 제우스는 판도라를 지상에 있는 프로메테우스와 그의 동생 에피메테우스에게 선물로 내려보냈다. 프로메테우스는 에피메테우스에게 제우스의 선물을 조심하라며 충고했지만, 에피메테우스는 결국 그녀를 아내로 맞았다. 그런데 이 에피메테우스의 집에는, 인간에게 필요 없다고 여긴 것들을 담아 둔 상자가 있었다. 에피메테우스는 판도라에게 '이 상자를 절대로 열어서는 안 된다.'라고 단단히 일러두었다. 그러나 호기심이 강했던 판도라는 도저히 궁금해서 견딜 수 없었고, 결국 상자를 열어 보았다. 그러자 상자 안에서 인간에게 해를 끼치는 재난, 육체적 고통, 질투, 원한, 복수심과 같은 것이 튀어나와 사방으로 흩어졌다. 놀란 판도라는 급히 상자를 닫았으나, 이미 엎질러진 물이었다. 그래도 다행히 상자 안에는 '희망'이 남아 있어서 인간은 어떤 고난을 겪더라도 희망만은 잃지 않는다고 전해진다.

호기심 때문에 금기를 깼지만 행복한 결말을 맞이한 이야기도 있다. 어느 왕국의 아름다운 공주 프시케가 그 주인공이다. 아름다운 프시케에게 질투를 느낀 아프로디테는 사랑의 신이자 자신의 아들인 에로스*를 불러 프시케가 괴물과 사랑에 빠지게 만들도록 시켰다. 에로스가 쏜 화살에 맞으면 누구든 처음 본 대상과 사랑에 빠지게 되는데, 프시케를 찾아간 에로스는 실수로 그만 자기가 쏜 화살에 자기가 찔리게 된다. 그녀를 사랑하게 된 에로스는 어느 궁전에 머물면서 프시케가 자신을 찾아오게 만든다. 한편 프시케는 괴물과 결혼할 운명이라는 ⓓ신탁(神託)을 들은 뒤 바람에 날려 에로스가 있는 궁전으로 갔지만 그가 얼굴을 보여 주지 않자 직접 자신의 결혼 상대가 괴물인지를 확인하려 했다. 이에 에

상자를 열어 보는 프시케

로스는 프시케가 자신을 믿지 못한다고 생각하여 떠나 버렸다. 모든 것을 알게 된 프시케는 아프로디테를 찾아가 용서를 구하며 다시 에로스를 만나게 해 달라고 빌었다. 아프로디테는 몇 가지 과제를 ⓔ<u>수행(遂行)</u>하면 소원을 들어주겠다고 했는데, 그중 마지막 과제가 지하 세계에 사는 페르세포네에게서 아름다움을 얻어 오는 것이었다. 다행히 프시케의 부탁을 들어준 페르세포네는, 상자를 하나 주면서 절대로 열어 보지 말라고 명했다. 그러나 프시케는 상자 속에 무엇이 있을지 너무 궁금한 나머지 상자를 열고 말았다. 그 안에는 죽음의 잠이 들어 있었고, 프시케는 결국 죽음의 잠에 빠지고 말았다. 하지만 이때 에로스가 나타나서 죽음의 잠을 상자에 도로 집어넣고 프시케를 되살렸다. 이후 프시케는 사랑과 영혼의 여신이 되어 에로스와 결혼하게 되었다.

* 에로스(Eros): 그리스 신화에 나오는 사랑의 신. 아프로디테의 아들로, 활과 화살을 가진 나체의 어린이로 나타나는데, 그가 쏜 금 화살을 맞으면 사랑에 빠지고 납 화살을 맞으면 증오하게 된다고 한다. 로마 신화의 큐피드와 아모르에 해당한다.

0 [A]에 대해 심화 학습을 하기 위해 학생이 떠올린 질문으로 적절하지 <u>않은</u> 것은 무엇인가요?

① 판도라는 상자를 연 이후에 어떻게 되었을까?
② 제우스는 왜 판도라를 프로메테우스 형제에게 선물로 보냈을까?
③ '희망'은 상자 안에 남아 있었는데 어떻게 인간에게 전해졌을까?
④ 판도라가 상자를 열지 않았다면 인간에게는 재앙이 오지 않았을까?
⑤ 판도라처럼 호기심 때문에 금기를 깬 다른 신화에는 무엇이 있을까?

글을 깊이 있게 읽는 방법 중의 하나가 바로 질문하며 읽기야. 질문이나 상상, 추리, 요약과 같은 방법을 활용해 적극적으로 글을 읽으면 내용을 깊이 이해할 수 있어!

더 알고 싶어?
심화 학습은 글에 나오지는 않았지만 더 알고 싶은 내용이야.

1 **이 글에 나오는 '신'들에 대해 파악한 내용으로 적절한 것은 무엇인가요?**

① 에피메테우스는 프로메테우스를 도왔기 때문에 제우스의 미움을 샀다.

② 페르세포네와 아프로디테는 모두 프시케가 부탁한 요청을 거절하였다.

③ 티탄 신인 헤파이스토스는 제우스의 부탁으로 최초의 여성을 만들었다.

④ 제우스, 아프로디테, 헤르메스, 아폴론은 모두 판도라에게 선물을 주었다.

⑤ 아프로디테는 판도라에게 아름다움을 주었지만, 프시케의 아름다움은 질투했다.

2 **〈보기〉는 '프시케'의 이야기 속 사건들을 순서대로 정리한 내용입니다. ㉮와 ㉯에 들어가기에 알맞은 내용을 각각 써 보세요.**

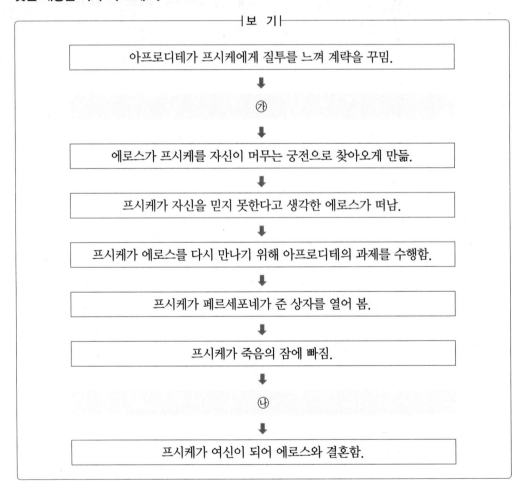

┤보 기├

> 아프로디테가 프시케에게 질투를 느껴 계략을 꾸밈.
>
> ↓
>
> ㉮
>
> ↓
>
> 에로스가 프시케를 자신이 머무는 궁전으로 찾아오게 만듦.
>
> ↓
>
> 프시케가 자신을 믿지 못한다고 생각한 에로스가 떠남.
>
> ↓
>
> 프시케가 에로스를 다시 만나기 위해 아프로디테의 과제를 수행함.
>
> ↓
>
> 프시케가 페르세포네가 준 상자를 열어 봄.
>
> ↓
>
> 프시케가 죽음의 잠에 빠짐.
>
> ↓
>
> ㉯
>
> ↓
>
> 프시케가 여신이 되어 에로스와 결혼함.

3 다음 중 ⓐ~ⓔ와 문맥적 의미가 <u>다르게</u> 사용된 것은 무엇인가요?

① ⓐ: 다른 나라를 여행할 때에는 그 나라의 <u>금기</u>를 깨지 않도록 주의하세요.

② ⓑ: 친구가 <u>곤경</u>에 처했는데 내가 가만히 앉아만 있을 수는 없지요.

③ ⓒ: 내 동생은 <u>주관</u>이 너무 뚜렷해서 가족 여행지를 고를 때 나와 자주 의견이 충돌한다.

④ ⓓ: 오이디푸스는 아버지를 죽이고 어머니와 결혼하게 되리라는 아폴론의 <u>신탁</u> 때문에 버려졌다.

⑤ ⓔ: 각 정당은 국가의 중요한 정책 결정과 <u>수행</u>을 보조할 수 있어야 한다.

첫 문단에 이미 글 전체 내용이 나와 있다

학생들이 세 번째로 관람하게 될 곳은 어디일까요?

가이드: 안녕하세요, 여러분. 오늘은 저와 함께 경복궁을 둘러보면서
조선의 역사에 대해 알아보는 시간을 갖도록 하겠습니다.
먼저 경복궁의 정문인 광화문으로 입장하며 광화문을
살펴보고, 안으로 들어가서 근정전을 관람한 후, 바로
옆에 위치한 경회루를 보도록 하겠습니다. 마지막으
로는 다시 광화문으로 와서 수문장 교대 의식을 관람
하며 오늘의 관람을 마칠까 합니다. 자, 그러면 다
함께 출발해 볼까요?

위의 가이드의 말에서 우리는 무엇을 알 수 있나요? 바로 '광화문 → 근정전 → 경회루 → 광화
문 수문장 교대 의식'의 순서로 경복궁 관람이 진행될 것임을 예상할 수 있습니다. 여행을 할 때에
도 마찬가지입니다. 대부분의 사람들은 어떤 순서로 이동할 것인지, 각 장소에서 무엇을 보고 먹
을 것인지에 대해 계획을 세우고 그에 따라 여행을 합니다.

그러면 글에서 첫 문단은 어떤 역할을 하는 것일까요? **첫 문단은** 바로 여행의 계획, 가
이드와 같은 역할을 합니다. 즉 어떤 내용을 다룰 것인지, 어떤 순서로 내용을 제시할 것인
지를 알려 주는 역할을 하는 것이지요. 그래서 첫 문단을 꼼꼼하게 읽으면 글의 중심 화제를 알
수 있고 앞으로 어떤 내용들이 전개될지 예측할 수 있습니다. 예측하며 읽을 수 있는 만큼 글을
훨씬 더 빠르고 정확하게 이해할 수 있게 되는 것이지요. 따라서 첫 문단을 잘 읽는 것이 글의 독
해에서 매우 중요합니다.

14쪽 지문

ⓐ금기(禁忌)란 종교적인 이유나 관습적인 이유로 해서는 안 되는 일이나 피해야 하는 일을
의미한다. 금기는 아주 오랜 전통을 가지고 ~~~~~~~서 곰
과 호랑이가 사람이 되기 위해 백일 동안 ~~~~ 것이

> 첫 문단은 앞으로 글이 어떻게 진행될지 알
> 려주는 나침반이다!

대표적인 금기에 해당한다. 단군 신화뿐만 ~~~~~~ 등장
하는데, 금기를 깨면 대체로 위기에 처하거나 ⓑ곤경(困境)에 빠지게 된다. 특히 그리스 · 로마
신화 중에는 인간이 호기심 때문에 신이 정해 둔 금기를 깨뜨리는 이야기가 전해
진다.

정답: 경회루

독해연습 1   아래 문단을 읽고, 물음에 답하세요.

> 데카르트는 "좋은 책을 읽는 것은 과거 몇 세기의 가장 훌륭한 사람들과 이야기를 나누는 것과 같다."라고 말했고, 빌 게이츠는 "오늘의 나를 있게 한 것은 우리 마을의 도서관이었다. 하버드 졸업장보다 소중한 것은 독서하는 습관이다."라고 말하였다. 이처럼 독서와 관련된 많은 명언들이 존재하고, 많은 사람들이 독서를 강조하는 것은 그만큼 독서가 중요하기 때문이다. 그러면 독서가 왜 중요한 것일까? 지금부터 살펴보고자 한다.

1 위 글의 핵심 단어는 무엇인가요?

2 위 글 다음에 이어질 내용은 무엇일지 빈칸을 채워 보세요.

- 독서가 [ ][ ][ ] [ ][ ]

독해연습 2   아래 문단을 읽고, 물음에 답하세요.

> 서양 미술은 고대부터 중세, 르네상스, 근대, 현대에 이르기까지 아주 오랜 시간에 걸쳐 끊임없이 변화하고 발전해 왔다. 특히 르네상스 시대는 서양 미술사의 꽃이라 할 수 있으며, 레오나르도 다빈치, 미켈란젤로 등 대표적인 화가들이 그 시대에 활동하였다. 르네상스는 다시 초기, 중기, 후기로 분류할 수 있는데 각 시기마다 그림의 성격과 기법에 차이가 있었다.
> 먼저 초기 르네상스는 이탈리아 피렌체에서 시작되었다.

1 위 글의 다음에 이어질 내용은 무엇일까요?

2 위 글은 어떤 방식으로 내용이 전개될지, 빈칸에 들어갈 알맞은 말을 〈보기〉에서 찾아 쓰세요.

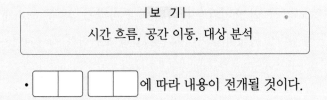

┌──────| 보 기 |──────┐
│   시간 흐름, 공간 이동, 대상 분석   │
└────────────────────────┘

- [ ][ ][ ][ ] 에 따라 내용이 전개될 것이다.

도대체 저 광고는 뭘까

호기심을 활용한
티저 광고

Q 티저 광고에서 광고하는 상품을 먼저 보여 주지 않는 이유는 무엇인가요?

기업은 효율적인 방법으로 자신들의 상품을 최대한 많이 판매하고자 한다. 그래서 상품을 소비자들에게 널리 알릴 수 있는 광고를 중요하게 여긴다. 광고는 소비자들의 시선을 사로잡아 상품을 분명하게 인식하게 만들기 위해 여러 가지 기법을 사용한다. 그중에서 소비자의 호기심을 자극하기 위해 일부러 상품에 대한 정보를 자세하게 드러내지 않는 기법이 있는데, 이러한 기법을 사용한 광고를 ⓐ'티저 광고'라고 한다. 티저(teaser)는 '감질나게 하다, 애를 태우게 하다'라는 뜻을 가진 영어 단어 'tease'에서 나온 말이다. 티저 광고는 상품을 직접 보여 주지 않고 호기심을 유발해 소비자가 애를 태우게 만드는 효과를 노린다. 처음에는 호기심을 갖게 만들어 광고에 대한 관심을 높인 다음 적절한 시기에 본 광고를 공개하면 소비자의 호기심이 해소되면서 그 상품과 브랜드에 대한 강한 인상을 남기게 되는 것이다. 매일 수많은 새로운 제품들이 시장에 쏟아져 나와 경쟁이 치열해지면서 기업들은 자기 회사 제품 브랜드 또는 상품의 차별성을 강조해야 할 필요성이 더욱 커졌고, 이에 따라 티저 광고가 많이 활용되고 있다.

티저 광고는 한 편만 만들어지는 경우보다는 연속된 시리즈로 만들어지는 경우가 많다. 처음에는 상품과 전혀 관련이 없는 내용을 제시하여 사람들로 하여금 '저게 뭐야?'라는 호기심을 불러일으킨다. 그리고 이어지는 두 번째 편에서는 호기심을 더 크게 자극시킨 뒤, 본 광고가 등장한다. 티저 광고가 성공하기 위해서는 무엇보다 아이디어가 신선해야 한다. 최근에는 영화나 뮤직비디오, 게임이 나오기 전에 일부러 그 일부만 공개하는 티저 광고가 등장하기도 하였다.

티저 광고는 의외성, 화제성, 연상성이라는 내용적 특성을 갖추고 있다. 의외성은 광고의 내용이 상품과 관계가 없거나 상식에서 벗어나 있는 특성을 의미하는 것으로, 소비자의 흥미 또는 호기심을 유발하는 중요한 요소이다. 화제성은 광고하려는 대상을 한꺼번에 다 보여 주지 않고 조금씩 보여 줌으로써 사람들의 관심을 끄는 특성을 의미한다. 마지막으로, 연상성은 광고를 본 소비자가 다음 광고는 어떠할지 연상하게 만드는 특성을 의미하는 것으로, 화제성과 함께 소비자들이 광고에 대해 지속적으로 흥미를 유지하도록 만드는 기능을 한다.

티저 광고는 소비자들에게 유쾌한 호기심을 불러일으킨다는 점에서 매우 긍정적인 광고 기법이다. 하지만 상품을 직접 보여 주기 전 단계부터 막대한 광고 비용을 지출해야 하기 때문에, 기업에 큰 경제적인 부담을 줄 수 있다는 단점이 있다. 티저 광고 이후 본 광고가 나올 때까지 광고하는 상품에 대한 비밀이 철저하게 지켜져야 한다는 문제도 발생한다. 뿐만 아니라 티저 광고 이후, 광고 상품의 정체를 언제 밝혀야 하는지 그 시기를 정하는 데 어려움이 따른다. 티저 광고 이후 너무 빨리 상품의 정체를 밝히면 소비자들이 싱겁게 느낄 수 있고, 너무 오랜 기간 정체를 밝히지 않으면 소비자들이 티저 광고 자체에 싫증을 느끼게 되기 때문이다. 따라서 티저 광고가 성공하기 위해서는 이러한 단점들을 보완하여 제작되어야 한다.

0 이 글의 내용을 바탕으로 '티저 광고'의 내용적 특성을 바르게 연결해 보세요.

① 화제성 •　　　　　• ㉠ 광고의 내용이 상품과 관계가 없거나 상식에서 벗어나 있는 특성

② 연상성 •　　　　　• ㉡ 광고하는 상품을 조금씩 보여 주어 사람들의 관심을 끄는 특성

③ 의외성 •　　　　　• ㉢ 소비자가 광고를 보고 다음 광고는 어떠할지 연상하게 만드는 특성

1 **이 글에 대한 설명으로 적절하지 않은 것은 무엇인가요?**

① 용어의 어원을 밝혀 티저 광고의 개념을 이해하도록 돕고 있다.

② 티저 광고의 여러 특성을 밝히면서 그 기능을 함께 설명하고 있다.

③ 티저 광고의 장점을 제시한 다음에 단점을 상세하게 분석하고 있다.

④ 광고의 중요성을 언급한 다음에 티저 광고의 도입 배경을 설명하고 있다.

⑤ 티저 광고의 성공 사례를 보여 주어 티저 광고의 필요성을 강조하고 있다.

2 **다음은 이 글을 바탕으로 '티저 광고'가 성공하기 위해 갖추어야 할 요소를 정리한 내용입니다. ㄱ~ㄹ에 들어가기에 알맞은 말을 각각 이 글에서 찾아 쓰세요.**

> • 연속된 시리즈로 만들어지는 티저 광고의 경우, 그 아이디어가 (㉠)해야 하고, 본 광고가 나올 때까지 광고 상품에 대한 (㉡)이 지켜져야 한다.
> • 티저 광고 이후 본 광고가 나오기까지 광고에 대한 지속적인 (㉢)가 유지되어야 한다.
> • 티저 광고 이후 적절한 (㉣)에 광고 상품의 정체를 밝혀야 한다.

3 **이 글의 내용으로 볼 때 ⓐ의 사례로 적절하지 않은 것은 무엇인가요?**

① 다른 내용은 아무것도 없이 '○○야, 사랑해!'라는 문구만 보여 주는 인터넷 포털 사이트 광고

② 제품의 상품명을 보여 주지 않고 유명 스포츠 스타가 커피를 마시고 있는 모습만 보여 주는 커피 광고

③ 이제 곧 출시될 게임이 실제 플레이되는 장면과 이를 보고 감탄하는 사용자의 모습을 보여 주는 게임 광고

④ 더운 여름에 시원한 물이 흐르고 바람이 부는 계곡의 모습을 보여 주며, 새로 나온 제품을 소개하는 에어컨 광고

⑤ 첫 광고에서는 우주를 떠다니는 우주 비행사를 보여 주고, 다음 광고에서 최첨단 기술이 적용된 신차를 소개하는 자동차 광고

이걸 크게 보면 어떤 모습일까

호기심이 만든
현미경

Q 레이우엔훅이 현미경을 직접 제작하기 전에 가졌던 호기심은 무엇인가요?

크기가 너무 작아 잘 보이지 않는 것을 자세하게 보고 싶어 하는 인간의 호기심은 현미경을 만들어 냈다. 비록 최초로 현미경을 발명한 것은 아니지만, 본격적으로 현미경을 사용하여 보이지 않는 세계를 밝힌 사람은 네덜란드의 상인이자 발명가였던 안톤 판 레이우엔훅(1632~1723)이었다. 그는 가난한 상인의 아들로 태어나 제대로 된 교육을 받지 못하고 어릴 적부터 장사를 배웠다. 옷감과 직물을 팔던 그는 장사 수완이 좋아 일찍 성공했다. 당시에는 직물을 거래할 때, 유리구슬을 돋보기처럼 사용해 직물이 제대로 짜여졌는지를 판단하였다. 맨눈으로 보아서는 잘 보이지 않는 작은 직물의 조직을 유리구슬로 확대하여 봄으로써 그 품질을 확인했던 것이다. 레이우엔훅은 생활에 어느 정도 여유가 생기자, 직물 이외의 다른 사물들도 확대해서 보면 어떨까 하는 호기심이 생겼다. 손재주가 좋았던 그는 자신의 호기심을 해결하기 위해 직접 현미경을 제작하였다.

㉠그가 만든 현미경은 유리구슬을 작게 갈아서 두 개의 구리판 사이에 끼워 넣은 단순한 구조를 가지고 있었고, 크기도 엄지손가락보다 조금 큰 정도였다. 나중에는 현미경을 좀 더 개량하여 배율을 무려 273배까지 높일 수 있었다. 그는 자신이 만든 현미경으로 주변의 이것저것을 관찰하기 시작했고, 이것이 오랜 세월 그의 취미이자 연구 활동이 되었다. 그는 연못의 물이나 빗방울, 사람의 머리카락, 벌의 촉수* 등 주변에서 궁금한 모든 것들을 관찰하였다. 처음에는 물체를 자세하게 보려고 관찰을 시작했으나, 어느 순간 그는 맨눈으로 볼 수 없는 작은 것들을 발견하기 시작했다. 식물의 잎과 줄기에서 식물 세포를 발견하기도 했고, 연못에 살고 있는 미생물, 사람의 치아 속에 있는 박테리아, 혈액 속의 혈액 세포 등을 발견하기도 했다. 특히 그는 갓 발효를 마친 맥주를 관찰하다가 맥주 안에 달걀과 공 모양의 미생물이 있다는 것을 발견했는데, 나중에 이것은 식품의 발효를 돕는 균류인 '효모'로 밝혀졌다.

한편, 레이우엔훅과 비슷한 시기에 영국에서도 로버트 훅이라는 학자가 현미경을 사용하여 보이지 않는 세계를 탐구하고 있었다. 로버트 훅은 역사상 처음으로 '세포(cell)'를 관찰한 학자로 알려진 인물이다. 그는 코르크의 조직을 관찰하여 그 조직이 마치 벌집과 같은 작은 방으로 이루어져 있음을 발견하였고, 각각의 작은 방을 '세포(cell)'라고 이름 붙였다. ㉡그가 만든 현미경은 원통형으로 되어 있었고, 원통 내부에 물이 든 둥근 플라스크*와 그 아래에 볼록 렌즈가 있는 구조로 되어 있었다. 그러나 이 현미경은 레이우엔훅의 현미경보다 성능이 떨어졌기 때문에 레이우엔훅이 좀 더 정밀한 관찰을 할 수 있었다.

레이우엔훅은 자신이 관찰한 것들을 모두 다 기록하여 영국 왕립 학회에 제출했다. 하지만 학자는커녕 고등 교육도 제대로 받지 않은 그의 보고서에 관심을 가지는 사람은 아무도 없었다. 이때 큰 도움을 준 사람이 로버트 훅이었다. 로버트 훅은 레이우엔훅의 부족한 과학적 지식을 메워 주었을 뿐만 아니라, 레이우엔훅 대신 자신이 왕립 학회 회원들에게 직접 실험으로 검증해 보였다. 그 덕분에 레이우엔훅은 1680년에 그동안 발견한 미생물들과 연구 성과를 인정받아 런던 왕립 학회의 정식 회원 자격을 얻게 되었다. 레이우엔훅은 그 이후에도 자신이 죽기 전까지 무려 43년 동안 왕립 학회에 자신의 연구 결과를 제출하여 이후의 미생물학 발전에 큰 기여를 하였다.

* 촉수: 곤충이나 거미, 새우 따위의 입 주위에 있는 수염 모양의 감각 기관.
* 플라스크: 목이 길고 몸은 둥글게 만든 화학 실험용 유리병.

0 **이 글을 읽고 바르게 이해한 내용으로 적절한 것은 무엇인가요?**

① 레이우엔훅은 상인이지만 고등 교육을 받아서 과학적 호기심이 많았다.

② 레이우엔훅은 가난한 형편에도 불구하고 오랜 세월 많은 연구 성과를 남겼다.

③ 로버트 훅은 레이우엔훅의 연구가 기존 학자들에게 인정받는 데 큰 도움을 주었다.

④ 로버트 훅은 레이우엔훅의 연구 결과를 바탕으로 최초로 세포를 발견한 학자이다.

⑤ 레이우엔훅과 로버트 훅의 연구 성과는 모두 후대의 미생물학에는 영향을 주지 못했다.

1 이 글에서 레이우엔훅이 현미경으로 관찰한 대상이 <u>아닌</u> 것을 고르세요.

① 사람의 머리카락
② 사람의 치아와 피
③ 연못의 물과 빗방울
④ 코르크로 만든 병마개
⑤ 금방 발효가 끝난 맥주

2 ㉠과 ㉡을 비교한 내용으로 가장 적절한 것은 무엇인가요?

① ㉠에 비해 ㉡이 좀 더 복잡한 구조를 가지고 있었다.
② ㉠에 비해 ㉡이 대상을 더 크게 확대하여 볼 수 있었다.
③ ㉡에 비해 ㉠의 크기가 더 커서 정밀한 관찰이 가능하였다.
④ ㉡에 비해 ㉠이 훨씬 먼저 제작되어 다양한 연구에 활용되었다.
⑤ ㉠과 ㉡이 제작된 목적은 보이지 않는 세계를 보기 위해서였다.

3 **이 글을 읽고 〈보기〉에 대해 보인 반응으로 가장 적절한 것은 무엇인가요?**

┤보 기├

　　고대 그리스의 수학자이자 물리학자인 아르키메데스도 유리구슬을 이용해 대상을 확대해서 볼 수 있다는 것을 알고 있었고, 9세기 아랍의 과학자였던 이븐 피르나스도 '독서용 돌'이라고 불린 유리구슬로 된 확대경을 만들어 작은 글자들을 확대하여 읽었다. 그러나 이들은 모두 렌즈 역할을 하는 유리구슬을 하나만 사용했기 때문에 성능이 그리 좋지 않았다. 지금처럼 여러 개의 렌즈를 이용해 만든 최초의 현미경은 1590년경 네덜란드의 안경 제작자였던 얀센 부자가 만들었다. 하지만 그들이 만든 현미경은 이전의 확대용 유리구슬에 비해 성능은 좋았지만 관찰과 연구에 활용되지는 못했다.

① 레이우엔훅이 살던 시대 이전의 다른 나라에서도 여러 개의 렌즈를 활용하여 현미경을 제작하였군.

② 레이우엔훅은 기존에 있었던 확대경을 창의적으로 개량하여 뛰어난 성능의 현미경을 만든 것이군.

③ 얀센 부자도 레이우엔훅처럼 호기심에서 출발하여 현미경을 제작하고 많은 연구 성과를 남겼겠군.

④ 이븐 피르나스의 '독서용 돌'과 레이우엔훅의 현미경은 모두 여러 개의 유리구슬로 만들어진 것이군.

⑤ 아르키메데스와 레이우엔훅은 모두 주변 사물에 대한 뛰어난 관찰력을 바탕으로 현미경을 만들었군.

차선은 변경해도 중앙선을 넘으면 안 되는 것처럼
글의 내용을 벗어난 반응은 오답이야!

경이로운 저장소, 박물관의 탄생

호기심의 방

Q 오늘날 박물관의 기원이 된 것은 무엇인가요?

사람들은 처음 보는 신기한 물건이나 귀중한 물건을 모아두고 싶어 한다. 옛날이나 지금이나, 동양이나 서양이나 사람들의 수집에 대한 욕망은 늘 존재했다. 이러한 욕망이 드러난 독특한 역사적 사례로 '호기심의 방(Cabinet of Curiosity)'이라는 수집 공간이 있었다. '호기심의 방'은 유럽인들이 신대륙*을 발견한 이후에 본격적으로 등장했다. 이 곳에는 신기하고 귀한 물건들이 수집되어 있었는데 유럽인들이 아프리카나 아메리카, 아시아 지역 등에서 가져온 이국적인 물건이나 동·식물 또는 광물*의 표본, 과거 유물, 예술품 등 호기심을 불러일으킬 만한 물건들이 있었다.

16세기 중반에 등장한 '호기심의 방'은 17세기가 되면서 유럽 전역으로 퍼졌다. 처음에는 다른 나라의 문물이나 희귀한 동·식물에 관심이 많았던 왕이나 귀족이 개인적인 차원에서 수집품을 모았고, 자신의 집에 특별한 공간을 만들어 이를 전시했다. 이들은 자신이 직접 여행지에서 수집해 오거나, 무역상이나 탐험가들에게 구입하는 방법 등으로 진귀한 물건들을 모았다. 그런데 시기적으로 유럽이 절대 왕정 체제*를 갖추게 되면서, '호기심의 방'은 개인적인 호기심을 채우는 것뿐만 아니라 왕가의 위상과 힘을 표현하는 성격을 가지게 되었다. 궁전의 한쪽을 차지한 '호기심의 방'에는 유럽에서 보기 힘든 동·식물 또는 광물의 표본이나 과학 실험 기구, 위대한 작가의 예술품, 희귀한 책, 신대륙에서 수집한 이국적인 물건 등이 전시되어 있었다. 특히 지금의 독일과 동유럽 지역에 있었던 신성 로마 제국*에서는 '호기심의 방'을 '쿤스트캄머'라고 불렀는데, 황제 루돌프 2세의 궁전에는 커다란 규모의 ㉮쿤스트캄머가 있었다. 황제를 방문한 사절단은 황제를 만나기 전 반드시 이 쿤스트캄머를 거쳐야 했고, 나중에 쿤스트캄머에 전시할 만한 선물을 보내야만 했다. 루돌프 2세는 쿤스트캄머를 이용해 절대적 지배자로서 자신의 권위를 과시하려 한 것이다.

이렇듯 왕이나 귀족의 전유물이었던 '호기심의 방'은 18세기 후반에는 박물관이라는 공공 기관으로 바뀌게 된다. 프랑스 혁명이 일어난 직후, 프랑스에서는 왕실 또는 일부 귀족의 '호기심의 방'에 있던 수집품들을 모아 루브르 박물관을 건립했고 국민들에게 개방했다. 국민을 위한 최초의 박물관이 탄생한 것이다. 이후 프랑스 국민들은 박물관의 전시물들을 자신들의 공동체적 문화유산이라고 생각하게 되었다.

19세기가 되자, 유럽 각국에서도 프랑스처럼 국가가 주도하여 '호기심의 방'에 흩어져 있던 수집물들을 모아 국립 박물관을 건립하기 시작했다. 스페인의 프라도 국립 박물관, 독일의 베를린 국립 박물관 등이 앞다투어 건립되었다. 제국주의*가 팽창하면서 각국의 박물관에는 식민지에서 수탈해 온 유물들이 전시되었다. 전시물들은 그 나라 사람들에게는 다른 문명의 낯선 문물들에 대한 호기심을 채워 주는 역할을 하기도 했지만, 세계 여러 지역에 식민지를 건설한 자신들의 강한 국력에 자부심을 가지게 만드는 역할을 하기도 했다. 이후 유럽의 여러 국가들은 현재까지도 이러한 유물들을 본국에 돌려주지 않고 자국의 박물관에서 계속 소장하거나 전시하고 있어서 최근 문화재 반환 문제에 관한 논쟁을 불러일으키고 있다.

* 신대륙: 넓은 의미로 남북아메리카 대륙 및 오스트레일리아 대륙을 이르는 말.
* 광물: 천연자원으로 철, 금, 은 따위의 약 3,800 종류 이상이 알려져 있다.
* 절대 왕정 체제: 왕 또는 군주가 어떠한 법률이나 기관에도 구속받지 않는 절대적 권한을 가지는 정치 체제.
* 신성 로마 제국: 962년 독일의 오토 1세가 로마 교황으로부터 대관을 받은 때부터 1806년 프란츠 2세가 나폴레옹에 패하여 제위에서 물러날 때까지의 독일 제국의 정식 명칭.
* 제국주의: 우월한 군사력과 경제력으로 다른 나라나 민족을 정벌하여 대국가를 건설하려는 침략주의적 경향.

0 다음은 이 글의 '호기심의 방'에 대한 정보를 요약한 것입니다. ㉠~㉢에 들어가기에 알맞은 말을 각각 쓰세요.

시기	설명
16세기	수집에 대한 욕망으로 '호기심의 방'이 생겨남.
17세기	처음에는 왕이나 귀족이 개인적 차원에서 수집품을 모으기 시작했으나, (㉠)이 성립되면서 왕가의 힘이나 권력을 상징하게 됨.
18세기	국가 주도의 박물관으로 바뀌면서 전시물들을 공동체적 (㉡)이라고 생각하게 됨.
19세기	유럽 각국에서 국립 박물관 건립이 확대되고, 식민지에서 수탈해 온 (㉢)들을 전시함.

이 글의 내용 전개 과정으로 볼 때 설명 대상에 대한 주요 정보를 시기별로 정리하는 게 좋겠지?

기준! 나를 중심으로 모두 모여!

핵심어

요약이란 **핵심어**를 **기준**으로
꼭 필요한 내용들만 간추려 **모으는 거**야!

1 이 글의 내용으로 볼 때, 17세기 유럽 궁전의 '호기심의 방'에 있었을 법한 전시물을 〈보기〉에서 모두 고른 것은 무엇인가요?

┤보 기├

ㄱ. 아프리카 코끼리의 상아
ㄴ. 레오나르도 다빈치의 그림
ㄷ. 당시 유럽 귀족들이 입던 일상복
ㄹ. 아메리카 원주민이 사용하던 활과 화살

① ㄱ, ㄴ
② ㄴ, ㄷ
③ ㄷ, ㄹ
④ ㄱ, ㄴ, ㄹ
⑤ ㄴ, ㄷ, ㄹ

2 이 글의 글쓴이가 유럽의 국립 박물관들에 대해 비판적으로 생각할 만한 내용으로 적절한 것은 무엇인가요?

① 국립 박물관들이 '호기심의 방'에서 기원했다고 보는 역사적 근거가 과연 타당할까?
② 현재 전시하고 있는 유물들 중 과거 식민지에서 가져온 것들은 돌려주어야 하지 않을까?
③ 국립 박물관의 전시물들 중에 과거의 왕이나 귀족들이 수집한 것 이외에 다른 것은 없을까?
④ 원래 '호기심의 방'에 있던 물건들은 별도의 공간을 마련해서 따로 전시해야 하지 않을까?
⑤ 제국주의 시기에 국립 박물관이 했던 역할이 끝났으므로 이제는 국립 박물관을 없애야 하지 않을까?

3 이 글의 ㉮와 〈보기〉의 ㉯, ㉰를 비교한 내용으로 가장 적절한 것은 무엇인가요?

┤보 기├

　'호기심의 방'이 등장하기 이전에도 이와 비슷한 공간이 있었다. 중세 시대 수도원의 수집실이나 르네상스 시기 이탈리아의 '스투디올로(Studiolo)'라는 수집 공간이 바로 그러한 공간이다. 프랑스의 ㉯생드니 수도원의 수집실에는 화려하고 아름다운 십자가, 황금 성배와 같은 종교적인 물건들과 값비싼 보석 등이 있었다. 15세기 이탈리아 도시 국가의 군주들은 궁전에 ㉰스투디올로를 두고, 자신의 서재로 이용하는 동시에 값비싼 예술품과 보석 등을 모아 둔 수집실로 활용하였다.

① ㉮, ㉯, ㉰는 모두 유럽에서 만든 물건 중 진귀한 것들만 전시했다.

② ㉮, ㉯, ㉰는 모두 개인적 공간에 마련된 것으로 서재를 겸하기도 했다.

③ ㉮는 ㉯, ㉰와 달리 수집한 사람의 권력을 과시하는 수단으로 이용되었다.

④ ㉯는 ㉮, ㉰와 달리 종교적인 물건들과 값비싼 보석 등이 수집되어 있었다.

⑤ ㉰는 ㉮, ㉯와 달리 궁전 내부에 만들어 놓은 공간으로 외부인이 보지 못했다.

정말 있을까? 외계인과 UFO

외계인에 대한
호기심

Q 사람들이 UFO와 외계인에
호기심을 느끼는 이유는 무엇
인가요?

최근 미국 국방부는 미 해군 전투기에서 찍힌 영상에 등장하는 비행체가 미확인 비행 물체(UFO)*가 맞다고 공식적으로 인정했다. 그동안 미국 정부는 미확인 비행 물체를 공식적으로 부인해 왔다. 그런데 이번에 기존의 태도와는 달리 공식적으로 인정한 것이다. 이 소식은 UFO가 존재하며 더불어 외계인이 존재한다고 믿던 사람들뿐만 아니라, 그 존재를 믿지 않던 사람들에게도 큰 화제가 되었다. UFO는 외계인의 존재와 떼려야 뗄 수 없는 대상이며, 누구에게나 아주 강한 호기심의 대상이다. 그래서 그동안 수많은 소설, 영화, 만화 등의 소재가 되어 사람들의 상상력을 자극해 왔다. 그런데 사람들은 외계인에 대해 무척 궁금해하기도 하지만, 한편으로는 지구를 침공하거나 우리 인류에게 해를 끼칠지도 모른다는 막연한 두려움도 가지고 있다. 이는 외계인이 그 존재조차 완전히 증명되지 않은 미지의 대상이기 때문이다. 사람들은 알지 못하는 대상에 강한 호기심을 가지기도 하지만 동시에 두려움도 느낀다.

그동안 ㉠UFO와 외계인이 존재한다고 주장하던 사람들이 증거로 내놓은 목격담, 사진, 영상들은 대부분이 착시 현상이거나 조작으로 밝혀졌다. 뿐만 아니라 UFO와 외계인을 보거나 직접 만났다고 주장하는 사람들은 물론, 외계인에게 자신이 납치되었다가 생체 실험까지 당했다고 주장하는 사람들 중 아무도 이러한 주장에 대한 객관적이고 과학적인 근거를 대지 못했다. 더구나 일부의 사람들은 UFO와 외계인에 대한 대중의 호기심을 자신들의 돈벌이 수단으로 이용하다가 거짓말이 탄로 나기도 했다.

사실 객관적인 증거는 없지만, 우주의 크기를 생각해 보면 외계인 또는 외계의 문명이 존재할 가능성은 언제나 열려 있다. 천문학의 비약적인 발전으로 우주의 크기가 상상하기 어려울 정도로 크다는 사실이 밝혀지면서, 이 드넓은 우주 공간에 지적인 생명체로 우리 인간만 존재하지는 않을 것이라는 주장이 설득력을 얻게 된 것이다. 유명한 천문학자들 역시 이러한 주장에 동의하고 있어서 외계인은 아직 발견되지 않았을 뿐, 그 존재 자체를 부정할 수 없다고 보는 것이다.

현재 과학자들은 주로 전파 망원경을 이용해 외계에서 날아오는 전파를 분석하고 측정함으로써 외계인을 찾고자 노력하고 있다. 'SETI 프로젝트'로 알려진 외계 지적 생명 탐사 프로젝트는 미국 나사(NASA)*에서 처음 시작하였다. 전파 망원경을 이용해 우주에서 날아오는 전파들 중에서 외계인이 쓴 전파를 찾아내려는 것이 바로 'SETI 프로젝트'이다. 만약 우리 인류처럼 전파를 사용할 정도의 지적 수준을 가진 외계인이 있다면, 그들이 사용하는 전파를 우리가 찾을 수 있을 것이라고 생각한 것이다. 하지만 이 프로젝트는 오랫동안 성과를 내지 못했고, 미국 의회에서 예산을 삭감하자 결국 중단되고 말았다. 그러다 이후 민간의 후원을 받아 'SETI 연구소'가 설립되면서 프로젝트가 다시 이어졌고, 현재까지도 과학자들의 외계 생명체 탐사는 계속되고 있다.

* 미확인 비행 물체(UFO): 전문가의 눈이나 전파 탐지 따위로도 정체를 탐지할 수 없는 비행체.
* 나사(NASA): 1958년 미국의 우주 개발 계획을 추진하기 위하여 설립된 정부 기관. 미국 항공 우주국.

0 〈보기〉를 바탕으로 사람들이 외계인에 대해 가지는 두 가지 감정이 무엇인지 이 글에서 찾아 써 보세요.

┤보 기├

영화 「E.T.」

스티븐 스필버그 감독의 1982년 작품으로, 제목 '이티(E.T.)'는 'The Extra Terrestrial(지구 외 존재)'의 약자로서 '외계인'이라는 뜻이다.

홀로 지구에 남게 된 외계인 이티와 소년, 소녀들과의 우정을 그린 공상 과학(SF) 영화로, 자전거를 타고 하늘을 나는 장면은 지금까지도 두고두고 회자되는 명장면이다.

영화 「맨 인 블랙」

배리 소넌펠드 감독의 1997년 작품으로, 검은 선글라스와 검은 재킷 차림을 한 외계인 감시 요원인 두 남자가 주인공으로 등장한다. 일반인들에게는 베일에 싸여 있는 특수 조직 소속의 두 요원이 인간의 모습으로 변장해 지구 곳곳에 살고 있는 외계인들을 감시하고 불법으로 침입하는 외계인을 막아 지구의 평화를 지켜 낸다는 내용이다.

1   'UFO'에 대한 설명으로 이 글의 내용과 일치하지 <u>않는</u> 것은 무엇인가요?

① UFO는 외계인의 존재 여부와 밀접한 관계가 있다.
② UFO에 대한 미국 정부의 공식 입장이 최근 바뀌었다.
③ UFO가 존재한다고 속여서 돈을 버는 사람들도 있다.
④ UFO의 사진이나 영상들 중에 조작된 것들은 거의 없다.
⑤ UFO는 그동안 사람들의 호기심과 상상력을 자극해 왔다.

2   다음 중 ㉠의 입장을 뒷받침하기에 가장 적절한 근거는 무엇인가요?

① 고대 문명의 유적지에서 발견된 벽화에 외계인의 형상을 한 존재가 있다.
② 외계인은 그 존재 자체가 아직 과학적으로 증명되지 않은 미지의 대상이다.
③ 세계 각국 정부는 외계인의 존재를 알고 있으면서도 이 사실을 숨기고 있다.
④ 자신이 외계인에게 납치를 당했다가 풀려난 경험담을 말하는 사람이 존재한다.
⑤ 우주는 아주 큰 공간이어서 어딘가에는 지적인 생명체가 존재할 가능성이 높다.

바늘이 가면, 실이 따라오지?
주장이 나오면, 당연히 적절한 근거가 따라와야겠지?

3 **이 글과 〈보기〉를 고려하여 'SETI 프로젝트'를 이해한 내용으로 가장 적절한 것은 무엇인가요?**

┤보 기├

전파 망원경을 이용하면 눈으로 볼 수 없는 영역까지 파악할 수 있어 우주에 대한 정보를 훨씬 더 많이 파악할 수 있다. 그러나 외계의 행성이나 별, 은하, 블랙홀 등에서 오는 전파들은 매우 불규칙적이어서 이를 분석하여 인공적인 전파를 가려내기란 무척 어려운 일이다.

① SETI 프로젝트가 나사의 지원을 받을 때와 달리 지금은 지원이 적어서 전파의 유형을 분석하기가 어렵다.

② SETI 프로젝트는 전파를 다룰 줄 아는 외계 문명이 쏜 인공적인 전파를 찾으려 하지만 성과를 내기가 어렵다.

③ SETI 프로젝트는 지구상에서 날아다니는 UFO에서 발생시키는 전파를 찾아 외계 지적 문명을 증명하려 한다.

④ SETI 프로젝트는 천문학자들이 충분히 가능성이 있다고 보아 시작한 것으로 눈으로 관측하는 방법에 의존한다.

⑤ SETI 프로젝트는 우주에서 날아오는 전파의 특성으로 인한 분석의 어려움 때문에 결국 지금은 중단되고 말았다.

Q 다음은 생각을 읽을 수 있는 지문 구조도를 퍼즐로 나타낸 것입니다. 앞에서 읽은 글의 내용을 떠올리며 생각읽기 1~6에 해당하는 퍼즐을 선으로 연결해 보세요.

문단으로 생각읽기

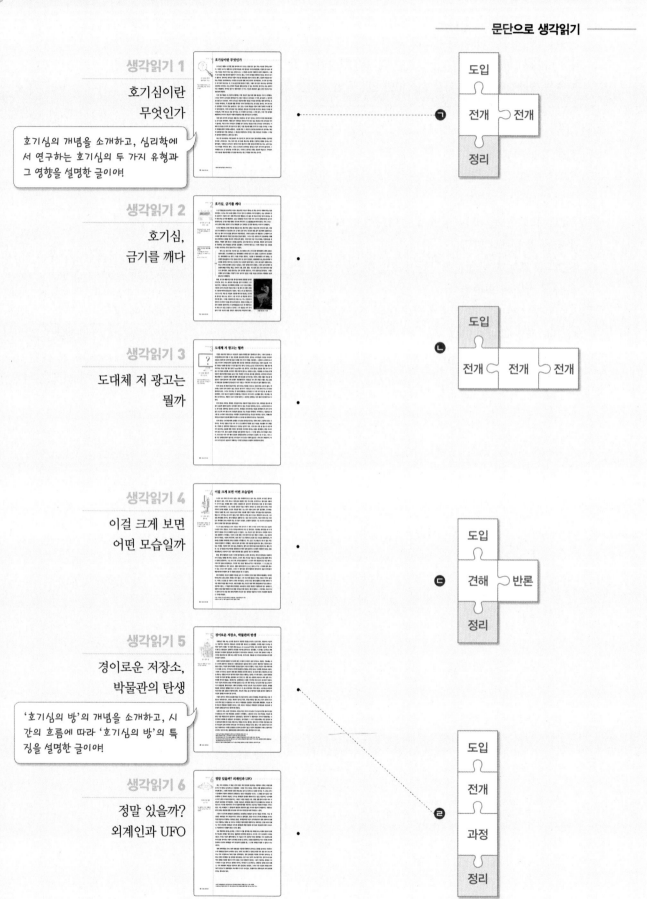

생각읽기 1

호기심이란
무엇인가

호기심의 개념을 소개하고, 심리학에서 연구하는 호기심의 두 가지 유형과 그 영향을 설명한 글이야!

생각읽기 2

호기심,
금기를 깨다

생각읽기 3

도대체 저 광고는
뭘까

생각읽기 4

이걸 크게 보면
어떤 모습일까

생각읽기 5

경이로운 저장소,
박물관의 탄생

'호기심의 방'의 개념을 소개하고, 시간의 흐름에 따라 '호기심의 방'의 특징을 설명한 글이야!

생각읽기 6

정말 있을까?
외계인과 UFO

도입
전개 — 전개
정리

ㄱ

ㄴ
도입
전개 — 전개 — 전개

ㄷ
도입
견해 — 반론
정리

ㄹ
도입
전개
과정
정리

1 ☐☐☐에서 호기심을 다루기 시작하면서, 호기심의 두 가지 유형과 호기심을 해소했을 때의 긍정적인 영향에 대한 연구가 진행되었다.

2 신화 속 판도라와 프시케는 호기심 때문에 상자를 열지 말라는 ☐☐를 깨뜨렸다는 공통점이 있다.

3 소비자의 호기심을 자극하기 위해 일부러 상품에 대한 정보를 자세하게 드러내지 않는 기법을 활용한 광고를 ☐☐ 광고라고 한다.

4 레이우엔훅은 ☐☐☐을 제작하여 관찰하였는데, 로버트 훅의 도움으로 연구 성과를 인정받으며 이후의 미생물학 발전에 큰 기여를 할 수 있었다.

5 16세기 중반에 등장한 '호기심의 방'은 오늘날 ☐☐☐의 기원이 되었다.

6 UFO와 ☐☐☐의 존재는 오랫동안 호기심의 대상이 되어 왔는데, 과학자들의 외계 생명체 탐사는 현재도 계속되고 있다.

인간은 왜 호기심을 가질까?

"호기심은 꿈이 현실이 되게 하는 힘이다"

호기심으로 시작한 많은 일들은 인류의 발전에 큰 영향을 미쳤습니다. '저 두 물질을 섞으면 어떻게 될까?', '저것은 먹을 수 있는 것인가?', '저것은 위험한 것인가?'와 같은 호기심에서 시작한 행동들이 쌓이고 쌓여 많은 결과물들을 내놓았고, 이 결과물들이 널리 알려져 인류는 무엇이 해롭고 무엇이 유익하며, 또한 무엇을 어떻게 활용해야 할지를 학습할 수 있었습니다.
만약 인류에게 호기심이 없었다면 어땠을까요?
그저 하루하루 배부르게 먹는 것 외엔 크게 집착을 하지 않게 되어 어쩌면 아직도 선사 시대 수준의 문물을 유지하고 있었을지도 모릅니다.

가장 위대한 업적은 '왜'라는
아이 같은 호기심에서 탄생한다.
마음속 어린아이를 포기하지 마라.
– 스티븐 스필버그

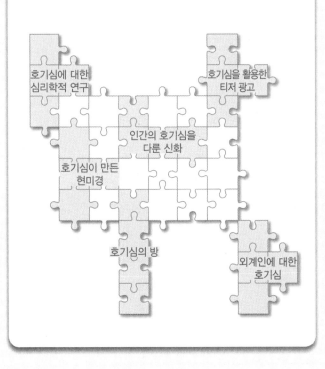

02 빅 퀘스천

생각의
발견

빅 퀘스천을 말하다!

가끔 가다 한 번씩 '나는 왜 공부하지?', '나는 왜 살지?', '사후 세계는 진짜 있을까?'와 같은 질문을 해 볼 때가 있어요. 나 스스로도 대답을 못하지만, 사실 이런 질문들은 세상 그 누구도 속 시원하게 대답해 주지 못해요. 이렇게 쉽게 대답할 수도, 대답을 들을 수도 없는 커다란 질문들을 영어 그대로 '빅 퀘스천'이라고 해요. 그런데 '빅 퀘스천'을 던지기 시작한 것은 아주 오래되었고, 답을 찾고자 하는 질문도 다양해요. 어쩌면 이런 질문들은 던지는 것 자체로도 큰 의미가 있을 거예요. 그 답을 찾는 과정에서 우리 인류의 문명과 역사가 발전해 왔으니까요. 그럼, 어떤 '빅 퀘스천'들이 있었는지 알아볼까요?

사회에 정의가 꼭 필요할까

정의에 대한 질문

Q 정의란 무엇인가요?

현대 사회에서 발생하는 다양한 윤리 문제는 어떤 관점을 취하느냐에 따라 그 원인과 해결 방안이 달라질 수 있다. ㉠개인 윤리 관점을 취할 경우, 개인의 잘못된 이기심과 비양심이 문제의 주요 원인이 된다. 그래서 도덕 판단 능력과 실천 의지, 습관, 이타성* 등 개인의 도덕성 함양이 문제의 해결 방안으로 제시된다. 그리고 도덕적인 사회 역시 개인의 도덕성 함양을 통해 구현될 수 있다고 본다.

그러나 현대 사회의 윤리 문제는 대부분 사회 구조나 제도와 깊은 관련이 있어 개인의 양심이나 도덕성의 회복만으로 해결하기에는 한계가 있다. 그래서 사회 구조와 제도의 차원에서 윤리 문제를 조망하고 해결책을 모색하는 ㉡사회 윤리가 등장하였다. 사회 윤리 관점에서는 개인의 도덕성 문제를 넘어 사회 구조와 제도의 부도덕함에 주목한다. 그래서 사회 구조와 제도에 내재된 부조리에 관심을 가지고 개인의 도덕성 함양과 더불어 사회 구조와 제도를 바로잡으려는 노력을 강조한다. 특히 니부어는 개인의 도덕성과 개인이 모인 집단의 도덕성을 구분하며, 집단이 개인에 비해 이기심을 조절하고 억제하는 힘이 현저히 떨어진다는 점을 지적하였다. 그리고 한 사회가 도덕적인 사회로 나아가기 위해서는 개인의 도덕성은 물론 사회의 도덕성을 함께 고양*시켜야 한다고 주장하였다.

사회는 구성원 간에 협력을 이끌고 갈등을 조정하며 구성원 개인의 기본 권리를 보장하고 의무를 할당하기 위해 사회 구조와 제도를 필요로 한다. 이러한 사회 구조와 제도는 개인이나 집단이 서로 관계를 맺는 일정한 관계의 틀로 작용하면서 구성원들의 삶에 큰 영향을 미친다. 남녀 차별, 인종 차별, 신분 제도 등과 같은 불평등한 사회 구조와 제도가 구성원의 삶을 억압해 왔다는 것은 인류 역사를 통해 잘 드러난다. 그러므로 개인의 자유와 권리가 존중되고, 구성원 각자의 권리와 의무가 공정하게 분배되기 위해서는 무엇보다 사회 구조와 제도가 정의로워야 한다. 정의란 '같은 것은 같게, 다른 것은 다르게' 대우하는 것을 말한다. 정의의 의미는 잘못된 행위를 바로잡는 것, 다른 사람에게 피해를 준 만큼 보상하는 것, 각자의 몫을 정당하게 분배하는 것 등에서 찾아볼 수 있다. 오늘날에는 공정한 절차에 따라 자유와 평등이 조화롭게 실현된 상태를 정의의 의미로 이해하기도 한다. 정의롭지 못한 사회 구조와 제도는 구성원의 기본권을 침해하고, 개인 간이나 집단 간에 갈등을 일으키는 보이지 않는 원인이 되기도 한다. 이런 측면에서 사회 제도가 추구해야 할 제1 덕목으로 정의가 강조되는 것이다.

사회는 권리, 의무, 소득, 기회, 명예, 지위 등과 같이 한정된 재화를 놓고 벌어지는 구성원 간의 이해 갈등을 공정하게 중재할 수 있어야 한다. 그리고 구성원 각자가 자신의 몫을 정당하게 누릴 수 있도록 공정한 원칙과 기준을 적용해야 한다. 근로자는 마땅히 받아야 할 임금을, 학생은 마땅히 받아야 할 점수를, 범죄자는 마땅히 받아야 할 처벌을 받는 등 구성원 각자가 '응분*의 몫'을 받을 때 정의로운 사회로 나아갈 수 있을 것이다.

* 이타성: 자기의 이익보다는 다른 사람의 이익을 더 꾀하는 성질.
* 고양: 정신이나 기분 따위를 북돋워서 높임.
* 응분: 어떠한 분수나 정도에 알맞음.

0 **이 글의 표제와 부제로 가장 적절한 것은 무엇인지 고르세요.**

① 사회에 정의가 필요한 이유

　– 사회 윤리를 중심으로　☐

② 사회에 정의가 필요한 이유

　– 개인의 도덕성을 중심으로　☐

③ 사회에 정의가 필요한 이유

　– 사회 구성원들의 갈등 양상을 중심으로　☐

④ 사회 정의의 실현 방법

　– 개인의 양심과 도덕성 회복을 중심으로　☐

⑤ 사회 정의의 실현 방법

　– 개인과 집단의 차이점을 중심으로　☐

NEWS

표제: 기사의 핵심 제목

부제: 표제를 보충하는 제목

표제는 기사의 핵심 제목이고, 부제는 보충하는 제목이야!

1 이 글을 읽고 답할 수 있는 질문이 <u>아닌</u> 것은 무엇인가요?

① 윤리 문제를 해결하려면 무엇이 필요할까?

② 공정한 원칙과 기준은 누가 정해야 하는가?

③ 개인 윤리와 사회 윤리의 차이점은 무엇인가?

④ 사회 제도가 추구해야 할 제1 덕목은 무엇인가?

⑤ 정의롭지 못한 사회 구조와 제도는 어떤 결과를 불러오는가?

2 이 글과 〈보기〉를 참고할 때, 니부어의 관점으로 볼 수 있는 것은 무엇인가요?

┤보 기├

　니부어는 개인의 도덕적 행위는 사회 집단의 도덕적 행위와 구별되어야 한다고 주장하였다. 그에 따르면 인간 집단은 개인에 비해 충동을 올바르게 인도하고 억제할 수 있는 이성과 자기 극복의 능력 그리고 타인의 욕구를 수용하는 능력이 훨씬 결여되어 있다. 개인들이 보여 주는 것에 비해 훨씬 심각한 이기주의가 모든 집단에서 나타나고, 이러한 집단의 이기심은 피할 수 없는 것처럼 보인다. 따라서 사회적 갈등은 도덕적 권고만으로 해결하는 데 한계가 있으며, 사회 구조와 제도 차원에서 사회 정의의 실현을 통해 극복할 수 있다. 그는 개인이 이타성 함양을 통해 도덕적인 인간으로 성장하고, 사회는 사회 구조와 제도 면에서 정의를 지향할 때 도덕적인 사회로 나아갈 수 있다고 보았다.

① 개인의 도덕성은 집단의 도덕성보다 떨어질 수 있다.

② 개인의 잘못된 이기심과 비양심이 사회 문제의 주된 원인이다.

③ 사회적 갈등은 개인의 이타성 함양을 통해서만 극복될 수 있다.

④ 사회 구조와 제도 개선을 통해 개인의 도덕성이 올바르게 표현될 수 있어야 한다.

⑤ 사회 정의를 실현하기 위해서는 무엇보다 구성원 개인의 자율적인 실천이 중요하다.

3 ㉠과 ㉡에 대한 이해로 적절하지 <u>않은</u> 것은 무엇인가요?

① ㉠은 윤리 문제의 원인을 개인의 이기심에서 찾는다.
② ㉠은 윤리 문제의 해결 방안으로 개인의 도덕성 함양을 제시한다.
③ ㉡은 윤리 문제의 원인을 사회 구조와 제도에서 찾는다.
④ ㉡은 사회 구조와 제도에 내재된 부조리에 관심을 가지고 이를 바로잡으려 한다.
⑤ ㉡은 윤리 문제를 해결하는 데 있어 개인의 도덕성 함양은 불필요하다고 주장한다.

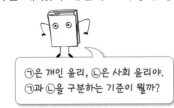

㉠은 개인 윤리, ㉡은 사회 윤리야.
㉠과 ㉡을 구분하는 기준이 뭘까?

4 이 글을 바탕으로 〈보기〉를 이해한 내용으로 가장 적절한 것은 무엇인가요?

┤보 기├

　어느 날 교사들이 모여서 팀을 나누어 상금을 걸고 축구 시합을 하게 되었다. 두 팀으로 나뉜 교사들은 경기가 시작되자마자 죽기 살기로 달려들면서 교묘하게 반칙도 하고, 심판에게 거칠게 항의하거나 잡아떼기도 했다. 이를 지켜보던 사람들은 "평소 학생들을 올바르게 가르치고 이끌던 교사들이었는데, 과연 같은 사람이 맞는가."라며 당황스러워했다.

① 개인으로서의 교사와 집단으로서의 교사의 행동은 구분해 평가되어야겠군.
② 교사들 각각의 이기심과 비양심 때문에 공정한 경기가 이루어지지 못했겠군.
③ 교사들이 경기 중 반칙을 한 것은 경기가 공정하지 못하다고 생각했기 때문이겠군.
④ 부도덕한 경기를 한 교사들은 학생들을 가르치는 교사로서 자질이 없다고 볼 수 있겠군.
⑤ 경기가 공정하게 이루어지기 위해서는 경기에 참여한 교사들의 도덕성 함양이 가장 중요하겠군.

역사에 대한 질문

Q '사실로서의 역사'와 '기록으로서의 역사'는 어떻게 다를까요?

역사는 왜 배울까

반구대 바위그림*에는 옛사람들이 살았던 흔적이 남아 있다. 이는 당시에 고래, 호랑이, 사슴, 멧돼지 등 여러 동물들이 있었고, 사람들이 배를 타고 작살을 이용해 고래를 잡거나 울타리 안에서 소를 기르며 생활하였던 사실을 알려 준다. 그러나 바위그림만으로 당시 사람들의 생각과 생활 모습을 제대로 아는 데에는 한계가 있다. 이때 바위그림이나 토기와 같은 유적이나 유물보다 과거의 사실을 더욱 자세하고 정확하게 알려 주는 것이 바로 문자 기록이다. 한 예로 공주 송산리 고분군에 있는 7기의 무덤 가운데, 현재는 무령왕릉만이 무덤의 주인이 누구인지 밝혀졌다. 그 이유는 무엇일까? 바로 무덤 안에서 죽은 사람의 이름이 기록된 지석*이 발견됐기 때문이다. 문자 기록은 과거를 이해하는 데 가장 중요한 열쇠가 된다. 그래서 역사를 구분할 때에는 문자 기록이 있는지 여부를 기준으로 그 이전을 선사 시대, 그 이후를 역사 시대로 나눈다.

역사는 크게 '사실로서의 역사'와 '기록으로서의 역사'로 구분된다. '사실로서의 역사'는 인간이 살아온 발자취로, 지금까지 일어난 과거의 모든 사실을 의미한다. 즉 과거에 일어난 객관적 사실 그 자체이다. 그러나 과거의 사실이 우리에게 그대로 전해지지는 않으며 이를 정확히 알기도 어렵다. 우리가 알 수 있는 것은 과거의 사람들이 기록이나 유물, 유적 등으로 남겨 놓은 사실 뿐이다.

우리는 기록을 통해 과거를 알 수 있지만, 모든 기록이 과거의 사실을 정확히 담고 있는 것은 아니다. 그렇기 때문에 역사가들은 과거에 대한 기록을 최대한 모아 꼼꼼히 살펴보고 믿을 만한 것인가를 검증한다. 그런 다음 검증된 기록들 가운데 의미 있는 내용만을 추려낸다. 역사가가 사실을 왜곡하지 않고 있는 그대로 서술하는 것은 매우 중요하다. 그렇지만 수많은 기록들 가운데 필요한 것을 선택하여 역사를 서술하는 과정에는 역사가의 주관적 입장이 필연적으로 들어갈 수밖에 없다. 역사가는 다양한 관점에서 과거의 사실을 해석하고 평가하여 재구성하는데, 이를 과거인이 기록한 사실과 더불어 '기록으로서의 역사'라고 부른다. 우리가 역사를 배운다고 할 때는 이렇게 끊임없이 새롭게 쓰여진 ㉠'기록으로서의 역사'를 배우는 것이다.

흔히 '역사를 공부하면 미래가 보인다'는 말을 한다. 정말 그럴까? 이미 지나간 과거를 통해 어떻게 미래를 볼 수 있다는 말일까? 역사는 개인이나 가족 혹은 한 사회의 장래를 점치는 무속인의 신통력이나 예언과는 다르다. '역사를 공부하면 미래가 보인다'는 말은 과거의 역사를 통해 현재는 물론 미래를 바라보는 역사적 통찰력을 가질 수 있다는 것을 의미한다. 여기서 말하는 통찰력이란 인류 역사의 축적된 경험과 역사 법칙에 대한 인식을 의미하는 것이다. 예를 들면 한반도에서는 다른 나라의 침략이 여러 번 반복되었는데 이는 강대국들 사이에 놓여 있는 한반도의 지리적 요인이 그 원인으로, 우리는 앞으로도 한반도를 둘러싼 국제 정세 변화에 능동적으로 대처할 필요가 있음을 예측할 수 있다. 우리가 경험해 보지 못한 오랜 과거의 역사라 하더라도 이를 통해 현재와 미래에 대처할 수 있는 시각을 가질 수 있는 것이다. 이렇게 본다면 과거의 역사는 현재 우리 삶과 동떨어진 것이 아니라 밀접한 관계를 갖는다고 이해할 수 있다. 현재는 과거의 산물로서 현재의 모든 사실은 과거에서 비롯되었다. 이처럼 역사에는 인류가 지금까지 쌓아온 온갖 삶의 경험과 지혜가 ⓐ담겨 있다. 그러므로 우리가 역사를 배우면 현재에 당면한 과제를 올바로 이해하고 처리할 수 있는 안목과 지혜, 교훈을 얻을 수 있을 것

글쓴이는 왜 특정 단어를 반복할까
반복되는 말에 주목하자!
핵심 내용 파악의 열쇠니까~

▶ 원리로 생각읽기 48쪽

이다. 그리고 더 나아가 미래를 보다 의미 있게 살아갈 방법과 방향도 찾을 수 있게 될 것이다.

* 반구대 바위그림: 울산광역시 울주군 대곡리에 있는 선사 시대의 바위그림.
* 지석: 죽은 사람의 인적 사항이나 무덤의 소재를 기록하여 묻은 판석이나 도판. 조상의 계보, 생일과 죽은 날, 평생의 행적, 가족 관계, 무덤의 소재와 방향 등이 기록되며 무덤 앞이나 옆에 묻혀 있다.

0 이 글을 바탕으로 〈보기〉를 이해한 내용으로 적절한 것은 무엇인가요?

─┤보 기├─

독일 국민들은 걸어 다니면서 발에 걸리는 돌인 '슈톨퍼슈타인'을 보면서 전쟁을 되새긴다. '슈톨퍼슈타인(Stolperstein)'은 'stolpern(걸려서 비틀비틀 넘어지다)'과 'stein(돌)'의 합성어로, '걸려 넘어지게 하는 거친 돌'이란 뜻이다. 이는 제2차 세계 대전 당시 나치에 의해 강제 노동 수용소에 끌려간 희생자들의 이름과 생년월일, 사망 날짜 등을 슈톨퍼슈타인에 새겨 넣어 그들을 기억하고 위로하려는 것이다.

슈톨퍼슈타인

독일의 승전 기념탑은 프랑스와의 전쟁에서 승리한 기념으로 세운 탑이다. 하지만 영광의 자리 주변에는 반성의 흔적들이 공존한다. 유대인 홀로코스트 기념관, 테러의 지정학 전시장 등이 그 대표적인 예이다. 이는 가해자로서의 역사도 그들 역사의 일부라는 것을 보여 주는 것으로 그렇게 독일인들은 과거의 전쟁을 기억하고 있는 것이다.

승전 기념탑

① 인류에 관한 과거의 기록이면 모든 것이 역사가 될 수 있다.
② 우리는 역사를 배움으로써 과거의 잘못을 되풀이하지 않을 수 있다.
③ 역사를 공부할 때에 현재의 관점으로 역사적 사실을 왜곡하면 안 된다.
④ 우리는 역사를 연구할 때, 과거 조상들이 만들어 놓은 유물이나 문화재 등을 활용한다.
⑤ 역사란 사료 속에 감추어져 있는 사실들을 발굴하고 그것에 의미를 부여하는 과정이다.

1 다음은 수업의 일부를 메모한 것입니다. 이 글을 참고할 때 수업을 들은 학생의 반응으로 적절하지 <u>않은</u> 것은 무엇인가요?

> 문익점은 고려 말(1363년) 원나라에서 목화씨를 붓대 속에 넣어 가지고 들어와 우리나라에 최초로 목화 재배를 가능하게 했습니다. 그런데 이상한 것은 우리는 이것 외에 문익점이라는 사람에 대해 알고 있는 점이 별로 없다는 것입니다. 왜 그럴까요? 역사에서는 특정한 개인의 모든 과거와 세세한 삶 모두를 주목하지 않기 때문입니다. 역사는 문익점의 행적 가운데 의미를 부여할 수 있는 '역사적 행위'만을 선택해 이를 기록으로 남겼습니다. 따라서 문익점에 대해 기록된 내용만을 배운 우리는 문익점의 전 생애 중 목화씨를 가져온 사실만을 기억하게 되는 것입니다. 문익점의 전 생애는 여러 사실(事實, facts)이라고 할 수 있습니다. 그러나 역사는 그가 '목화씨를 가져왔다'는 점만을 주목해 사실(史實, historical facts)로 인정하고 기록한 것입니다.

① 문익점이 목화씨를 가져온 사실은 '기록으로서의 역사'라고 할 수 있겠군.
② 문익점이라는 사람의 세세한 삶 모두는 '사실로서의 역사'라고 할 수 있겠군.
③ 역사가는 문익점이 목화씨를 가져온 사실을 의미 있다고 여겨 기록으로 남겼겠군.
④ 역사가는 문익점이 목화씨를 가져온 사실에 대해 객관적으로 기록할 의무가 있겠군.
⑤ 문익점이 목화씨를 가져온 사실에 대해 다른 나라의 역사가는 다르게 평가할 수 있겠군.

2 다음 중 ㉠에 해당하는 것은 무엇인가요?

① 668년에 신라와 당의 연합군에 의해 고구려는 멸망하였다.
② 고려인들은 몽골의 침략에 저항하여 고려의 자주성을 보여 주었다.
③ 1592년 4월 일본은 20만 명이 넘는 군사를 이끌고 조선을 침략했다.
④ 백제의 계백은 군사 5천여 명으로 신라의 김유신이 이끄는 군사 5만여 명과 전투를 벌였다.
⑤ 이순신은 명량 대첩에서 12척의 배를 가지고 133척의 왜군과 전투를 벌여 큰 승리를 거두었다.

3 이 글을 바탕으로 〈보기〉를 이해한 내용이 적절하지 <u>않은</u> 것은 무엇인가요?

┤보 기├

"진의 시황제는 나라를 하나로 합치고, 흉노의 침입을 막아 내어 중국의 기틀을 다졌다."

– 중국 한나라의 역사책, 『사기』

"진의 시황제는 무리한 토목건축으로 재정을 낭비해 나라를 위태롭게 하였다."

– 중국 송나라의 역사책, 『자치통감』

① 과거 사실은 역사가의 사관이나 시대가 지남에 따라 변할 수 있다.
② 한나라와 송나라의 역사가는 진의 시황제에 대해 다른 해석을 내렸다.
③ 진의 시황제라는 같은 인물도 바라보는 관점에 따라 평가가 다를 수 있다.
④ 한나라와 송나라의 역사가들은 역사를 서술하는 데 주관성을 완전히 배제하기 위해 노력했다.
⑤ 한나라와 송나라의 역사가는 진의 시황제가 한 일 중에서 기록해야 한다고 판단한 것이 달랐다.

4 밑줄 친 말이 ⓐ와 유사한 의미로 사용된 것은 무엇인가요?

① 흙이 화분에 <u>담겨 있다</u>.
② 매실이 알코올에 <u>담겨 있다</u>.
③ 옥수수가 광주리에 <u>담겨 있다</u>.
④ 바구니에 과일이 가득 <u>담겨 있다</u>.
⑤ 그의 말에는 단호한 뜻이 <u>담겨 있다</u>.

 주변 환경에 맞추어 몸의 색을 바꾸는 카멜레온처럼
한 단어도 글의 흐름에 따라 그 뜻이 조금씩 달라지기도 해.

반복되는 단어에 주목해야 하는 이유

다음 기사문에서 반복되는 단어를 찾아볼까요?

NEWSPAPER ○○신문 PAGE 2

커피를 마시러 가도, 영화를 보러 가도, 음식점에 가도, 어느 곳에서나 포인트 카드를 갖고 있는지 물어본다. 포인트 카드가 있으면 값을 절반 가까이 깎아 주는 곳도 있고, 바로 값을 깎아 주지는 않더라도 포인트를 적립해서 현금처럼 사용하도록 해 주는 곳도 있다.

이처럼 기업들이 포인트 카드를 제공하는 이유는 무엇일까? 포인트 카드는 단골손님을 만드는 효과가 있기 때문이다. 영화를 볼 때 A영화관의 포인트 카드가 있으면 다른 영화관보다 A영화관으로 가게 되고, B서점의 포인트 카드가 있으면 책을 살 때 B서점을 먼저 찾게 된다. 이렇게 기업들은 포인트 카드를 만들어 냄으로써 더 많은 단골손님을 확보하려고 한다.

글을 읽을 때 가장 중요한 정보가 바로 핵심 어휘입니다. 이 핵심 어휘나 어구는 글 속에서 반복적으로 등장하는 경우가 많습니다.

그럼 글쓴이는 왜 특정 어휘나 어구를 반복할까요? 글에서 **반복되는 어휘나 어구**가 바로 **글의 중심 화제**이기 때문입니다. 글을 쓰는 사람은 자기도 모르게 중점적으로 말하고 싶은 내용을 지속적으로 반복합니다. 이렇게 반복되는 내용을 통해 글의 중심 화제를 파악하면 글의 주제도 자연스럽게 이해할 수 있습니다. 우리가 글을 읽는 목적은 결국 글쓴이가 무엇에 대해 말하고 있는지를 생각해야 하기 때문이죠.

44쪽 지문

흔히 '**역사**를 공부하면 미래가 보인다'는 말을 한다. 정말 그럴까? 이미 지나간 과거를 통해 어떻게 미래를 볼 수 있다는 말일까? **역사**는 개인이나 가족 혹은 한 사회의 장래를 점치는 무속인의 신통력이나 예언과는 다르다. '**역사**를 공부하면 미래가 보인다'는 말은 과거의 **역사**를 통해 현재는 물론 미래를 바라보는 **역사**적 통찰력을 가질 수 있다는 것을 의미한다. 여기서 말하는 통찰력이란 인류 **역사**의 축적된 경험과 ~~지혜를~~ 들면 한반도에서는 다른 나라의 침략이 여러 ~~있는~~ 한반도의 지리적 요인이 그 원인으로, 우리는 ~~능동~~적으로 대처할 필요가 있음을 예측할 수 있다. 우리가 경험해 보지 못한 오랜 과거의 **역사**라 하더라도 이를 통해 현재와 미래에 대처할 수 있는 시각을 가질 수 있는 것이다. 이렇게 본다면 과거의 **역사**는 현재 우리 삶과 동떨어진 것이 아니라 밀접한 관계를 갖는다고 이해할 수 있다.

> 지속적으로 반복되는 단어가 중심 화제!
> 중심 화제를 찾는 것이 독해의 시작이다!

정답: 포인트 카드

독해연습 1   **아래 문장을 읽고, 물음에 답하세요.**

> ㈎ 거짓말 탐지기는 몸에 나타나는 변화로 거짓을 말하고 있다는 증거를 찾아내는 대표적인 방법
> 이다.
> ㈏ 거짓말을 할 때 나타나는 심장 박동, 체온, 호흡, 혈압, 맥박 같은 신체의 변화를 감지하여 진실
> 여부를 판별하는 것이다.

1 ㈎와 ㈏에서 반복되는 단어를 찾아 써 보세요.

2 ㈎와 ㈏를 중심 문장과 뒷받침 문장으로 각각 구분해 보세요.

독해연습 2   **아래 문단을 읽고, 물음에 답하세요.**

> 흔히 사람들은 한옥을 친자연적 건축물이라고 말한다. 친자연적이라는 말에는 자연환경과 조화
> 를 이루어 심리적 안정감이나 미적 쾌감을 준다는 의미가 담겨 있다. 한옥이 자연에서 얻은 자재를
> 활용하고 자연 채광을 이용하기 때문이다. 그러나 친자연적이라는 말에는 생활하기 불편하다는 의미
> 도 내포되어 있다고 여기는 이들도 있다. 한옥은 여름에는 덥고 겨울에는 추워 생활하기 힘들다는
> 것이다. 그러나 이는 한옥을 깊이 있게 알고 있지 못한 데에서 나오는 편견이다.

1 위 글에서 반복되는 단어를 찾아 중심 화제를 써 보세요.

2 위 글의 중심 화제를 바탕으로 중심 내용을 한 문장으로 완성해 보세요.

　• 한옥은 _____과 조화를 이루고, 생활하기에도 편리한 친자연적 건축물이다.

나는 왜 나일까

우리 몸을 구성하는 피부는 끊임없이 벗겨지고, 4주마다 완전히 새로운 피부로 바뀐다고 한다. 뼈의 조직 역시 끊임없이 죽고 다른 조직으로 바뀌는데, 이렇게 몸 전체의 모든 뼈가 새로 바뀌는 데는 7년이 걸린다고 한다. 피부와 뼈를 비롯한 우리의 몸의 조직들은 새롭게 바뀌고 변화하는데, 이렇게 새로운 상태의 '나'가 과연 진짜 '나'라고 볼 수 있을까? 그렇지만 상식적으로 7년 전의 내가 내가 아닌 것은 아니다. 나는 변했지만 그때의 내가 지금의 '나'와 같은 사람이라고 말할 수 있는 근거는 무엇일까? 이와 같은 문제를 판단하는 데 근거가 되는 것이 바로 '어제의 나와 오늘의 나는 동일한가', 즉 개인 동일성의 개념이다.

개인 동일성에 대한 가장 상식적인 대답은 사람의 몸, 곧 신체가 개인 동일성을 판단하는 근거가 된다는 것이다. 이렇게 사람의 겉모습을 보고 개인 동일성을 판단하는 것이 신체 이론이다. 그러나 신체 이론에는 문제가 있다. 어떤 사람이 10년이라는 시간이 흘러 용모나 체격이 달라졌다고 해서 10년 전의 그 사람과 10년 후의 그 사람이 동일한 개인이 아니라고 말할 수는 없다. 따라서 신체 이론은 조금 변형될 필요가 있다. 신체가 다르더라도 과거부터 지금까지 시간과 공간에서 쭉 이어져 있다면 동일한 개인으로 보아야 한다는 것이다. 즉 시간과 공간이 단절되지 않은 신체에서는 개인 동일성이 보장되는 것이다.

그러면 다음과 같은 상황은 어떨까? 어느 한 나라에 왕자가 있다. 그는 길에서 우연히 본 적이 있는 거지가 어떻게 사는지 항상 궁금했다. 반면 거지는 왕자가 되는 것이 꿈이었다. 어느 날 이들의 바람이 이루어져 서로의 몸이 바뀌게 되었다. 둘의 얼굴과 몸은 그대로지만 왕자의 몸은 거지의 기억과 감정을, 거지의 몸은 왕자의 기억과 감정을 그대로 가지고 있다. 이런 종류의 이야기는 영화나 드라마, 만화 등에서 자주 소재로 다뤄지고 있는데, 대체로 서로의 영혼이 맞바뀌어서 생긴 현상으로 해석한다. 정말로 영혼이라는 것이 있다면 우리 몸, 즉 신체가 계속해서 변화하더라도 예전의 '나'와 지금의 '나'가 같다는 것을 영혼이 같기 때문이라고 설명할 수 있다. 이렇게 사람의 영혼을 근거로 동일성을 판단하는 것이 영혼 이론이다. 영혼 이론은 개인 동일성을 판단하는 손쉬운 이론이기는 하지만 치명적인 약점을 가지고 있다. 바로 영혼이라는 존재를 확인할 방법이 없다는 것이다.

과학 기술이 발달하여 뇌를 이식할 수 있게 되었다고 가정해 보자. 그리고 어떤 남자와 한 여자의 뇌를 맞바꾼다고 해 보자. 즉 각자의 신체는 그대로 두고 뇌만 바꾸는 것이다. 서로의 뇌를 바꾼 뒤, 남자와 여자의 지인들은 이들을 누구라고 여길까? 전후 사정을 안다면 아마도 주변 사람들은 남자의 신체를 가진 사람을 여자라고 여길 것이다. 왜냐하면 그는 외모만 남자일 뿐 여자의 기억을 갖고 있으며, 여자의 버릇을 취할 것이기 때문이다. 이처럼 개인의 동일성을 보장해 주는 근거가 신체가 아닌 기억, 버릇, 느낌 따위의 심리적인 특성이라는 것이 ㉠심리 이론이다. 그런데 심리 이론도 좀 더 다듬을 필요가 있다. 어떤 사람이 고등학생 시절 봉사 활동을 하던 중 불현듯 어린 시절 집에서 음식을 만든 기억이 났다고 하자. 그리고 시간은 더욱 흘러 40대가 된 그가 고등학교 시절의 봉사 활동은 생생하게 기억하지만 어린 시절에 음식을 만든 일은 전혀 기억나지 않는다고 해 보자. 심리 이론에 따르면 어린 시절을 기억하지 못하는 40대의 그는 어린 시절의 그와는 다른 사람이다. 여기서 개인 동일성이 보장되려면 신체 이론에서 시간과 공간의 연속성을 덧붙여야 했듯이 심리 이론도 기억의 연속성을 강조해야 한다. 즉 현재의 내가 작년의 기억 모두는 아니지만 상당 부분을 연속적으로 가지고 있고, 작년의 내가 재작년의 기억 모두는 아니지만 상당 부분을 연속적으로 가지고 있다는 식으로 설명한다면 현재의 '나'는 어릴 적의 기억을 온전히 가지고 있지는 못하더라도 그 중간 고리들이 어릴 적의 '나'와 현재의 '나'를 연결시켜 준다고 볼 수 있는 것이다.

0 이 글의 표제와 부제로 가장 적절한 것은 무엇인지 고르세요.

① 개인 동일성의 개념
  – 판단 근거를 중심으로 ☐
② 개인 동일성의 개념
  – 신체 이론을 중심으로 ☐
③ 개인 동일성의 변화
  – 연속성을 중심으로 ☐
④ 개인 동일성의 변화
  – 기억 이론을 중심으로 ☐
⑤ 개인 동일성의 문제점
  – 심리적인 특성을 중심으로 ☐

1 이 글의 서술상의 특징으로 가장 적절한 것은 무엇인가요?

① 가정과 예시를 통해 독자의 흥미를 불러일으키고 있다.
② 대조의 방식을 통해 설명 대상을 명확히 전달하고 있다.
③ 전문가의 견해를 인용하여 문제의 핵심을 강조하고 있다.
④ 시간의 흐름에 따른 이론의 변화와 발전 과정을 설명하고 있다.
⑤ 서로 다른 이론의 장단점을 비교하여 상호 간의 우열을 가리고 있다.

> 같은 내용을 말하더라도 누가 말하느냐에 따라 말하는 방법이 서로 다르잖아? 서술상의 특징은 글쓴이가 말하는 방법이라고 생각하면 돼!

2 이 글을 통해 확인할 수 <u>없는</u> 질문은 무엇인가요?

① 개인 동일성의 개념은 무엇인가?
② 개인 동일성에 대한 이론에는 어떤 것들이 있을까?
③ 개인 동일성을 판단하는 이론의 한계점은 무엇인가?
④ 개인 동일성 문제가 제기된 역사적 배경은 무엇인가?
⑤ 개인 동일성을 판단하는 심리적인 특성에는 어떤 것이 있을까?

3 ⊙의 관점에서 〈보기〉의 '수진'의 개인 동일성을 판단한 내용으로 적절한 것은 무엇인가요?

─────────| 보 기 |─────────

영화 「내 머릿속의 지우개」에서 평소 건망증이 심한 수진은 편의점에 두고 나온 음료와 지갑을 찾으러 갔다가 철수와 마주친다. 이후 수진과 철수는 운명적인 만남을 이어가다 결혼을 한다. 수진의 건망증은 점점 심해져 병원을 찾아가지만 의사는 수진의 뇌가 점점 죽어 간다고 말한다. 결국 수진은 완전히 기억을 잃게 되고, 철수를 난생 처음 보는 사람처럼 대한다. 그리고 철수는 그런 수진을 안타깝게 지켜본다.

> ⊙은 심리 이론이야!
> 심리 이론에서 개인
> 동일성을 판단하는
> 기준이 뭐였지?

① 수진은 기억을 잃었지만 철수가 수진을 기억하고 있기 때문에 동일하다.
② 수진은 동일하거나 연속된 기억을 갖고 있지 않기 때문에 동일하지 않다.
③ 수진이 기억을 잃어버려 영혼의 존재를 확인할 수 없으므로 동일하지 않다.
④ 수진이 기억을 잃은 것은 신체적인 변화와 연결되어 있기 때문에 동일하다.
⑤ 수진의 신체는 시간과 공간이 단절되지 않고 연속되어 있기 때문에 동일하다.

4 〈보기〉를 참고할 때 개인 동일성 문제에서 '신체 이론'과 '영혼 이론'이 등장하게 된 배경을 추론한 내용으로 가장 적절한 것은 무엇인가요?

─────────| 보 기 |─────────

많은 문화권에서 신체와 별도로 영혼이 존재한다고 믿는다. 그리스 철학자들은 생각하는 능력의 근원이 영혼 혹은 프시케라고 여겼으며, 오늘날에는 이를 정신이라고 부른다. 플라톤은 영혼이 신체가 머무는 물질세계와 분리된 세계에 속한다고 믿은 반면, 아리스토텔레스와 그의 추종자들은 신체와 영혼을 떼어 놓을 수 없는 관계로 보았다.

① '영혼'의 존재를 확인할 수 없다고 생각했기 때문이다.
② '신체'와 '영혼'은 분리될 수 없는 관계라고 생각했기 때문이다.
③ '영혼'은 '신체'가 죽더라도 영원히 존재한다고 생각했기 때문이다.
④ '신체'는 달라지지만 '영혼'은 달라지지 않는다고 생각했기 때문이다.
⑤ 인간을 구성하는 기본 요소가 '신체'와 '영혼'이라고 생각했기 때문이다.

행복에 대한 질문

Q 밀은 행복을 무엇이라고 생각했을까요?

글쓴이는 왜 부정 진술을 사용할까
부정 진술 뒤에 나오는 긍정 진술에 주목하자!
그게 곧 대상에 대한 주된 입장이니깐~

► 원리로 생각읽기 58쪽

행복이란 무엇일까

철학에서는 오래전부터 행복에 대한 논의를 지속해 왔고, 수많은 철학자가 나름의 대답을 내놓았다. 그중 철학자 밀(John Stuart Mill)이 생각하는 행복이란 무엇일까? 공리주의*인 밀은, 행복이란 기쁨을 주는 것이고 고통이 없는 상태이며, 불행은 고통이 있고 기쁨을 상실한 상태라고 ⓐ정의(定義)했다. 기쁨, 즉 고통이 없는 것이 바람직한 삶의 유일한 목표라고 보았다. 그러면 무엇이 기쁨을 주는 것일까? 벤담(Jeremy Bentham)과 같은 공리주의자는 물질적인 쾌락을 기쁨의 출발점으로 보았다. 즉 물질적 ⓑ만족(滿足)을 기쁨의 ⓒ원천(源泉)으로 생각하며, 물질적 만족감을 높이는 것이 가장 좋은 것이고 곧 행복이라 여겼다. 그러나 밀은 물질적 만족이 행복에 기여하는 가장 중요한 가치라고 생각하지 않았다. 물질적 만족은 우리가 추구하는 본질적 가치를 달성하는 데 도움이 될 때만 그 의미를 가진다고 본 것이다.

그렇다면 밀은 행복의 본질과 행복의 조건으로 무엇을 들었을까? 그는 사람이 자기 존재에 ⓓ긍지(矜持)를 가질 때 행복해진다고 보았다. 이는 곧 우리가 자기 자신에 대한 존경심을 가질 때 가장 행복하다는 의미로 해석할 수 있다. 이 자긍심은 사람마다 다르게 느끼기는 하지만 누구에게나 행복의 가장 중요한 요소가 된다. 또한 자기 스스로 삶을 꾸려 나가는 자립적 능력, 이성적 자세, 관용적인 태도, 다방면에 대한 관심, 타인에 대한 자발적인 관심과 동정심을 갖는 것이 행복의 조건이라고 생각했다.

이러한 모든 조건을 관통하면서 밀이 말하는 행복 개념은 무엇일까? 밀은 행복이란 인간이 타고난 능력을 최대한 발휘할 수 있는 상태라고 보았다. 인간은 계속해서 자기 발전을 이루어 나갈 때 행복해진다. 이때의 자기 발전이란 각자가 가진 능력을 높이 발전시키고 적극적으로 활용하는 것이다. 밀은 여기서 두 가지를 가정하고 있다. 첫 번째로 인간의 자기 발전이 삶의 목표이면서 동시에 행복 그 자체라는 점이다. 행복을 결과가 아닌 삶의 과정 그 자체로 본 것이다. 두 번째는 인간의 자기 발전은 각자가 타고난 개성대로 자유롭게 추구될 때 비로소 달성될 수 있다는 점이다. 밀은 사람마다 각자의 발전을 추구하는 일이 최고의 가치라고 생각한 철학자 중 한 사람이었기 때문이다.

인간은 행복해지기 위해 어떤 능력을 발전시켜야 할까? 밀은 우선 지적인 능력을 강조한다. 그는 진보하는 존재인 인간에게 가장 중요한 것이 바로 지적인 능력이라고 생각하였다. 그리고 이 능력을 발휘하는 것은 그 자체로 내재적인 가치가 있기 때문에 다른 모든 감각적인 기쁨을 능가하는 즐거움을 얻을 수 있다고 보았다. 그렇기 때문에 밀은 지적인 소양의 계발을 강조하였는데, 그는 사람이 일정 수준의 교양을 갖출 때 비로소 여러 가지 현실적인 제약을 극복하는 힘을 얻을 수 있다고 믿었다. 밀은 주지주의*의 관점에서 지식의 중요성과 만능성을 강조한 것이다. 두 번째로 밀은 지식뿐만 아니라 감성적 능력의 발전도 중시하였다. 인간의 내재된 감성과 본능적 요소를 자연스럽게 발전시키는 것은 모든 사람이 지니고 있는 각자의 개별적 자기의식*을 발전시키는 데 필수적인 요소라고 주장한다. 물론 감성은 이성에 의해 적절하게 제어되어야만 한다. 마지막으로 밀은 인간의 도덕적 성숙을 발전의 한 요소로 ⓔ제안(提案)하였다. 지성과 감성의 발전과 더불어 인간의 도덕적 의식이 발전할 때 진정한 자기 발전이 완성된다. 밀은 도덕적 발전의 지표로 이기심을 억제하고 타인의 복지에 관심을 기울일 것을 요청했는데, 이는 그가 사회성을 강조하고 있음을 보여 주는 것이다.

이처럼 밀은 지성, 감성, 도덕성이라는 세 가지 차원의 능력이 종합적으로 발전된 상태가 행복이라고 규정하며, 각자 자기 자신만의 특별한 삶의 계획을 실현해 나갈 때 진정한 행복을 느낄 수 있다고 강조하였다.

* 공리주의: 행위의 목적이나 선악 판단의 기준을 인간의 이익과 행복을 증진하는 데에 두는 사상.
* 주지주의: 감정이나 정서보다는 지성 또는 이지(理智)를 앞세우는 경향이나 태도.
* 자기의식: 바깥 세계나 타인과 구별되는 자아로서의 자기에 대한 의식. 자의식

0 이 글의 집필 의도로 가장 적절한 것은 무엇인가요?

① 행복에 대한 밀의 이론을 설명하기 위해
② 현대인에게 행복의 중요성을 알리기 위해
③ 밀의 행복의 개념이 지닌 한계를 비판하기 위해
④ 밀과 벤담의 행복 이론의 차이를 탐구하기 위해
⑤ 현대인에게 자기 발전의 중요성을 전달하기 위해

이 글을 '왜' 썼는지가 바로 집필 의도야.
주제와 관련지어 글쓴이의 의도를 파악해야 해!

1 이 글의 내용과 일치하지 <u>않는</u> 것은 무엇인가요?

① 밀은 인간의 능력 중 지적인 능력을 강조하였다.

② 밀은 인간의 도덕적 성숙을 자기 발전의 한 요소로 제안하였다.

③ 밀은 인간의 내재된 본능적 요소를 최대한 제어해야 한다고 하였다.

④ 밀은 지성, 감성, 도덕성이 조화를 이룬 상태가 행복이라고 규정하였다.

⑤ 밀은 이기심을 억제하고 타인의 복지에 관심을 기울일 것을 요청하였다.

2 다음은 행복에 대해 두 철학자가 나눈 대화입니다. 이 글을 바탕으로 할 때 적절하지 <u>않은</u> 것은 무엇인가요?

> 밀: 행복이란 기쁨을 주는 것이고 고통이 없는 상태이며, 불행은 고통이 있고 기쁨을 상실한 상태입니다. 고통이 없는 삶이 우리 삶의 유일한 목표일 것입니다. ········· ①
>
> 벤담: 물질적인 쾌락이 기쁨의 출발점이 될 수 있습니다. 인간은 물질적 만족감이 있어야 행복을 느낄 수 있지요. ·· ②
>
> 밀: 물질적 만족도 행복의 요소이겠지만, 사람은 자기 존재에 자긍심을 가질 때 비로소 행복해집니다. ·· ③
>
> 벤담: 저도 동의합니다. 물질적 만족은 우리가 추구하는 본질적 가치의 달성에 도움이 될 때만 그 의미가 있지요. ································· ④
>
> 밀: 인간은 계속해서 자기 발전을 이루어 나갈 때 행복해집니다. 행복은 결과가 아니라 삶의 과정 그 자체인 것이죠. ····························· ⑤

3 이 글과 〈보기〉를 바탕으로 판단한 내용으로 가장 적절한 것은 무엇인가요?

|보 기|

　　에피쿠로스는 쾌락을 목표로 삼아 반드시 어떤 일을 성공시켜서 커다란 쾌락을 성취할 것을 기대하고 행동하는 것보다 욕심 없이 살아갈 때 더 큰 행복을 누리게 된다고 설명한다. 쾌락이란 것은 적극적으로 추구한다고 해서 더 큰 행복을 가져오는 것이 아니라 욕망을 절제할 때 더 많이 얻을 수 있다는 것이다. 에피쿠로스는 우리의 신체에 어떠한 고통도 없으면서 동시에 정신에도 불안과 근심이 없는 상태를 이상적인 상태로 여겼다. 이를 통해 행복한 삶을 살기 위해서는 건강한 육체와 근심, 불안, 걱정에서 해방된 마음의 평정 상태를 유지해야 함을 알 수 있다. 에피쿠로스는 육체에는 고통이 없고 정신에는 불안과 근심이 없는 이상적인 상태를 아타락시아(ataraxia)라고 불렀다.

① 밀은 에피쿠로스와 달리 자기 발전을 강조했다.
② 밀은 에피쿠로스와 달리 고통이 없는 상태를 행복이라고 판단했다.
③ 에피쿠로스는 밀과 달리 지적인 능력의 활용을 중시했다.
④ 에피쿠로스는 밀과 달리 감성이 이성을 제어해야 한다고 생각했다.
⑤ 밀과 에피쿠로스는 모두 욕망을 적극적으로 추구해야 한다고 주장했다.

4 ⓐ~ⓔ를 활용하여 만든 문장으로 적절하지 <u>않은</u> 것은 무엇인가요?

① ⓐ: 우리 모두 힘을 합쳐 <u>정의</u>가 구현되는 사회를 만들자.
② ⓑ: 그녀는 현실에 <u>만족</u>을 느끼며 살고 있다.
③ ⓒ: 제 에너지의 <u>원천</u>은 가족들의 응원과 사랑입니다.
④ ⓓ: 그는 자신이 경찰인 것에 <u>긍지</u>를 느끼고 있다.
⑤ ⓔ: 함께 일을 해 보자는 <u>제안</u>에 응하기로 했다.

부정 진술에 주목해야 하는 이유

두 철학자가 '절대적인 진리'에 대해 논쟁하고 있습니다. 소피스트의 부정 진술에 주목하여 소크라테스의 다음 말을 떠올려 볼까요?

진리란 시대와 장소에 따라 변하는 상대적인 것이다. 그러니 영원히 변하지 않는 절대적인 진리는 없어.

인간은 이성적인 존재이므로 절대적인 진리를 찾을 수 있어. 그러니 언제, 어디서나, 누구에게나 통하면서도 변하지 않는 _____

소피스트

소크라테스

글쓴이는 대부분 자신의 생각을 긍정 진술(긍정문)로 나타내게 됩니다. 여러분이 대화할 때 "~아니다", "~이지 않다."라고 부정 진술로 표현하는 것보다 "그것은 ~라고 주장한다.", "그것은 ~이다."라고 긍정 진술로 말하는 것이 더 보편적인 것처럼 말이죠.

부정 진술이란 '~아니다, ~않다, ~못하다, ~이지 않다.'와 같은 부정문을 이용한 진술 방식을 말해요. 그럼 글쓴이는 왜 부정 진술을 사용할까요? 위 대화에는 부정문 독해를 쉽게 하는 열쇠가 숨어 있습니다. **부정 진술 뒤에는 긍정 진술로 앞의 생각과는 다른 생각을 제시**할 때가 많습니다.

54쪽 지문

철학에서는 오래전부터 행복에 대한 논의를 지속해 왔고, 수많은 철학자가 나름의 대답을 내놓았다. 그중 철학자 밀(John Stuart Mill)이 생각하는 행복이란 무엇일까? 공리주의자인 밀은, 행복이란 기쁨을 주는 것이고 고통이 없는 상태이며, 불행은 고통이 있고 기쁨을 상실한 상태라고 정의한다. 기쁨, 즉 고통이 없는 ⬛⬛⬛⬛⬛⬛⬛⬛⬛⬛⬛⬛⬛⬛⬛⬛⬛⬛⬛⬛ 면 무엇이 기쁨을 주는 것일까? 벤담(Jeremy ⬛⬛⬛⬛⬛⬛⬛⬛⬛⬛⬛⬛⬛⬛⬛⬛ 기쁨의 출발점으로 제안한다. 즉 물질적 만족⬛⬛⬛⬛⬛⬛⬛⬛⬛⬛⬛⬛, ⬛⬛⬛⬛⬛⬛⬛⬛ 높이는 것이 가장 좋은 것이고 곧 행복이라 여긴다. 그러나 밀은 **물질적 만족이 행복에 기여하는 가장 중요한 가치라고 생각하지 않았다.** 물질적 만족은 우리가 추구하는 본질적 가치를 달성하는 데 도움이 될 때만 그 의미를 가진다고 본 것이다.

> 부정 진술 뒤에 나오는 긍정 진술을 보면,
> 글에서 주된 인물의 핵심 주장이 담겨 있다!

정답: 절대적인 진리는 있어.

독해연습 1　**아래 문장을 읽고, 물음에 답하세요.**

> 　사실 객관적인 증거는 없지만, 우주의 크기를 생각해 보면 외계인 또는 외계의 문명이 존재할 가능성은 언제나 열려 있다.

1 위 문장을 다시 읽고, 부정 진술을 찾아 써 보자.

2 위 문장을 다시 읽고, 이번엔 긍정 진술을 찾아 써 보자.

3 1과 2의 부정 진술과 긍정 진술 중 글쓴이의 의도를 나타내는 것이 무엇인지 골라 보자.

독해연습 2　**아래 문단을 읽고, 물음에 답하세요.**

> 　언어는 기본적으로 인간 상호 간의 의사소통을 위한 기호의 체계이다.❶ 모든 기호가 그렇듯이, 언어도 전달하고자 하는 '내용'과 그것을 실어 나르는 '형식'의 두 가지 요소로 구분된다.❷ 언어에서의 내용은 의미이며, 형식은 음성이다.❸ 이러한 의미와 음성의 관계는 마치 동전의 앞뒤와 같아서, 이 중에서 어느 하나라도 결여되면 언어라고 할 수 없게 된다.❹

1 ❶~❹에서 부정 진술문이 있는 문장을 찾아 번호를 써 보자.

2 부정 진술에 주목하여 위 글의 핵심 주장을 정리해 보자.

밤하늘은 왜 어두울까

우주가 무한하고 별들이 고르게 분포되어 있다면, 우리 눈앞에 펼쳐진 2차원의 밤하늘은 별들로 가득 메워져 밤에도 환해야 한다. 왜냐하면 우리의 시선이 결국은 어느 별엔가 가 닿을 것이기 때문이다. 그렇지만 실제로 우리가 보는 밤하늘은 그렇지 않다. 이 문제에 대한 의문은 오래전부터 존재했지만, 이것을 하나의 화두*로 만든 사람은 19세기 독일의 천문학자이자 의사인 하인리히 올베르스다. 그래서 이 역설*을 '올베르스의 역설'이라고 한다. 소행성 발견자인 올베르스는 '   ㉠   '이라고도 하는 이 역설로 더욱 유명해졌다. 이 질문에 대한 올베르스의 답은 우주 공간에 빛을 흡수하는 물질, 즉 성간 가스*나 먼지 같은 것들이 존재한다고 가정하는 것이었다. 하지만 우주 공간의 물질들이 무한히 많은 천체가 내놓는 빛을 계속 흡수하게 되면, 어느 시점에는 그 물질이 빛을 다시 방출하여 빛나게 되므로 우주는 마찬가지로 밝아질 것이기 때문에 이는 옳은 답이라고 할 수 없었다.

핼리 혜성을 발견한 것으로도 유명한 핼리는 밤하늘이 어두운 이유는 먼 곳에서 온 별빛이 너무 희미하여 우리 눈으로 볼 수 없기 때문이라고 생각했다. 실제로 별빛의 세기는 지구로부터의 거리의 제곱에 반비례하기 때문에 아주 먼 곳에 있는 별빛의 세기는 매우 작아진다. 따라서 핼리는 밤하늘의 어두운 부분을 따라가면 별빛을 만날 수 있지만 지구에서는 그 별빛을 볼 수 없다고 생각했다. 과연 그럴까? 먼 곳의 별빛이 약해지는 것은 사실이지만 아무리 희미한 별빛이라도 모든 방향에서 빛이 온다면 모든 곳이 밝아질 수밖에 없다.

올베르스의 역설을 처음으로 해결한 사람은 뜻밖의 인물로, 유명한 추리 소설 「검은 고양이」를 쓴 미국의 작가이자 아마추어 천문가인 에드거 앨런 포였다. 포는 밤하늘이 왜 어두운지에 대해 설명하면서 빛의 속도와 별의 수명이라는 자료를 처음으로 도입했다. 빛의 속도는 매우 빠르긴 하지만 정해진 시간에 갈 수 있는 거리가 한정되어 있다. 초속 30만 km인 빛은 1초에 지구를 여덟 바퀴 돌고, 1초 안에 달까지 갈 수 있으며, 8분이면 태양까지 간다. 정말 가공할 만한 속도이다. 하지만 별과 별 사이의 공간, 은하와 은하 사이의 공간이 얼마나 큰지 생각해 보면 상대적으로 빠른 속도가 아닐 수도 있다.

만약 우주가 처음부터 존재했던 것은 아니라고 가정해 보자. 별들도 처음부터 존재했던 것은 아니며, 우주의 역사에서 어느 한순간에 나타났다고 생각해 보는 것이다. 그 순간부터 일정한 시간 동안 빛이 갈 수 있는 거리는 한정되어 있다. 즉 우리가 있는 곳과 그 한정된 거리 사이에 포함된 빛만이 지구까지 도달할 수 있었다는 뜻이다. 그러므로 밤하늘을 밝히는 별의 수는 유한하며, 어쩌면 그렇게 많지 않을 수도 있다. 이처럼 포는 빛의 속도가 한정되어 있기 때문에, 그리고 별이 처음부터 존재하지 않았기 때문에 밤하늘이 어두운 것이라고 설명한다. 1884년 영국의 물리학자 윌리엄 톰슨 켈빈은 빛의 ⓐ 와 별의 ⓑ 때문에 밤이 어둡다고 설명하고, 포가 머릿속으로만 예측했던 것을 계산을 통해 증명해 보였다.

* 화두: 관심을 두어 중요하게 생각하거나 이야기할 만한 것.
* 역설: 일반적으로 모순을 야기하지 아니하나 특정한 경우에 논리적 모순을 일으키는 논증. 어떤 사실의 앞뒤, 또는 두 사실이 어긋나서 서로 맞지 않지만 그 속에 중요한 진리가 함축되어 있는 것으로 간주한다.
* 성간 가스: 별과 별 사이의 공간 대부분을 차지하는 기체. 수소를 주성분으로 하는 원자와 분자로 이루어져 있다.

밤하늘에 대한 질문

Q 올베르스는 밤하늘이 왜 어둡다고 생각했나요?

0 ㉠에 들어갈 말로 가장 적절한 것은 무엇인가요?

① 우주 경계의 역설
② 어두운 밤하늘의 역설
③ 빛의 상대 속도의 역설
④ 거리와 빛의 세기의 역설
⑤ 별의 수명과 밝기의 역설

1, 3, 5, ☐, 9, 11

정답은 7!
☐ 안에 들어갈 숫자를 어떻게 알 수 있었지?

1 **이 글의 서술 방식으로 가장 적절한 것은 무엇인가요?**

① 개념을 정의하고 그 개념을 고찰하고 있다.
② 이론의 장단점을 비교하여 독자의 이해를 돕고 있다.
③ 현상이 발생하는 원리를 과정에 따라 제시하고 있다.
④ 여러 가지 사례를 통해 일반화된 견해를 도출하고 있다.
⑤ 현상의 원인을 다룬 이론의 문제점을 제시하고 해답을 찾고 있다.

개별적이거나 특수한 것에서 **전체를 아우를 수 있는 원리나 개념을
이끌어 내는 것**을 일반화된 견해라고 해!

2 **ⓐ와 ⓑ에 각각 들어갈 말로 적절한 것은 무엇인가요?**

	ⓐ	ⓑ
①	한정된 속도	한정된 수명
②	한정된 수명	한정된 속도
③	무한한 속도	무한한 수명
④	상대적 수명	한정된 속도
⑤	상대적 속도	무한한 수명

3 이 글과 〈보기〉를 바탕으로 알 수 있는 내용이 <u>아닌</u> 것은 무엇인가요?

---|보 기|---

밤하늘에서 관측되는 별이나 은하의 별빛을 스펙트럼으로 분석해 보면 '적색 편이(Red Shift)'라는 현상이 나타나는 것을 볼 수 있다. '적색 편이'는 스펙트럼 색상의 특정한 이동을 나타내는 말인데, 관측자에게서 멀어지는 물체에서 특징적으로 나타난다. 지구에서 관측되는 모든 외계 천체들의 스펙트럼에는 적색 편이가 공통적으로 나타나는데, 이는 곧 우주의 모든 별들이 지구로부터 멀어지고 있다는 이야기다. 이것은 우주 팽창의 증거가 될 수 있다.

① 우주가 팽창하는 속도는 빛이 지구에 다다르는 속도보다 빠르다.
② 먼 곳에 있는 별빛의 세기는 작아지므로 적색 편이가 관측되지 않는다.
③ 무한한 별을 보게 된다면 무한한 양의 빛이 관측자의 눈에 도달해야 한다.
④ 우주가 팽창하기 때문에 먼 거리의 별과 은하들은 우리들로부터 멀어지고 있다.
⑤ 밤하늘을 밝히는 별의 개수는 유한하며, 모든 별들은 지구로부터 멀어지고 있다.

4 이 글을 바탕으로 추론할 수 있는 내용을 〈보기〉에서 골라 바르게 묶은 것은 무엇인가요?

---|보 기|---

ㄱ. 지금 우리가 보고 있는 별빛은 과거의 빛이다.
ㄴ. 우주 공간을 메우고 있는 먼지와 가스층이 빛의 속도에 영향을 미친다.
ㄷ. 빛의 속도가 무한히 빠르다면, 밤하늘의 별은 지금보다 밝게 빛날 것이다.
ㄹ. 시간이 지나면 지금의 밤하늘에 어둡게 보이던 부분에 별이 새롭게 나타날 수 있다.

① ㄱ, ㄴ   ② ㄱ, ㄹ   ③ ㄴ, ㄷ
④ ㄴ, ㄹ   ⑤ ㄷ, ㄹ

이집트 벽화 속 사람들은 왜 독특할까

「늪지로 사냥을 나간 네바문」

대영 박물관이 소장한 「늪지로 사냥을 나간 네바문」은 얼굴과 다리는 측면에서 본 모습을, 가슴과 눈은 정면에서 본 모습을 그린 것이다. 해부학적으로 불가능한 자세지만, 이 그림뿐 아니라 고대 이집트 벽화 대부분이 이런 식으로 그려졌다. 동양, 특히 중국에서는 인물을 그릴 때 정면 상이 대상의 인품과 특징을 압축적으로 보여 준다고 생각하여 정면에서 본 모습을 주로 그렸다. 그에 비해 서양에서는 인물을 그릴 때 측면에서 본 모습을 적극적으로 그렸는데, 해부학적 구조상 옆에서 볼 때 얼굴 특징이 또렷이 살아나기 때문이다. 이렇듯 인간이 두 가지의 이미지 면을 동시에 갖고 있는 까닭에 정면 상과 측면 상 외에 동서양 모두 이 둘을 한꺼번에 나타내는 부분 측면 상을 ⓐ발달시켰다. 그런데 흥미로운 것은 앞에서 보았듯 ㉠고대 이집트 벽화의 경우, 자연스러운 방식이 아니라 신체 부위에 따라 편의적으로 ⓑ봉합하는 방식으로 정면과 측면을 동시에 나타냈다는 점이다. 그 이유는 무엇일까?

일단 대부분의 벽화가 무덤에 그려진 벽화인 고분 벽화라는 사실에 주목할 필요가 있다. 고대 이집트인들은 무덤의 주인이 내세에서도 이승에서와 마찬가지로 사냥하고 잔치를 벌이며 살 것이라고 생각하였다. 그런데 무덤의 주인이 벽화에서 자연스러운 부분 측면 상으로 그려지면 그 원근 표현에 따라 사지* 중 일부가 작게 그려지거나 아예 안 보이는 경우가 생길 수 있다. 멀리 있거나 다른 것에 겹쳐져 있어 그렇게 보일 수도 있지만, 그 부분이 실제로 작거나 없어서 그렇게 보일 수도 있을 것이다. 하지만 이집트인들이 보기에 그런 염려를 준다는 것 자체가 문제였다. 자칫하면 무덤의 주인 즉, 사자(死者)는 작은 팔을 가지고, 혹은 사지 가운데 하나 없이 내세를 살아야 할 것이다. 고대 이집트인들에게 있어 인체의 일부를 작게 그려 넣는 것은 이처럼 원근에 따른 불가피한 시각적 표현이 아니라 실제의 크기를 줄여 버리는 것으로 느껴졌던 것이다. 그것은 불균형이요, 파괴였다. 이는 그들의 그림이 기본적으로 시각 상이 아니라 촉각 상에 ⓒ토대를 둔 것이었기 때문이다.

촉각 상이란 촉각적 경험이 가져다주는 이미지이다. 이를테면 동일한 종류의 사물이 앞뒤로 떨어져 있어서 한 지점에서 볼 때 크기가 달라 보여도 만져 보면 같듯, 사물의 객관적 형태나 모양에 대한 인식을 상으로 나타낸 것이다. 반면에 시각 상이란 시각적 경험이 가져다주는 이미지이다. 같은 사물도 보는 위치에 따라 더 크거나 작아 보이듯, 주체가 본 그대로 상을 나타낸 것이다. 그런 까닭에 시각적으로 어떻게 보이느냐보다 실제 그 형태나 모양이 어떤가에 더 관심을 둔 이집트 벽화는 시각 상보다 촉각 상을 더 중시한 그림이라고 할 수 있다.

원근법적 표현에 익숙한 오늘날의 시각에서 보면 이처럼 시각 상보다 촉각 상에 더 ⓓ치중하여 그린 이집트인들의 표현이 어색하게 느껴질 수 있다. 하지만 미술의 보다 보편적인 기능은 시각적 사실의 재현*이 아니라 세계에 대한 앎과 이해 그리고 느낌을 전달하는 데 있다. 이를 시각적 사실성에 의지해 표현하는 것은 그 전달을 위한 수많은 방법 중 하나에 불과한 것이다. 흔히 미술을 공간 예술이라고 하지만, 미술은 단순히 공간을 시각적 감각에 의지해 파악하고 표현하는 예술이 아니라, 공간과 세계에 대한 ⓔ총체적 이해를 토대로 그 속에서 벌어지는 갖가지 사건들에 대한 우리의 인식과 사유를 다양한 조형* 형식에 의존해 표현하는 예술이라 할 수 있다.

* 사지: 사람의 두 팔과 두 다리를 통틀어 이르는 말.
* 재현: 다시 나타남. 또는 다시 나타냄.
* 조형: 여러 가지 재료를 이용하여 구체적인 행태나 형상을 만듦.

0 ㉠의 특징이 잘 나타난 그림으로 적절한 것은 무엇인가요?

 복잡한 글도 그림으로 표현하면 훨씬 더 단순해져.

1 이 글을 읽고 답할 수 <u>없는</u> 질문은 무엇인가요?

① 미술의 보편적인 기능은 무엇일까?
② 시각 상과 촉각 상의 차이점은 무엇일까?
③ 동서양 인물화의 차이점은 왜 나타나는 것일까?
④ 인물화에 나타나는 원근법적 기법에는 어떤 것이 있을까?
⑤ 이집트 벽화는 시각 상과 촉각 상 중 어떤 것이 강조되어 있을까?

2 이 글의 내용 전개 방식으로 가장 적절한 것은 무엇인지 고르세요.

① 현상의 원인을 심층적으로 분석하고 있다. ☐
② 문제가 되는 현상에 대한 대안을 제시하고 있다. ☐
③ 추상적인 내용을 자신의 경험과 관련지어 설명하고 있다. ☐
④ 현상에 대한 의문을 전문가의 이론을 바탕으로 설명하고 있다. ☐
⑤ 대상 간의 차이점을 언급한 후 양자 간의 바람직한 조화를 강조하고 있다. ☐

3 이 글의 내용과 일치하지 <u>않는</u> 것은 무엇인가요?

① 고대 이집트 벽화는 대부분 고분 벽화이다.
② 고대 이집트인들은 영혼이 불멸한다고 믿었다.
③ 고대 이집트 벽화는 시각적 사실성을 중시하였다.
④ 서양에서는 측면을 나타낸 초상화가 많이 그려졌다.
⑤ 고대 이집트 벽화에는 측면과 정면이 혼합된 형태로 나타나 있다.

4 이 글을 바탕으로 〈보기〉를 이해한 내용으로 적절한 것은 무엇인가요?

─────┤ 보 기 ├─────

기원전 1400년 무렵의 이집트 고분 벽화, 「악사와 무희」

이집트 벽화에서 사람을 그린 것임에도 정면과 측면의 봉합이 아니라 정면과 측면 어느 한 쪽에서 본, 보다 사실적인 묘사를 한 그림들도 있다. 악사나 무희*를 그린 그림이 이에 해당한다. 이집트인들은 신분이 낮은 존재를 그릴 때는 시각 상에 가깝게 그리고, 파라오나 귀족처럼 신분이 높은 존재를 그릴 때는 촉각 상에 가깝게 그렸다.

* 무희: 춤을 잘 추거나 춤추는 것을 직업으로 하는 여자.

① 이집트 벽화에는 신분이 낮은 존재를 그릴 수 없었다.
② 이집트 벽화에서는 부분 측면 상이라는 방식으로 이미지를 드러낸다.
③ 신분이 낮은 존재는 보이는 대로, 신분이 높은 존재는 인식하는 대로 그려졌다.
④ 신분이 낮은 존재를 그릴 때는 사물의 객관적 형태나 모양에 대한 인식을 상으로 나타냈다.
⑤ 신분이 낮은 존재도 내세에는 다른 신분으로 태어날 수 있다는 이집트인들의 현실 인식이 드러나 있다.

> 이런 문제는 꼭 선지의 내용을 지문이나 〈보기〉 자료에 근거해서 해석해야 해. 맞는 말이라도 근거가 없으면 정답이 아니야.

5 ⓐ∼ⓔ의 사전적 의미로 적절하지 **않은** 것은 무엇인가요?

① ⓐ: 학문, 기술, 문명, 사회 따위의 현상이 보다 높은 수준에 이름.
② ⓑ: 이미 있는 것에 덧붙이거나 보탬.
③ ⓒ: 어떤 사물이나 사업의 밑바탕이 되는 기초와 밑천.
④ ⓓ: 어떠한 것에 특히 중점을 둠.
⑤ ⓔ: 있는 것들을 모두 하나로 합치거나 묶은.

Q 다음은 생각을 읽을 수 있는 지문 구조도를 퍼즐로 나타낸 것입니다. 앞에서 읽은 글의 내용을 떠올리며 생각읽기 1~6에 해당하는 퍼즐을 선으로 연결해 보세요.

문단으로 생각읽기

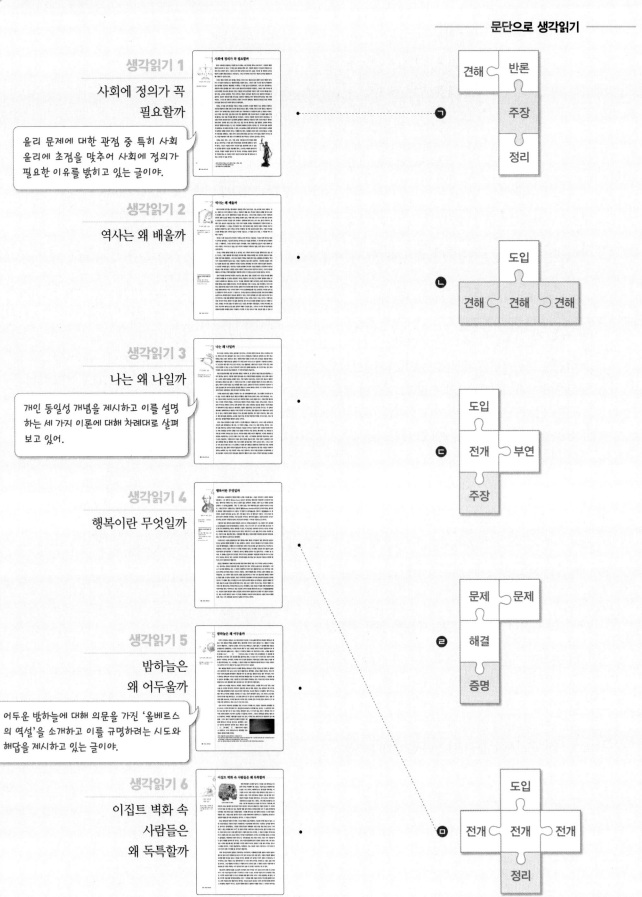

생각읽기 1

사회에 정의가 꼭 필요할까

윤리 문제에 대한 관점 중 특히 사회 윤리에 초점을 맞추어 사회에 정의가 필요한 이유를 밝히고 있는 글이야.

생각읽기 2

역사는 왜 배울까

생각읽기 3

나는 왜 나일까

개인 동일성 개념을 제시하고 이를 설명하는 세 가지 이론에 대해 차례대로 살펴보고 있어.

생각읽기 4

행복이란 무엇일까

생각읽기 5

밤하늘은 왜 어두울까

어두운 밤하늘에 대해 의문을 가진 '올베르스의 역설'을 소개하고 이를 규명하려는 시도와 해답을 제시하고 있는 글이야.

생각읽기 6

이집트 벽화 속 사람들은 왜 독특할까

ㄱ: 견해 / 반론 / 주장 / 정리

ㄴ: 도입 / 견해 / 견해 / 견해

ㄷ: 도입 / 전개 / 부연 / 주장

ㄹ: 문제 / 문제 / 해결 / 증명

ㅁ: 도입 / 전개 / 전개 / 전개 / 정리

1 개인의 자유와 권리가 존중되고 구성원 각자의 권리와 의무가 공정하게 분배되기 위해서는 사회 구조와 제도의 ☐☐ 가 필요하다.

2 역사는 크게 '사실로서의 역사'와 '☐☐으로서의 역사'로 구분되며 우리가 배우는 역사는 후자에 속한다.

3 과거의 나를 현재의 나와 같은 사람이라고 말할 수 있는 근거에 대한 물음을 '개인 ☐☐☐' 문제라고 하는데, 이를 설명하는 이론에는 신체 이론, 영혼 이론, 심리 이론이 있다.

4 밀은 ☐☐ 이란 인간이 자긍심을 가지고 자기 발전을 이루어 나갈 때 도달할 수 있으며, 지성, 감성, 도덕성이라는 세 가지 차원의 능력이 종합적으로 발전된 상태라고 규정하였다.

5 작가이자 아마추어 천문가인 에드거 앨런 포는 밤하늘이 왜 어두운지를 빛의 ☐☐ 와 별의 ☐☐ 을 통해 설명하였다.

6 고대 이집트 벽화에서 인물의 정면과 측면의 모습이 동시에 나타나는 이유는 시각 상보다 ☐☐ 상을 더 중시했기 때문이다.

인간은 왜 같은 질문을 반복할까?

"새롭고 의미 있는 변화는 질문에서 비롯된다"

과학 패러다임의 획기적인 변화를 가져온 진화론은 호기심 많던 찰스 다윈의 질문 '인간은 어디에서 온 것일까?'에서 시작되었습니다. 또한 '사람이 새처럼 하늘을 날 수는 없을까?'라는 의문을 가진 라이트 형제 덕분에 우리는 비행기를 타고 전 세계를 누빌 수 있게 되었죠.

모두가 당연하게 생각한 것에 의문을 품고 스스로 답을 찾는 것, 우리는 이러한 질문을 '세상을 바꾸는 위대한 질문, 빅 퀘스천'이라고 부릅니다.

1초에 수천 개 이상의 정보를 처리하는 인공지능과 비교하면 인간의 문제 풀이 능력은 경쟁력이 될 수 없습니다. 하지만 질문을 던지고 변화를 이끌어 나가는 것은 결국 사람이 하게 될 것입니다. 우리는 질문이 중요한 세상에 살고 있습니다.

> 올바른 질문을 찾고 나면, 정답을 찾는 데는 5분도 채 걸리지 않을 것이다. 질문이 정답보다 중요하다.
> – 알버트 아인슈타인

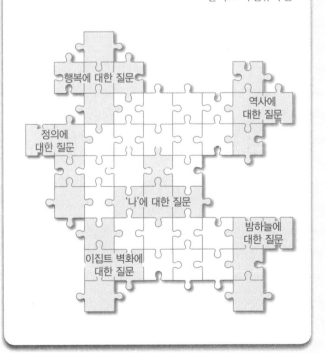

03 해프닝

생각의
발견

해프닝을 말하다!

해프닝이란 우연히 일어난 일, 또는 우발적인 사건을 말합니다. 우리는 우연히 일어나는 일에 대해서는 그것이 좋은 일이든, 나쁜 일이든 당연하게 받아들이는 경향이 있습니다. 길을 걷다가 반가운 친구를 마주치거나 배가 고파서 집어 든 빵이 상했다거나 하는 일 등은 개인이 통제할 수 없는 단순한 '운'이라고 생각하기 때문입니다. 그러나 우연히 사과가 떨어지는 모습을 보고 만유인력의 법칙을 발견한 뉴턴처럼 해프닝은 때로 엄청난 힘을 발휘하기도 합니다. 해프닝이 가져온 위대한 변화와 관련된 이야기들을 읽다 보면 일상을 바라보는 우리의 시각도 조금은 달라지지 않을까요?

클레오파트라의 콧대

우연과 필연의 역사

Q 역사를 우연으로만 설명하는 것이 바람직하지 않은 이유는 무엇일까요?

글쓴이는 어떻게 독자를 사로잡을까
독자의 흥미를 유발하는 방법, 글쓴이의 전략에 주목하지!

▶ 원리로 생각읽기 76쪽

(가) 프랑스의 사상가 파스칼은 자신의 책『팡세』에서 이렇게 말했다.

"만약에 클레오파트라의 코가 조금만 낮았더라면 세계 역사는 달라졌을 것이다."

그의 생각은 이렇다. 그녀의 코가 조금만 낮았더라면 안토니우스가 그녀와 사랑에 빠지지 않았을 것이다. 그러면 안토니우스가 클레오파트라와 연합하여 옥타비아누스와 벌인 악티움 해전*도 없었을 것이고, 옥타비아누스가 로마 제국의 초대 황제가 되는 일도 일어나지 않았을 것이다. 결국 예측할 수 없는 우연한 작은 것이 거대한 역사적 변화를 가져왔다고 생각한 것이다.

(나) ㉠다른 역사적 사건에도 '만약에'로 시작되는 질문을 던질 수 있다. "만약에 멕시코 원주민들이 단결해 포르투갈에서 온 600여 명의 침략자에게 대항했다면 결과는 어떻게 됐을까?", "만약에 히틀러가 제1차 세계대전 당시 전쟁터의 참호*에서 죽었다면?", "만약에 처칠이 1931년 뉴욕 5번가에서 차에 치였을 때 치명상을 입었다면?" 이러한 가정적 접근은 사건의 역사적 의미를 이해하고 역사의 흐름을 읽는 혜안*을 길러 주기 때문에 역사를 이해하는 유용한 방법이 될 수 있다. 그러나 이렇게 역사를 우연으로만 설명하는 것은 가능하지 않고 바람직하지도 않다.

(다) 클레오파트라의 사례를 다시 보자. 연구에 따르면 클레오파트라는 대단한 미인이 아니었을 가능성이 높다고 한다. 이를 근거로 전문가들은 그녀가 아름다운 외모가 아닌 탁월한 지성과 화려한 언변으로 안토니우스를 사로잡았을 것이라고 추측한다. 당시의 정치 상황에서 그녀에게 가장 중요했던 문제는 로마로부터 이집트의 독립을 유지하고, 남편인 프톨레마이오스 13세와의 권력 투쟁에서 승리해 정치적 입지*를 강화하는 것이었다. 때문에 그녀는 자신의 장점을 최대한 활용해 '로마로 로마를 공략'하는 전략을 집요하게 구사했을 가능성이 크다. 이렇게 볼 때 우리가 '만약에'라는 사후 가정으로 역사를 판단할 때는 당시의 시대정신과 가능한 대안들을 종합적으로 고려하는 것이 필요하다.

(라) 그리스의 철학자 데모크리토스는 "우주 속에 존재하는 모든 사물은 우연과 필연의 열매다."라고 말했다. 이는 역사적 사실에도 적용된다. 우연처럼 보이는 역사적 사실도 사실은 필연에 따른 인과 관계가 작용한 결과인 경우가 많다. 그렇기에 역사적 사실의 저변에 있는 인간의 힘과 시대적 흐름을 보지 못하고 겉으로 드러나는 우연에만 주목한다면 우리는 역사가 주는 지혜와 교훈을 꿰뚫어 보는 통찰력*을 얻기 어려울 것이다.

---

* 악티움 해전: 기원전 31년에 그리스의 서북부 악티움 앞바다에서 일어난 해전. 옥타비아누스가 안토니우스와 클레오파트라의 연합군을 격파한 후 황제가 됨으로써 공화정을 제정으로 바꿈.
* 참호: 산이나 들에서 적의 공격에 몸을 숨기기 위해 판 구덩이.
* 혜안: 사물을 꿰뚫어 보는 지혜로운 눈.
* 입지: 개인이나 단체가 차지하고 있는 기반이나 지위.
* 통찰력: 사물을 환히 꿰뚫어 보는 능력.

0 이 글을 통해 글쓴이가 **궁극적으로** 말하고자 하는 바는 무엇인가요?

① 역사를 우연으로만 설명하는 것은 불가능하다.
② 우연처럼 보이는 역사적 사실에만 주목해야 한다.
③ 이미 일어난 역사적 사건을 가정적으로 접근하는 것은 바람직하지 않다.
④ 인간은 역사가 보여 주는 지혜와 교훈을 꿰뚫어 보는 통찰력을 가질 수 없다.
⑤ 역사를 바라볼 때는 거기에 담겨 있는 인간의 힘과 시대적 흐름을 파악해야
한다.

결국 하고 싶은 말이 뭔데?

궁극적으로 말하고자 하는 바는 **글쓴이가 마지막으로 꼭 하고 싶어 하는 말**이란 뜻이야!
당연히 가장 중요한 말이겠지?

1 〈보기〉와 유사한 의미를 갖는 ⊙의 예로 가장 거리가 <u>먼</u> 것은 무엇인가요?

┤보 기├

　이미 일어난 역사적 사건에 가정을 하는 것이 무의미하다고 생각할 수도 있겠지만, 이러한 가정을 통해 우리는 선조들이 먼저 겪은 경험과 삶의 지혜를 바탕으로 지금의 삶을 살아가고 미래를 생각해 보기도 한다. 이것만으로도 역사에 대한 가정적 접근은 충분히 의미가 있는 것이 아닐까?

① 만약에 세종대왕이 없었다면 우리의 삶은 어떻게 달라졌을까?
② 만약에 임진왜란 때 이순신 장군이 없었다면 조선은 어떻게 되었을까?
③ 만약에 고조선이 건국되지 않았다면 한반도에는 어떤 나라가 세워졌을까?
④ 만약에 서희가 소손녕을 만나 담판을 짓지 않았더라면 고려의 운명은 어떻게 되었을까?
⑤ 만약에 우리가 일본의 식민 지배로부터 독립하지 못했다면 우리의 현재는 어떤 모습일까?

2 이 글에서 글쓴이가 가장 부정적으로 생각하는 태도는 무엇인가요?

① 역사로부터 지혜와 교훈을 얻고자 하는 것
② 역사적 사실에서 겉으로 드러나는 우연에만 주목하는 것
③ 역사적 사실의 저변에 있는 인간의 힘과 시대적 흐름을 보는 것
④ 역사적 사건에 '만약에'라는 질문을 던지며 가정적으로 접근하는 것
⑤ 역사를 판단할 때 당시의 시대정신과 가능한 대안들을 종합적으로 고려하는 것

(다)에 제시된 사실을 근거로 (가)의 내용을 다시 해석한다고 할 때, 가장 적절하게 해석한 학생은 누구인가요?

윤호: 만약에 클레오파트라가 미인이 아니었다면 프톨레마이오스 13세는 그녀와 결혼하지 않았을 테니까 세계 역사는 완전히 다른 방향으로 전개되었을 거야.

지수: 만약에 클레오파트라의 코가 조금만 더 높았더라면 안토니우스는 물론 옥타비아누스까지 클레오파트라에게 반했을 테니 악티움 해전은 일어나지 않았을 거야.

대정: 만약에 클레오파트라가 미인이 아니었더라도 그녀는 자신의 탁월한 지성과 언변으로 안토니우스를 사로잡았을 것이므로 결국 세계 역사는 달라지지 않았을 거야.

민철: 만약에 클레오파트라의 코가 조금만 낮았더라면 그녀는 자신의 외모적 결함을 극복하기 위해 지식을 쌓느라 안토니우스와 사랑에 빠질 겨를이 없었을 거야.

병국: 만약에 클레오파트라가 안토니우스와 사랑에 빠지지 않았다면 그녀의 미모를 이용해 옥타비아누스를 사로잡았을 것이고, 그러면 안토니우스가 로마 제국의 초대 황제가 되었을 거야.

글쓴이의 관점을 이해하지 못한 상태에서는 어떤 대상도 제대로 해석할 수 없고 점점 더 혼란에 빠지기만 할 거야.

① 윤호　　② 지수　　③ 대정　　④ 민철　　⑤ 병국

하나의 관점으로 다른 대상을 이해하거나 해석할 때는 무엇보다 주어진 관점의 핵심이 무엇인지 파악하는 것이 중요해.

글쓴이가 흥미를 유발하는 방법

스티브 잡스의 프레젠테이션이 청중을 사로잡을 수 있었던 이유는 무엇이었을까요?

스티브 잡스가 아이폰이라는 신제품을 선보이는 프레젠테이션을 진행했을 때입니다. 그의 등장과 함께 커다란 화면에서는 아이팟(음악)과 전화기(통화) 그리고 인터넷(통신), 이 세 가지가 하나로 합쳐져 하나의 아이폰이 되는 장면이 펼쳐졌습니다. 이 장면은 그곳에 있던 많은 청중들의 마음을 단번에 사로잡았습니다.

사람은 본능적으로 흥미로운 것에 집중합니다. 때문에 글의 첫 부분에 흥미로운 내용이 나오면 독자는 집중해서 그 글을 계속 읽지만 첫 번째 줄부터 지루함을 느끼거나 지나치게 어려우면 금방 다른 책으로 손이 가게 됩니다.

그럼 글쓴이는 독자의 흥미를 유발하기 위해 어떤 방법을 사용할까요? 정해진 방법은 없지만 일반적으로 널리 사용되는 방법에는 인상적인 제목 달기, 사람들에게 화제가 되었던 사건이나 널리 알려진 이야기 혹은 재미있는 이야기로 글을 시작하기, 그림이나 사진 등의 매체 활용하기, 유명인의 말 인용하기 등이 있습니다. 글을 읽을 때 이러한 부분들에 주목하여 글쓴이의 의도를 파악해 보는 것도 흥미롭겠지요?

72쪽 지문

(가) 프랑스의 사상가 파스칼은 자신의 책 『팡세』에서 이렇게 말했다.

"만약에 클레오파트라의 코가 조금만 낮았더라면 세계 역사는 달라졌을 것이다."

그의 생각은 이렇다. 그녀 ⎡ 글쓴이가 독자를 사로잡기 위해 사용한 전략을 눈치챘다면 ⎤ 것이다. 그러면 안토니우스와 ⎣ 당신은 이미 글쓴이의 의도를 알고 있다! ⎦ 었을 것이고, 옥타비아누스가 로마 제국의 초대 황제가 되는 일도 일어나지 않았을 것이다. 결국 예측할 수 없는 우연한 작은 것이 거대한 역사적 변화를 가져왔다고 생각한 것이다.

정답: 시각 매체 활용하기

독해연습 1 아래 문장을 읽고, 물음에 답하세요.

(가) "아는 것이 힘이다." 그리스의 철학자 소크라테스가 한 말이다.

(나) 토끼와 거북이 이야기를 모르는 사람은 없을 것이다. 그러나 현대판 토끼와 거북이 이야기는 다소 생소할 것이다.

---

1 (가)에서 글쓴이가 독자의 흥미를 유발하기 위해 활용한 방법을 써 보세요.

2 (나)에서 글쓴이가 독자의 흥미를 유발하기 위해 활용한 방법은 무엇인가요?

① 인상적인 제목 달기

② 유명인의 말 인용하기

③ 흥미로운 사례 제시하기

④ 그림이나 사진 등을 먼저 제시하기

⑤ 널리 알려진 이야기 혹은 재미있는 이야기로 글을 시작하기

독해연습 2 아래 문단을 읽고, 물음에 답하세요.

기생충도 아름다워?

편충은 채찍처럼 생긴 외모도 멋지게 느껴지고, 부끄러운 듯 몸을 둘둘 감고 있는 게 정교한 맛까지 있어 보인다. 무엇보다 편충이 아름다운 건 그 알 때문이다. 기생충의 알은 무미건조하게 생겼지만, 편충알은 뭔가 다르다. 양쪽 끝에 마개가 달리고 미끈하게 생긴 그 알이라니……. 학생들에게 가르칠 때는 "술통(barrel) 모양"이라고 하지만, 사실 술통과는 비교도 안 되게 아름다운 것이 편충알이다. 편충을 보면서 "기생충도 아름다울 수 있구나!"라고 생각하게 된 이유다.

---

1 위 글에서 글쓴이가 흥미를 유발하기 위해 사용한 방법은 무엇인가요?

① 인상적인 제목 달기

② 유명인의 말 인용하기

③ 흥미로운 사례 제시하기

④ 그림이나 사진 등을 먼저 제시하기

⑤ 널리 알려진 이야기 혹은 재미있는 이야기로 글을 시작하기

고무의 재발견

우연한 발견

Q 천연 고무의 장점과 단점은 무엇인가요?

우리는 살면서 우연한 사건을 종종 경험한다. 길을 걷다가 우연히 초등학교 때 친구를 만나기도 하고, 일요일에 영화를 보러 갔다가 나와 같은 옷을 입고 있는 사람을 발견하기도 한다. 보통 사람들은 우연한 일들이 생겼을 때 신기해하면서, 나중에 재미있는 경험담 정도로 이야기하고 만다. 하지만 과학자들은 이러한 사소한 우연에서 새로운 발견을 하기도 한다.

18세기 영국의 화학자 ㉠프리스틀리는 어느 날 책상에 앉아서 연필로 글을 쓰고 있었다. 글을 쓰던 그는 글 내용과 관련하여 골똘히 생각에 빠지게 되었다. 한참 후에 다시 정신을 차린 그는 왼손에 쥐고 있던 고무 아래의 글씨들이 지워져 있는 것을 발견하였다. 그가 생각에 잠겨 있던 사이 자기도 모르게 고무로 글씨를 문지르고 있었던 것이다. 그는 다른 글씨들도 고무로 문질러 보았다. 그랬더니 신기하게도 연필 글씨가 지워진다는 것을 발견하게 된다. 이것이 바로 우연한 발견에서 비롯된 지우개의 탄생 순간이었던 것이다. 이때 프리스틀리가 손에 쥐고 있었던 고무가 바로 천연 고무이다. 18세기 초반 프랑스의 탐험가 상다미가 아마존 강 유역을 탐험하고 돌아올 때 천연 고무를 가져온 이후, 유럽인들의 고무에 대한 관심은 높아져 있었다. 고무는 탄력이 있어 신축성이 좋고 방수 기능까지 있어서, 당시 유럽에서는 비옷뿐만 아니라 일상적인 옷감으로도 사용되었다. 그런데 문제는 천연 고무가 온도에 따라 상태가 크게 변한다는 점이었다. 적당한 온도에서는 적당한 탄력을 가진 상태로 있지만, 더우면 액체처럼 끈적거리게 되었고, 반대로 추우면 딱딱하게 돌처럼 굳어 버렸다. 그래서 더운 여름 ⓐ사람들의 관심을 받던 고무로 만든 옷을 입고 함께 마차를 탄 두 사람의 옷이 붙어 버렸다는 웃지못할 일도 벌어졌다.

그래서 ⓑ온도 변화에 영향을 받지 않는 고무를 만들기 위한 연구들이 진행되었는데 연구를 처음으로 성공한 사람이 19세기 초 미국의 발명가 ㉡굿이어였다. 그런데 그가 ⓒ이러한 고무를 만들 수 있던 것은 우연한 실수에 의해서였다. 그는 고무와 유황을 적당히 섞으면 온도 변화에 영향을 받지 않는 고무를 만들 수 있다고 생각하였다. 추운 겨울에도 홀로 연구실에서 실험을 하고 있던 그는 유황을 묻힌 고무를 실수로 난로 위에 떨어뜨렸다. 그런데 높은 온도에서 녹아내려야 할 고무가 형태를 그대로 유지한 채 그저 그을리기만 한 것이었다. 이 우연한 발견을 바탕으로 그는 고무에 유황을 더해서 합성 고무를 만드는 고무가황법을 완성할 수 있었다. 이를 통해 그는 ⓓ원하던 성질을 지닌 고무를 만들 수 있게 되었고, 이후 ⓔ고무는 여러 분야의 제품 원료로 활용될 수 있게 되었다.

이처럼 과학의 역사에는 우연한 발견으로 커다란 성과를 남긴 경우를 종종 볼 수 있다. 자신이 아무 생각 없이 한 행동이나 다른 사람의 모습에서 무언가 새로운 것을 발견하기도 했으며, 우연히 발생한 일을 보면서 연구의 아이디어를 얻기도 했던 것이다. 그런데 과학자들이 이렇게 우연을 통해 성과를 남길 수 있었던 것은 사소한 것들을 대수롭지 않게 여기지 않고 유심히 관찰하는 관찰력이 있었기 때문이 아닐까.

0 ㉠과 ㉡에 대한 설명으로 다음 밑줄 친 부분에 들어가기에 알맞은 내용을 고르세요.

_____ 고무의 새로운 특성을 발견하였다.

① ㉠은 천연 고무를 사용하여 실험을 하다가 ☐

② ㉡은 합성 고무를 사용하여 실험을 하다가 ☐

③ ㉠과 달리 ㉡은 자신이 의도하지 않았지만 ☐

④ ㉡과 달리 ㉠은 관찰 중 생긴 실수로 인해 ☐

⑤ ㉠과 ㉡은 모두 우연한 사건을 통해 ☐

1 고무가황법 에 대해 이해한 내용으로 적절하지 <u>않은</u> 것은 무엇인가요?

① 천연 고무가 가진 문제를 개선할 수 있는 방법이다.

② 날씨가 더워도 끈적거리지 않는 고무를 만드는 방법이다.

③ 고무가 여러 가지 제품의 재료로 사용될 수 있게 만들었다.

④ 고무와 유황을 섞는 아이디어를 처음 발견한 계기가 되었다.

⑤ 추운 겨울이라 피워 둔 난로가 없었다면 발견하지 못했을 것이다.

2 ⓐ~ⓔ 중 의미하는 바가 나머지와 <u>다른</u> 하나는 무엇인가요?

① ⓐ   ② ⓑ   ③ ⓒ

④ ⓓ   ⑤ ⓔ

3 이 글을 바탕으로 〈보기〉의 사례를 읽고 보인 반응으로 가장 적절한 것은 무엇인가요?

┤보 기├

　아산화 질소를 흡입하면 기분이 좋아지는 것을 알게 된 후, 사람들은 아산화 질소를 '웃음 가스'라고 불렀다. 아산화 질소의 위험성을 모른 채, 사람들 사이에서는 웃음 가스 파티가 유행했다. 미국의 치과 의사 호레이스 웰스는 어느 날 친구들과 함께 웃음 가스 파티에 참석했다. 웰스는 거기서 웃음 가스를 마신 어떤 남자를 보았는데, 놀랍게도 그의 다리에서는 피가 흐르고 있었다. 그런데 그 남자는 상처를 입었음에도 불구하고 웃음 가스 때문에 고통을 전혀 느끼지 못하고 있었다. 웰스는 우연히 본 남자의 모습에서 아산화 질소를 마취제로 사용할 수 있을 것이라는 아이디어를 얻었다. 그의 아이디어 덕분에 아산화 질소는 현재 치과에서 어린이용 마취제로 활용되고 있다.

① 아무 생각 없이 한 행동에서 놀라운 과학적 발견을 한 것에 해당하는군.
② 연구를 하던 중 발생한 우연한 사건에서 아이디어를 얻은 것에 해당하는군.
③ 우연히 본 다른 사람의 모습을 유심히 관찰하여 과학적 발견을 한 것에 해당하는군.
④ 웃음 가스는 관찰력을 높여 주어 과학자들이 새로운 발명을 할 수 있도록 도와주었군.
⑤ 웰스도 보통 사람들처럼 우연히 일어난 일을 재미있다고 생각하는 정도에 그친 셈이군.

오보가 낳은 베를린 장벽 붕괴

제2차 세계 대전에서 패망한 독일은 연합국에 점령된 이후 서독과 동독으로 분단된다. 독일의 수도였던 베를린은 원래 동독 지역 내부에 있었는데, 베를린 역시 연합국이 점령한 서베를린과 소련이 점령한 동베를린으로 나누어졌다. 미국과 소련의 대립이 심해지면서 1961년 베를린의 두 지역 사이에는 높이 3.6m의 장벽이 세워졌고, 이 베를린 장벽 은 우리나라의 휴전선처럼 독일 분단의 상징이 되었다. 동독에서 서독으로 넘어가는 사람들이 잇따르자 동독에서 베를린 장벽을 세우고 국경 수비대를 배치하여 철저하게 출입을 막은 것이다. 이렇게 세워진 베를린 장벽은 1989년에 붕괴되었고, 이 사건은 독일 통일의 결정적인 계기를 마련하였다. 영원할 것 같던 베를린 장벽이 무너지는 데에는 ㉠전혀 예상치 못했던 해프닝이 있었다.

1989년 9월부터 동독의 각 지역에서는 민주화를 요구하는 시위가 번졌고, 동독 사람들은 매주 언론 자유화와 서독으로의 여행 자유화를 요구하였다. 이들의 시위가 심해지자 동독 정부는 시위대를 달래기 위한 정책으로 여행 자유화를 결정했다. 하지만 이 정책은 실질적으로 동독과 서독의 국경을 개방하고 완전히 자유롭게 여행할 수 있도록 하는 정책이 아니라, 여행 조건의 일부를 완화하는 것이었다. 11월 9일 밤, 동베를린의 언론 센터에서 정부 대변인 권터 샤보프스키는 기자 회견에서 이를 발표한다. 여행 자유화 정책은 발표 다음 날부터 실시하기로 결정되어 있었지만 휴가에서 갓 돌아온 탓에 샤보프스키는 이를 정확히 알지 못했다. 그래서 발표가 끝나고 이탈리아 기자 리카르도 에르만이 "언제부터 시작하나요?"라고 물었을 때 샤보프스키는 즉흥적으로 "글쎄요, 제 생각에는 즉시, 지체 없이 시행될 겁니다."라고 대답했다.

샤보프스키의 발표 뒤 동독과 서독 기자들은 별다른 내용이 없는 정책에 시큰둥했다. 하지만 독일어 실력이 부족했던 에르만은 발표 내용을 잘못 이해하여 이제 동독과 서독 사람들이 마음대로 오갈 수 있으며, 독일은 통일이 되었다고 오보를 낸다. 그의 오보는 세계사를 뒤흔드는 엄청난 결과를 가져왔다. 에르만의 보도가 이탈리아에서 보도된 직후, 미국에도 속보로 전파되었고, 이 소식은 다시 서독의 텔레비전 뉴스로 방송되었다. 그러자 서베를린 사람들은 물론, 평소 서독 방송을 자유롭게 시청하던 동베를린 사람들도 베를린 장벽으로 모여들었다.

동베를린 지역의 곳곳에 있던 검문소에서는 출입을 막는 국경 수비대와 텔레비전을 보고 몰려든 동베를린 사람들 사이에 긴장된 대치 상황이 발생했다. 통제가 불가능할 정도로 수많은 인파가 몰려들고 있음에도 불구하고 상부에서 아무런 지시가 내려오지 않자, 결국 국경 수비대는 물러섰다. 베를린 장벽의 양쪽에서 사람들이 장벽을 넘기도 하고, 집에 있는 공구를 가져와 직접 장벽을 허물어 버렸다. 이날 장벽 위에서 또는 장벽을 허물고 만나게 된 동·서베를린 사람들은 서로 부둥켜안고 기쁨의 눈물을 흘리며 베를린 장벽의 붕괴를 자축했다. 이날 이후 베를린 이외의 동·서독 국경 지역에서도 경계는 허물어졌고, 이듬해 동독과 서독은 통일을 이루게 된다. 독일 분단의 상징이었던 베를린 장벽은 허물어졌고, 그것은 곧 새로운 시대를 열게 된 것을 의미했다. 그 이후 장벽의 대부분이 철거되었지만, 극히 일부를 남겨놓아 역사를 되새기는 장으로 활용하고 있다.

우연이 낳은 기적

Q 방송을 보던 독일인들이 베를린 장벽으로 모여든 이유는 무엇인가요?

베를린 장벽

0 이 글의 내용을 참고하여 '에르만'이 작성했을 신문의 부제에 들어갈 내용을 고르세요.

○○신문

독일, 통일을 이루다!

"바로 지금부터 _____ 가능하다"

> 신문의 맨 첫 번째 제목인 표제에는 가장 중요하고 핵심적인 내용이 담겨 있어야겠지?

1989년 11월 9일에 동베를린의 언론 센터에서 동독의 '여행 규제 완화 법안'을 보충 설명하는 기자 회견이 열렸다. 이 자리에는 동독 정부의 대변인 권터 샤보프스키가 나왔고, 각국의 기자들은 그에게 이 법안과 관련한 질문들을 쏟아 냈다. "동독인들이 서독을 여권 없이 여행할 수 있는가?"라는 기자의 질문과 동시에 "언제부터인가?"라고 질문하자 이에 대해 샤보프스키는 …

① 베를린에서 장벽을 세우는 것이
② 동독 지역에서 시위를 하는 것이
③ 동독과 서독 지역 간의 자유로운 왕래가
④ 동베를린에서 서독 방송을 시청하는 것이
⑤ 동독에서 자유롭게 정부를 비판하는 것이

> 부제에는 제목을 보충하는 세부적인 핵심 내용이 담겨야 해.

1 ㉠에 해당하는 것 두 가지를 고르세요.

① 동베를린의 한 언론 센터에서 기자 회견이 열린 것 ☐
② 다른 언론사들은 기자 회견 내용을 중시하지 않은 것 ☐
③ 전 세계로 퍼진 에르만의 기사가 사실은 오보였던 것 ☐
④ 샤보프스키가 에르만의 질문에 즉흥적으로 대답한 것 ☐
⑤ 동베를린의 국경 수비대가 장벽 앞에서 군중들과 대치하게 된 것 ☐

2 이 글을 참고하여 〈보기〉의 내용을 사건이 일어난 순서에 따라 배열해 보세요.

┤보 기├
㉮ 방송을 보던 독일인들이 거리로 쏟아져 나오기 시작함.
㉯ 이탈리아 기자 에르만의 기사가 전 세계로 퍼져나감.
㉰ 동독 정부는 동독 사람들의 불만을 잠재우기 위해 '여행 규제 완화 법안'을 만듦.
㉱ 동베를린의 언론 센터에서 샤보프스키가 기자들의 질문에 답변을 함.
㉲ 상부에서는 사람들이 몰리는 베를린 장벽의 검문소들에 명확한 지시를 내리지 못함.

_____ → _____ → _____ → _____ → _____

3 글쓴이가 다음 질문에 대해 할 수 있는 대답으로 가장 적절한 것은 무엇인가요?

> 질문: 독일의 베를린 장벽이 무너질 수 있었던 원인은 무엇일까요?
> 글쓴이: _____

① 자유와 통일을 갈망한 독일 시민들의 용기와 꾸준한 노력 그리고 단결력이 원인이라고 생각합니다.

② 어처구니없는 실수와 예상치 못한 우연들이 자유와 통일을 갈망한 독일인들에게 큰 힘을 실어 준 것이 원인이라고 생각합니다.

③ 동독의 대변인이면서도 정책을 충분히 파악하지 못한 채 기자 회견에 나간 샤보프스키의 무능과 무책임함이 원인이라고 생각합니다.

④ 상부로부터 명확한 지시가 내려오지 않았음에도 상황의 변화를 읽고 신속하게 대처한 동베를린 국경 수비대의 판단이 원인이라고 생각합니다.

⑤ 정책의 실상을 잘 모른 채 정부 관리가 실수로 한 말을 자기 마음대로 해석하여 기사를 쓴 이탈리아 기자의 무모함이 원인이라고 생각합니다.

나무만 보면 숲이 보이지 않아.
글쓴이의 생각은 나무들이 모여 이루어진 거대한 숲이야.

4 베를린 장벽 에 대한 설명으로 적절하지 않은 것은 무엇인가요?

① 동독 측에서 일방적으로 세운 것으로 중간에 검문소가 있었다.

② 우리나라의 휴전선처럼 분단의 아픔을 보여 주는 상징이 되었다.

③ 동독의 국경 수비대가 사람들의 출입을 막고 경계를 서고 있었다.

④ 현재는 모두 철거되었지만 독일 사람들에게 역사를 되새기게 한다.

⑤ 장벽의 붕괴는 통일 독일이라는 새로운 시대를 열게 된 것을 의미한다.

말발굽 논쟁에서 시작된 영화

해프닝이 낳은
나비 효과

Q 영사기의 원형이라 부를
만한 위대한 발명품이 탄생할
수 있었던 것은 어떤 우연에
서 시작되었나요?

미국 스탠퍼드 대학의 설립자이자, 성공한 사업가였던 릴런드 스탠퍼드는 1872년 어느 날 주변 사람들과 논쟁을 하게 되었다. 평소 말에 대한 관심이 많았던 그들은 말이 달릴 때 네 발굽이 동시에 땅에서 떨어져 말이 공중에 뜬 상태가 되는지에 대해 의견이 분분했다. 말이 천천히 걸어갈 때에는 쉽게 눈으로 확인이 가능했지만, 속력을 내어 빨리 달릴 때에는 네 발굽 모두 땅에서 떨어지는지 여부를 눈으로 확인할 수가 없었던 것이다. 실제 말이 달리는 모습을 함께 보고 난 다음에도 어떤 이는 네 발굽 모두 땅에서 떨어졌다고 했지만, 다른 어떤 이는 그렇지 않다고 주장했다. 이렇게 의견이 갈린 사람들은 서로 자신의 의견이 맞다고 주장했지만, 그 누구도 객관적인 근거를 대지는 못했다.

스탠퍼드는 말이 달릴 때 사진을 찍어 보면 진실을 확인할 수 있겠다는 아이디어를 떠올렸다. 스탠퍼드는 당시에 유명한 사진사였던 마이브리지를 고용하여, 그에게 연구비를 아낌없이 지원해 주었다. 마이브리지는 말이 달리는 모습을 사진으로 찍었지만 말의 속도에 비해 사진기 셔터의 속도가 느려 정확한 모습을 찍지 못했다. 하지만 끊임없는 연구 끝에 마이브리지는 마침내 새로운 촬영법으로 말이 달릴 때 땅에서 네 발굽 모두 떨어지는 순간을 포착하는 데 성공했다. 그는 말이 달리는 경로 옆에 12대의 사진기를 30cm 간격으로 늘어놓았다. 그리고 말이 달리는 경로에는 실을 엮어 카메라의 셔터에 연결해 두었다. 말이 달리기 시작하자 엮어 놓았던 실이 끊어지면서 사진기 12대의 셔터가 차례로 눌렸고, 말의 빠른 움직임은 사진에 연속적으로 담겼다. 말이 뛰는 순간순간의 모습을 완벽하게 포착한 마이브리지의 사진 덕분에 ㉠말발굽에 대한 논쟁은 깔끔하게 마무리되었다.

마이브리지는 이 경험을 살려서 '주프락시스코프'라는 장치를 발명해 낸다. 이것은 짧은 순간마다 연속적으로 촬영한 사진들을 둥글고 납작한 유리판의 가장자리에 순서대로 붙인 뒤, 유리판을 회전시켜 마치 실제로 움직이는 것처럼 보이게 만드는 장치였다. 오늘날 영화관에서 스크린에 영화를 비추는 영사기도 이와 유사한 원리로 작동하며, 이 주프락시스코프는 최초의 영사기로 평가받는다. 몇 년 후, 마이브리지는 프랑스로 건너가 생태학자 에티엔 쥘 마레와 만난다. 마레는 동물의 움직임을 연속된 사진으로 찍기 위해 총처럼 생긴 사진기인 '크로노포토그래픽 건'을 발명했다. 이 사진기로 찍고자 하는 동물을 조준한 뒤 방아쇠를 당기면 원통 안에 있는 필름이 회전하면서 1초 동안 12장의 동물 사진을 찍을 수 있었다. 마레의 크로노포토그래픽 건으로 찍은 사진들을 마이브리지의 주프락시스코프에 넣고 작동시키면, 움직이는 영상 즉, 동영상이 만들어졌다. 이후 두 사람은 많은 작업을 함께하며 연속 촬영을 통한 동영상 기술을 선보이게 된다.

그런데 이 주프락시스코프는 단 몇 초 동안의 동영상밖에 보여 줄 수 없었다. 이러한 한계를 극복하고 몇십 분짜리 영상을 만들 수 있게 된 것은 조지 이스트먼이 돌돌 ㉡말린 롤 형태의 필름을 개발하고 난 이후였다. 이스트먼의 필름을 사용하면서 비교적 오랜 시간 동안의 영상을 촬영하고 재생할 수 있게 되었고, 이는 이후 영화가 탄생하는 밑거름이 되었다. 이렇게 우연한 논쟁에서 비롯된 사진 기술의 발전은 영화의 탄생으로 이어지게 된 것이다.

0 이 글에 제목을 다시 붙인다고 할 때 가장 적절한 것을 고르세요.

① 말발굽 논쟁이 해결된 과정　　　　　　　　　　　　　□
② 말발굽 논쟁이 일어나게 된 원인　　　　　　　　　　□
③ 영화 산업을 발전시키기 위해 노력한 사람들　　　　□
④ 영화가 탄생하는 데 기여한 기술들의 변화 과정　　　□
⑤ '주프락시스코프'와 '크로노포토그래픽 건'의 탄생 과정과 그 결과　□

구슬 하나만으로 목걸이라 할 수 없듯,
글의 제목도 글의 일부가 아닌 전체 내용을 포함할 수 있어야 해.

1 이 글을 바탕으로 〈보기〉의 사건들을 시간의 흐름에 따라 배열해 보세요.

┤보 기├

ㄱ. 사람들 사이에서 말발굽 논쟁이 벌어짐.

ㄴ. 조지 이스트먼이 롤 형태의 필름을 개발함.

ㄷ. 마이브리지가 말이 달리는 모습을 순간을 완벽하게 포착해 냄.

ㄹ. 마이브리지와 에티엔 쥘 마레의 공동 작업으로 동영상 기술의 시대가 열림.

ㅁ. 둥글고 납작한 유리판의 가장자리에 연속 촬영된 동물의 모습을 붙인 뒤 회전시켜서 실제 움직임을 생생하게 보여 주는 장치를 개발함.

_____ → _____ → _____ → _____ → _____

2 ㉠에 대한 설명으로 적절하지 <u>않은</u> 것은 무엇인가요?

① 사진 기술의 발전을 통한 영화의 탄생으로 이어지는 계기가 되었다.

② 마이브리지가 '주프락시스코프'라는 장치를 개발함으로써 논쟁은 완전히 해결되었다.

③ 우연히 일어난 사소한 사건이 훗날 엄청난 결과를 가져올 수 있다는 것을 보여 주었다.

④ 스탠퍼드와 마이브리지 중 한 사람이라도 없었다면 논쟁은 쉽게 끝나지 않았을 것이다.

⑤ 이 논쟁이 일어난 원인은 당시의 기술로는 말의 움직임을 완벽하게 포착할 수 없었기 때문이었을 것이다.

3 밑줄 친 말 중, ㉡과 유사한 의미로 사용된 것은 무엇인가요?

① 그녀의 계략에 <u>말린</u> 사람들이 한둘이 아니다.
② 그는 잘 <u>말린</u> 빨래를 차곡차곡 개서 서랍에 넣었다.
③ 가게 직원은 크고 두껍게 <u>말린</u> 천 꾸러미를 힘겹게 옮겼다.
④ 그들의 싸움을 <u>말린</u> 이는 마침 그 옆을 지나가던 노인이었다.
⑤ 그 강에서 민물고기의 씨를 <u>말린</u> 사람들은 먹을 것을 찾아 장소를 옮겼다.

4 이 글의 내용을 비판적인 관점에서 가장 잘 이해한 학생은 누구인가요?

> 나희: 12대의 사진기를 늘어놓고 말이 달리는 모습을 촬영하는 방식은 당시로서는 매우 비효율적인 촬영법이었어.
>
> 대명: 마레가 동물의 움직임을 포착하기 위해 총 모양의 사진기를 개발한 것은 생태학자라는 본분을 잊은 부적절한 행동이라고 봐.
>
> 영진: 우연히 시작된 논쟁을 끝내기 위해 자신의 개인 재산까지 투자한 릴런드 스탠퍼드는 비현실적이고 어리석은 사람이라고 생각해.
>
> 수근: 스탠퍼드와 마이브리지만큼 마레나 조지 이스트먼과 관련된 이야기도 좀 더 다루었으면 좋았을 것 같아.
>
> 재희: 마이브리지가 주프락시스코프를 개발하지 않았더라도 조지 이스트먼이 나중에 롤 형태의 필름을 개발했으므로 영화는 결국 탄생되었을 거라고 봐.

① 나희   ② 대명   ③ 영진   ④ 수근   ⑤ 재희

 당연하다고 생각했던 것들을 항상 의심하자!

추상 회화에 대한 이해

칸딘스키의
우연한 시도

Q 바실리 칸딘스키는 어떻게 추상 회화의 가능성을 발견하게 되었나요?

(가) 20세기 들어 서양 미술은 대상을 사실적으로 묘사하는 것보다 회화의 조형*적 특질을 강조하는 추상 회화의 경향이 두드러졌다. 회화의 조형 요소는 어떤 면에서는 음악의 구성 요소인 가락이나 리듬, 박자 등과 비슷하다고 할 수 있다. ⓐ가사가 있는 노래도 있지만, 음악은 주로 추상적인 가락이나 리듬, 박자에 의해 구성되고, 그것만으로도 우리에게 큰 감동을 준다. 미술 역시 주제나 내용 없이 색이나 선만으로도 얼마든지 아름답게 구성할 수 있고, 그 구성으로 우리에게 큰 즐거움을 줄 수 있다. 추상 회화는 노래에서 가사를 없애듯 그림 속에서 스토리나 사실적인 표현을 제거하고 순수하게 조형 요소에 의지해 제작한 작품이다. 그래서 비평가들은 추상 회화 이전의 서양 미술을 ⓑ문학적인 미술로, 추상 회화 이후의 서양 미술을 ⓒ음악적인 미술로 나누기도 한다. 이러한 추상 회화의 출현은 서양 미술에서 미술의 새로운 가능성과 잠재력을 발견하게 되는 중요한 계기가 되었다.

(나) 추상 회화는 제1차 세계 대전을 전후한 시기에 형성되었다. 이 사실은 추상 회화의 속성과 관련해 중대한 의미가 있다. 전쟁 직전의 유럽 사회는 이성과 합리주의의 발달로 과학 기술이 발달하고 물질생활이 풍요해졌지만 빈부 격차가 극심해 계급 갈등이 깊어지고 있었다. 제1차 세계 대전은 이러한 서양 문명의 모순이 한꺼번에 폭발한 전쟁이었다. 이성과 합리주의는 문명의 파괴와 대학살이라는 엄청난 재앙을 불러왔고, 사람들은 이성과 합리주의에 대해 심각하게 고민하고 반성하기 시작했다. 미술 또한 이러한 시대적 상황과 무관하지 않았다. 이 시기에 등장한 추상 회화는 이성과 합리주의에 근거한 과학적인 원근법과 광학 법칙, 해부학의 이해 등 수백 년 동안 내려온 서양 미술의 사실주의 전통을 모두 부정했다. 그러면서 추상 회화는 점점 비구상*적으로 변해 갔다.

(다) 추상 회화의 가능성과 필요성을 최초로 인식한 사람은 러시아 출신 화가 바실리 칸딘스키였다. 그가 추상 회화를 시도하게 된 계기는 순전히 우연이었다. 어느 날 밖에서 일을 마치고 화실로 들어온 그는 ㉠눈부시게 빛나는 아름다운 그림 한 점을 발견하고 깜짝 놀란다. 그런데 그것은 자신이 얼마 전에 그린 그림을 옆으로 잘못 놓은 것이었다. ㉡착각임을 알고 난 다음에 본 그림은 이전처럼 아름다워 보이지 않았다. 주제와 ⓓ형상을 전혀 알아보지 못한 까닭에 오히려 형언하기 어려운 아름다움을 발견했다는 칸딘스키의 일화는 미술이 주는 감동이 이야기나 형상을 넘어 조형 요소만으로도 가능하다는 것을 말해 준다. 칸딘스키는 색채와 선, 면 등의 조형 요소가 일상의 뒤에 감춰진 깊은 정신적 진리를 드러내 줄 수 있다고 믿었다. 그는 내면 깊은 곳에서 솟아오르는 느낌을 중시한 예술가였다. 그의 작품들을 보면 그가 이런 느낌을 얼마나 열정적으로 구현하려 했는가를 생생히 느낄 수 있다.

(라) 추상 회화는 결국 외부 세계를 묘사한 그림이 아니라 내면세계를 표현한 그림으로 요약할 수 있다. 추상 회화에서는 외부의 형상을 제아무리 열심히 모방하고 잘 표현하더라도 별 의미가 없다. 화가의 내면에서 일어나는 느낌을 얼마나 잘 전달하느냐가 중요하다. 이러한 미술은 다른 대상을 반영하는 거울이 아니므로 자신의 존재 이유를 자기 안에서 찾는 미술이라고 할 수 있다. 유럽이 극단적인 모순과 갈등으로 엄청난 고통을 겪을 때 추상 회화는 인간의 내면으로 눈을 돌려 인간 내면의 ⓔ울림을 담아내려 한 것이다.

* 조형: 여러 가지 재료를 이용하여 구체적인 형태나 형상을 만듦.
* 비구상: 대상의 본질적 특징을 순수한 시각 형상에 의하여 추상적으로 표현하는 것.

0 **이 글을 읽고 난 뒤 〈보기〉의 작품을 감상한 내용으로 적절하지 <u>않은</u> 것은 무엇인가요?**

보 기

칸딘스키가 그린 최초의 추상 수채화, 「추상적 구성」

① 일상생활에서 접하기 쉬운 다양한 대상을 시각적으로 재현한 추상화로군.

② 과학적인 원근법이나 광학 법칙과 같은 서양 미술의 사실주의 전통을 벗어
난 그림이군.

③ 옆으로 잘못 놓였던 그림과 마찬가지로, 이 그림에서도 주제나 형상을 알아
보긴 어렵군.

④ 그림 속에서 구체적 대상을 찾으려 하지 말고 색채와 선이 주는 아름다움을
느껴야겠군.

⑤ 어지럽게 움직이는 덩어리들과 자유로운 붓놀림에서 규칙이나 규범에 얽매
이지 않은 작가의 내면을 느낄 수 있군.

1 글쓴이가 이 글을 쓰기 전 머릿속에 떠올렸을 구조도를 바르게 나타낸 것은 무엇인가요?

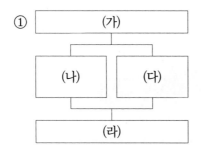

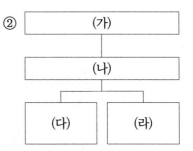

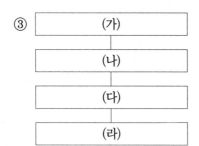

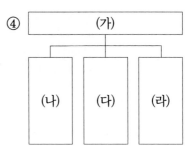

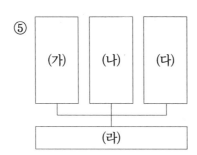

2 이 글의 중심 내용을 이끌어 내기 위한 질문으로 가장 적절한 것은 무엇인가요?

① 추상 회화의 특성은 무엇인가?
② 추상 회화가 나아갈 길은 무엇인가?
③ 음악과 추상 회화는 어떤 차이가 있는가?
④ 음악과 미술을 접목한 통합 예술은 가능한가?
⑤ 시대적 상황은 예술의 흐름에 어떤 영향을 미치는가?

3 문맥적 의미로 보아 ⓐ~ⓔ를 ㉠, ㉡과 관련 있는 것끼리 적절하게 묶은 것은 무엇인가요?

	㉠	㉡
①	ⓐ, ⓒ, ⓓ	ⓑ, ⓔ
②	ⓐ, ⓒ, ⓔ	ⓑ, ⓓ
③	ⓑ, ⓔ	ⓐ, ⓒ, ⓓ
④	ⓒ, ⓓ, ⓔ	ⓐ, ⓑ
⑤	ⓒ, ⓔ	ⓐ, ⓑ, ⓓ

㉠은 '추상 회화'를 말하고, ㉡은 '추상 회화 이전의 그림'을 의미해. '추상 회화'와 '추상 회화 이전 그림'의 특성을 잘 구별해야 문제의 답도 찾을 수 있겠지?

예술의 새로운 모험, 해프닝

1952년 어느 날, 현대 음악가 존 케이지(J. Cage)는 미국의 한 대학에서 강의를 했다. 그가 강의를 한 곳은 사다리 꼭대기였고, 그 내용은 긴 침묵과 춤이었다. 이 행위는 일반적인 강의 형식과 내용을 뒤집어 놓은 것이어서 커다란 반향*을 일으켰다. 또 어떤 작가는 거대한 얼음 덩어리 20개를 길거리에서 녹게 내버려 두어, 사물이 시시때때로 변화하는 과정을 그대로 보여 주기도 했다. 다른 예로는 빌딩만 한 립스틱이나 전기 플러그 등과 같은 작품을 떠올려도 좋겠다. 친숙한 것을 낯선 것으로, 낯선 것을 친숙한 것으로 보여 주어 인간을 먼 상상의 여행길로 나서게 하는 이런 예술 행위의 본질은 무엇일까?

해프닝의 본질

Q 예술의 '해프닝'이란 장르는 우리 삶과 어떤 관계를 맺고 있나요?

해프닝(happening)이란 장르는 글자 그대로 '지금 여기에서 일어나고 있는 것'을 보여 준다. 이것은 즉흥적으로 이루어지며, 말보다는 시각적이고 청각적인 소재들을 중요한 표현의 도구로 삼는다. 공연은 폐쇄된 극장이 아니라 화랑이나 길거리, 공원, 시장, 부엌 등과 같은 일상적인 공간에서 이루어지기 때문에 이동성이 뛰어나다. 또한 논리적으로 연결되지 않는 사건과 행동들이 파편적으로 이어져 있어 기이하고 추상적이기도 하다. 대화는 생략되거나 아예 없으며, 때로 불쑥불쑥 튀어나오는 말도 특별한 의미를 지니지 않는 경우가 많다. 이를 통해 해프닝은 우리 삶의 고통이나 희망 등을 논리적인 말로는 더 이상 전달할 수 없다는 것을 내세운다. 이러한 해프닝의 발상은 미술의 콜라주, 영화의 몽타주*와 비슷하고, 삶의 부조리*를 드러내는 현대 연극, 랩과 같은 대중음악과도 통한다. 우리의 삶 자체가 일회적이고, 일관된 논리에 의해 통제되지 않는다는 사실이야말로 해프닝과 삶 자체의 밀접한 관계를 보여 주는 것이라 할 수 있다.

다양한 예술 사이의 벽을 무너뜨리는 해프닝은 기존 예술에서의 관객의 역할을 변화시켰다. 행위자들은 관객에게 봉사하는 것이 아니라 고함을 지르거나 물을 끼얹으면서 관객들을 자극하고 희롱하기도 한다. 공연은 정해진 어느 한 곳이 아니라 이곳저곳에서 혹은 동시다발적으로 이루어지기도 하며, 관객들은 볼거리를 따라 옮겨 다니면서 각기 다른 관점을 지닌 장면들을 보기도 한다. 이것은 관객들을 공연에 참여하게 하려는 의도라고 할 수 있다. 그렇게 함으로써 해프닝은 삶과 예술이 분리되지 않게 하고, 궁극적으로는 일상적 삶에 개입하는 의식이 되고자 한다. 나아가 예술 시장에서 상징적 재화로 소수 사람들 사이에서 거래되는 것을 거부한다. 또 해프닝은 ㉠박물관에 완성된 작품으로 전시되고 보존되는 기존 예술의 관습에도 저항한다.

이와 같은 예술적 현상은 단순한 운동이 아니라 ㉡예술가들의 정신적 모험의 실천이라고 할 수 있다. 기존의 사회 제도에 순응하는 것을 비판하고 고정된 예술의 개념을 변혁하려고 했던 해프닝은 우연적 사건, 개인의 자의식 등을 강조해서 뭐가 뭔지 알 수 없는 것이라는 비판을 듣기도 했다. 그럼에도 불구하고 현대 사회에서 안락한 감정에 마비되어 있는 우리들을 휘저어 놓으면서 삶과 예술의 관계를 새롭게 모색하는 이러한 예술적 모험은 좀 더 다양한 모습으로 예술의 지평을 넓혀 갈 것이다.

* 반향: 어떤 사건이나 발표 따위가 세상에 영향을 미치어 일어나는 반응.
* 몽타주: 따로따로 촬영한 화면을 적절하게 떼어 붙여서 하나의 긴밀하고도 새로운 장면이나 내용으로 만드는 일. 또는 그렇게 만든 화면.
* 부조리: 이치에 맞지 아니하거나 도리에 어긋남. 또는 그런 일.

0 〈보기〉의 시 작품을 활용하여 이 글의 논지를 보강하는 방안을 논의하려고 합니다. 그 내용으로 적절하지 <u>않은</u> 것은 무엇인가요?

┤보 기├

시제4호

환자의용태에관한문제.

1 1 1 1 1 1 1 1 1 •
1 • 2 2 2 2 2 2 2 2
2 2 • 3 3 3 3 3 3 3
3 3 3 • 4 4 4 4 4 4
4 4 4 4 • 5 5 5 5 5
5 5 5 5 5 • 6 6 6 6
6 6 6 6 6 6 • 7 7 7
7 7 7 7 7 7 7 • 8 8
8 8 8 8 8 8 8 8 • 9
9 9 9 9 9 9 9 9 • 0
• 0 0 0 0 0 0 0 0 0

진단 0.1

26. 10. 1931

이상 책임의사 李 箱

① 이 시가 당시 현대시의 주된 흐름을 반영하고 있다는 비평 자료를 찾아볼 필요가 있겠어.

② 이 시에는 기존의 언어 체계를 믿지 못하는 태도가 드러나 있는데, 그 점에 주목해야 할 거야.

③ 자신을 '미쳤다'고 하는 독자들의 반응에도 불구하고 계속 이런 시를 쓴 시인의 의도도 거론해야겠지.

④ 이 시처럼 상식적으로는 시라고 보기 어려운 작품들을 모아 놓은 선집이 있다면, 그걸 사례로 들어도 좋지 않을까.

⑤ 이 시를 포함한 연작시가 신문에 연재되다 편집진의 압력으로 중단되었다는 기록이 있다던데, 그것도 유용한 자료가 될 거야.

〈보기〉에 압도될 필요 없어! 사실 이것도 해프닝일 뿐이니까!

1 이 글의 내용과 일치하는 것은 무엇인가요?

① 해프닝은 윤리적 규범으로부터 벗어난 예술 행위를 멀리한다.
② 해프닝은 일상의 예술 행위로서 기존 예술과 입장을 같이한다.
③ 해프닝은 우연적 사건을 강조하므로, 관객들의 자발적인 참여를 꺼린다.
④ 해프닝은 생의 고통과 부조리를 사실적으로 다룬다는 점에서 현실을 반영한다.
⑤ 해프닝은 논리적으로 설명하기 어렵고 반복되지 않는다는 점에서 삶에 가깝다.

2 ㉠의 입장에서 〈보기〉와 같이 이 글을 비판하는 글을 쓰려고 합니다. (　　) 안에 들어갈 내용으로 적절한 것은 무엇인가요?

┤보　기├

　기존의 작가들은 자신의 창조적 개성과 예술적 전통을 조화시킨다. 이러한 과정을 통해 예술적 가치를 인정받은 작품은 문화적 자산으로서 길이 보존되는 동시에 다수의 관객이 함께 즐기는 공동체의 산물이 된다.
　이에 반해 해프닝은 (　　　　　　　　　　　　　　　　　　　　　　　　　　)

〈보기〉의 (　) 안에는 해프닝을 비판하는 내용이 들어가야겠지?

① 공연의 시작과 끝이 불분명해서 관객이 작품을 해석하기 어렵다.
② 관객의 상상력을 끌어내려는 의도가 강해 작품의 구조가 비교적 단순하다.
③ 개인과 사회의 본질적 문제를 가볍게 다루어 관객들은 이를 통해 자신의 삶을 반성하기 어렵다.
④ 직관보다는 이해를 강조하므로 취향이 서로 다른 다수의 관객을 만족시키기 어렵고 이질감을 느끼게 한다.
⑤ 자의식이 강하고 우발적이므로 관객 사이의 합의를 얻지 못할 뿐 아니라 예술적 전통으로 계승되기 어렵다.

3 다음은 해프닝 예술 작품을 소개하는 신문 기사의 일부입니다. ㉡을 고려하여 기사의 내용이 잘 드러나도록 표제와 부제를 가장 알맞게 붙인 것은 무엇인가요?

○○신문

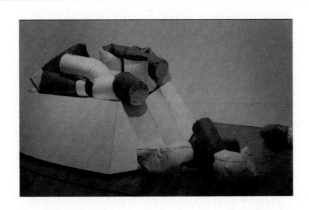

1967년 미국의 작가 올덴버그(C. Oldenburg)는 「거대한 담배꽁초」라는 작품을 만들었다. 스티로폼으로 채워진 담배꽁초는 실제로 거대하다. 일상적인 사물이 우스꽝스러운 모습으로 관객의 앞을 가로막고 있는 이 작품은 관객들에게 불쾌감마저 일으킨다.

	표제	부제
①	고정된 정체성을 변화시키는 예술	– 사물의 확대를 통한 의미의 전복
②	사회적 일탈을 부정한 정형 예술	– 조화·균형·절제의 세계 지향
③	논리적 시각으로 바라보는 예술	– 입체 공간에서의 현실감 체험
④	과거와 현재를 넘나드는 예술	– 다양한 관점으로 사물을 해석
⑤	관객의 무지를 폭로하는 예술	– 열린 시각으로 사물의 유용성 강조

이 글에서 이야기한 해프닝의 특징에 해당하는 것을 고르면 돼.

Q 다음은 생각을 읽을 수 있는 지문 구조도를 퍼즐로 나타낸 것입니다. 앞에서 읽은 글의 내용을 떠올리며 생각읽기 1~6에 해당하는 퍼즐을 선으로 연결해 보세요.

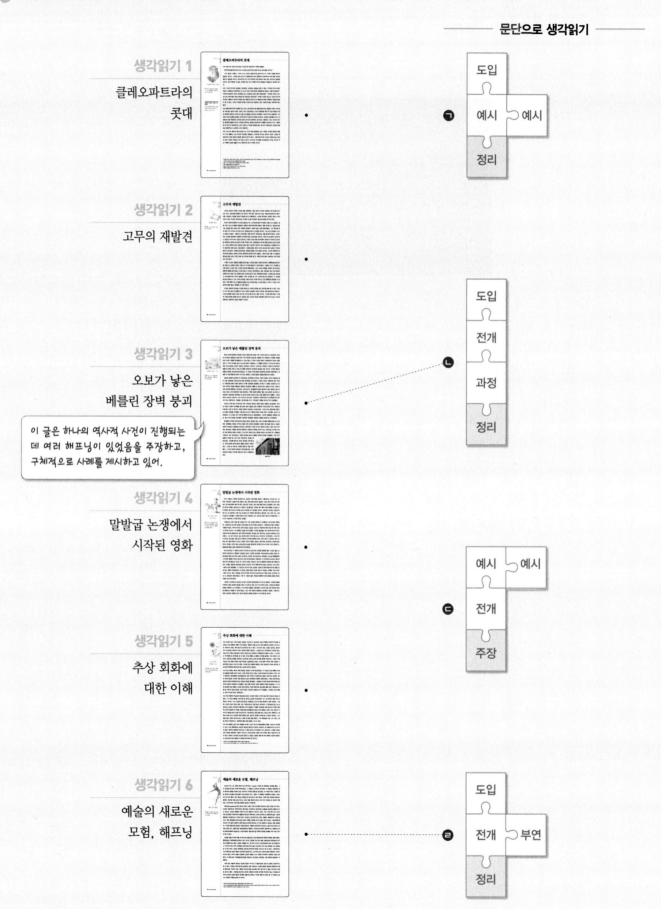

문단으로 생각읽기

생각읽기 1
클레오파트라의 콧대

생각읽기 2
고무의 재발견

생각읽기 3
오보가 낳은 베를린 장벽 붕괴

이 글은 하나의 역사적 사건이 진행되는 데 여러 해프닝이 있었음을 주장하고, 구체적으로 사례를 제시하고 있어.

생각읽기 4
말발굽 논쟁에서 시작된 영화

생각읽기 5
추상 회화에 대한 이해

생각읽기 6
예술의 새로운 모험, 해프닝

ㄱ 도입 / 예시 — 예시 / 정리

ㄴ 도입 / 전개 / 과정 / 정리

ㄷ 예시 — 예시 / 전개 / 주장

ㄹ 도입 / 전개 — 부연 / 정리

1 □□에 대한 통찰력은 우연과 필연의 인과 관계를 종합적으로 고려할 때 생긴다.

2 과학자인 프리스틀리와 굿이어는 우연한 사건에서 □□의 새로운 특성을 발견하고 합성 고무를 만드는 방법을 고안하였다.

3 독일의 베를린 장벽 붕괴는 독일 통일을 바라던 시민들의 힘과 함께 예상치 못한 □□이 낳은 기적이다.

4 영화를 탄생시킨 중요한 발명품들은 사람들 사이에서 우연히 벌어진 □□□ 논쟁에서 시작되었다.

5 □□□□□는 미술의 사실주의 전통을 무시하고 대상의 사실적 묘사보나는 회화의 조형적 특질을 강조한다.

6 인간의 삶과 예술의 관계를 새롭게 모색하는 예술적 모험인 □□□의 발상은 예술의 지평을 좀 더 다양한 모습으로 넓혀 준다.

인간은 왜 해프닝을 생각할까?

"모든 사물은 우연과 필연의 열매다"

과학 연구에서 발생하는 행운, 우연, 예기치 못한 사건들이 지닌 가능성은 무한합니다.

만약 어떤 과학적 발견들이 의도된 것이 아니라 예상하지 못한 뜻밖의 사건이었다면, 우리는 그것들이 세계가 발전하는 데 미친 영향에 대해 살펴봐야 합니다. 과연 인류는 현재의 기술과 지식수준에 도달할 운명이었을까? 사소한 해프닝이 지금과 전혀 다른 방향으로 인류를 인도할 수도 있지 않았을까? 인생에서 가끔 마주치는 여러 기회와 사건들이 우리를 다른 길로 향하도록 바꾼 것처럼 말이죠.

우주 속에 존재하는 모든 사물은 우연과 필연의 열매다.
– 그리스 철학자 데모크리토스

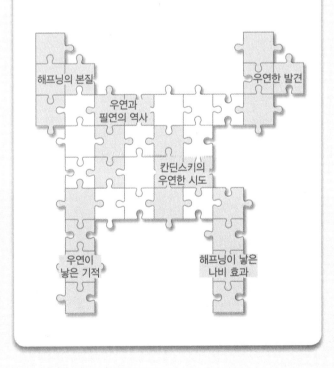

04 도구

생각의 발견

도구를 말하다!

만일 연못에 모자가 떨어졌는데 팔이 닿지 않을 때 필요한 것은? 당연히 막대기죠. 그런데 생각해 보면 우리는 삶 속에서 이런 막대기들을 많이 써요. 무언가를 잴 때, 무언가를 쓸 때, 어떤 것을 판단할 때, 무엇에 대해 생각을 할 때, 그리고 그 생각을 표현할 때 등 아주 다양한 영역에 말이죠. 이런 막대기를 도구라고 한다는 건 벌써 감이 왔겠죠? 그런데 우리가 지금 어떤 도구를 쓰고 있는지, 이 도구로 무엇을 하려 하는지를 알면, 우리는 필요한 것을 정확하고 쉽게 얻을 수 있을 거예요. 그럼 어떤 도구들이 있는지 알아볼까요?

합리적 사고가 왜 필요할까

우리나라 한강의 길이는 얼마나 될까? 이러한 질문을 받으면 대부분의 사람들은 난감한 표정을 지을 것이다. '한강'이라는 대상 자체는 친숙하게 느끼겠지만 길이가 어느 정도 되는지에 대해서는 제대로 답할 자신이 없기 때문이다. 이때 사람들에게 117km라는 정확한 수치 대신에 110~130km와 같이 구간의 개념을 활용해서 답을 해도 좋다고 이야기하면 어떨까? 구간으로 정답을 말하게 하면 많은 사람들이 정답(약 494km)을 맞힐 것 같지만, 현실은 그렇지 않다. 구간을 설정해서 답을 말할 수 있었음에도 많은 사람들이 오답을 말하는 이유는 무엇일까?

사람들은 문제가 난감하고 당황스러울 정도로 어렵다는 것을 이미 알고 있다. 그럼에도 대부분의 사람들은 정답을 알지 못하면서도 예측치 하나를 콕 짚어 대답하거나 구간을 매우 좁게 설정한다. 하지만 정답에 대한 자신감이 거의 없는 상태에서 정답을 맞히려면 사람들은 구간을 아주 넓게 설정했어야 한다. 이는 전형적인 자기 과신(過信)*으로 인한 오류이며, 합리적 사고가 이루어지지 못한 결과이다.

합리적 사고란 주어진 사실에 근거하여 객관적이고 보편적인 기준에 따라 정확하고 공정한 판단을 내리고, 논리적으로 일관성 있게 추론하는 것을 말한다. 그렇다면 합리적으로 사고하기 위해서는 어떻게 해야 할까? 첫 번째, '과학적 접근'에 기반하여 사고하고 판단할 수 있도록 노력해야 한다. 우리는 대체로 어떤 사건의 실체보다는 그럴듯한 이야기에 쉽게 이끌리는 경향이 있다. 과학적이고 객관적인 것보다는 감성적인 것에 의해 판단이 좌우되기 때문이다. 따라서 객관적으로 실체를 볼 수 있는 안목을 길러야 한다. 두 번째, 자신이 내린 판단에 대해 끊임없이 의심하고 그것이 합리적이고 타당한지를 확인해야 한다. 자신감이라는 것은 긍정적인 감정이며, 적당한 자신감은 의사 결정의 오류를 줄이는 데에 기여하기도 한다. 하지만 이 자신감이 과도할 때에 문제가 발생한다. 객관적인 근거 없이 자신이 가진 정보나 판단력이 남들보다 우월하다고 믿거나 자신의 결정을 반박하는 다른 정보들은 무시하고, 자신의 입장을 뒷받침하는 것만 무조건적으로 신뢰할 때 ㉠자기 과신으로 인한 오류를 범할 수 있다. 이를 막기 위해서는 기존 방식에 대한 끊임없는 자기비판과 대안 모색의 과정이 필요하다. 여러 개의 대안을 두고, 그들을 비교해 보며 그중에서 가장 합리적인 대안을 선택할 수 있어야 한다.

어떠한 상황에서도 합리적으로 생각하는 일이 쉽지는 않지만, 합리적인 사고는 현명한 판단을 내리는 데에 매우 중요하고 꼭 필요하다. 그러므로 우리는 판단을 필요로 하는 다양한 일상생활에서 상황을 보다 다양한 관점에서 살피고 객관적으로 바라볼 수 있도록 노력해야 하며, 자신의 판단에 대해 늘 의심하고 다시 한 번 더 생각해 보려는 노력을 해야 할 것이다.

* 과신: 지나치게 믿음.

0 이 글을 바탕으로 강연을 한다고 할 때, 강연의 제목으로 가장 적절한 것을 고르세요.

① 자신감을 기르는 방법 ☐

② 합리적으로 사고하는 방법 ☐

③ 자기 과신 현상의 장점과 단점 ☐

④ 상황을 객관적으로 바라보는 방법 ☐

⑤ 우리나라 한강의 길이를 측정하는 방법 ☐

1 이 글에 사용된 글쓰기 방법이 <u>아닌</u> 것은 무엇인가요?

① 질문을 통해 독자의 흥미를 이끌어 내고 있다.
② 대조의 방식을 사용하여 글의 설득력을 높이고 있다.
③ 사례를 활용하여 말하고자 하는 바를 쉽게 설명하고 있다.
④ 주요 개념에 대해 정의함으로써 독자의 이해를 돕고 있다.
⑤ 글의 전체적인 내용을 요약정리하며 글을 마무리하고 있다.

정의란 단어의 뜻이나 개념을 명확하게 알려주는 거야.
대개 글쓴이가 글에서 **어려운 핵심어를 소개**할 때 자주 사용하는 방법 중 하나야!

2 이 글을 바르게 이해한 내용으로 적절한 것을 고르세요.

① 사람들은 대체로 감성적인 것에 쉽게 좌우되지 않는다. ☐
② 합리적으로 사고하고 판단하는 것은 어려운 일이 아니다. ☐
③ 한 번 내린 판단에 대해서는 다시 생각해 볼 필요가 없다. ☐
④ 자신감은 언제나 올바른 판단을 하지 못하게 만드는 경향이 있다. ☐
⑤ 현명한 판단을 위해서는 객관적으로 상황을 바라보려는 노력이 필요하다. ☐

3 〈보기〉의 대화에서 ⊙과 유사한 오류를 범하고 있는 사람은 누구인가요?

┤보 기├

상황 A~E는 모두 '가' 회사의 주식을 가지고 있는 투자자이다. 그런데 요즘 '가' 회사의 주식 가격이 여러 가지 요인으로 인해 빠르게 하락하고 있다. 전문가들은 앞으로도 계속 '가' 회사의 주식 가격이 하락할 것으로 예상하고 있다.

A: 주식 가격이 너무 떨어져서 이미 손해가 크지만, 앞으로 더 떨어질 가능성이 있다고 하니 더 큰 손해를 보기 전에 주식을 팔아야 할지 고민 중이야.

B: 전문가들이 '가' 회사의 주식 가격이 앞으로도 계속 하락할 것이라고 하는 걸 보면 아무래도 손해가 커지기 전에 팔아야 하지 않을까 싶어.

C: '가' 회사의 주식 가격이 하락한 원인과 전문가들의 견해를 종합적으로 고려해 판단할 필요가 있지 않을까?

D: 주식 가격이 이미 충분히 떨어졌으니 앞으로는 오를 일만 남았다고 생각해. 그러니 팔지 말고 가지고 있어야 해.

E: 물론 다시 오를 수도 있겠지만 전문가들의 예측을 무시할 수는 없을 것 같아.

① A   ② B   ③ C   ④ D   ⑤ E

용어의 정의가 나오면 기억해야 하는 이유

다음 ( ) 안에 들어가기에 알맞은 말을 글에서 찾아볼까요?

( )이란 오랫동안 많은 사람들에게 널리 읽히고 모범이 될 만한 문학 작품을 이르는 것으로, 주로 교훈적인 내용을 담고 있다. 그런데 오랜 시간에 걸쳐 지속적으로 읽히는 만큼 원작자의 의도와는 달리 시대의 흐름에 따라 교훈적 메시지가 달라지기도 한다. 우리나라의 대표적 고전 작품인 「춘향전」의 경우 과거에는 온갖 고문을 당하면서도 수청을 들라는 변 사또의 명을 거절한 춘향의 이야기로부터 여성의 정절과 지조를 교훈으로 삼았다면, 오늘날에는 사랑과 믿음, 신분을 뛰어넘은 사랑의 힘 등을 교훈으로 삼고 있다. 이처럼 고전의 교훈과 주제는 시대와 그 시대가 가지고 있는 가치관에 따라 달라질 수 있다.

글을 읽어 나가다 보면, 글쓴이가 특정 단어의 개념을 정의해 놓은 것을 어렵지 않게 찾아볼 수 있습니다. 이는 독자가 해당 개념을 이해하는 데에 많은 도움이 되죠.

그럼 글쓴이는 왜 용어의 뜻을 알려 줄까요? 글쓴이가 이처럼 단어의 개념을 정의해 두는 것은 해당 개념을 정확하게 이해하는 것이 글을 이해하는 데에 반드시 필요하기 때문입니다. 독해를 위해 해당 개념을 정확하게 이해해야 하는 이유는 바로 그 단어가 주어진 글에서 핵심어이기 때문입니다. 글에서 **어떤 단어의 개념을 정의하고 있다면**, 그 단어는 글의 핵심어일 가능성이 매우 높습니다. 그러니 표시해 두고 정확하게 이해하고 넘어가야겠지요.

102쪽 지문

합리적 사고란 주어진 사실에 근거하여 객관적이고 보편적인 기준에 따라 정확하고 공정한 판단 내리고 논리적으로 일관성 있게 추론하는 것을 말한다. 그렇다면 합리적으로 사고하

> **글의 핵심어를 알려주는 열쇠,**
> **개념을 정의하고 있다면 그 단어가 핵심 단어일 확률 UP!!**

사고하고 판단할 수 있도록 이야기에 쉽게 이끌리는 경향이 있다. 과학적이고 객관적인 것보다는 감성적인 것에 의해 판단이 좌우되기 때문이다. 따라서 객관적으로 실체를 볼 수 있는 안목을 길러야 한다.

정답: 고전

독해연습 1 **아래 문장을 읽고, 물음에 답하세요.**

> (가) 사랑이란 어떤 사람이나 존재를 몹시 아끼고 귀중히 여기는 마음을 말한다.
> (나) 표준어는 전 국민이 공통적으로 쓸 수 있는 자격을 부여받은 말을 일컫는 말로, 우리나라에서는
>   표준어를 교양 있는 사람들이 두루 쓰는 현대 서울말로 규정하고 있다.

1 (가)에서 사용된 글쓰기 방법은 무엇인가요?

2 (나)에서 핵심어를 찾아 써 보세요.

독해연습 2 **아래 문단을 읽고, 물음에 답하세요.**

> (가) 파리의 노트르담 성당이나 빈의 슈테판 성당 등과 같은 유럽의 역사적 건축물을 보면 지붕 부분
>   이 하늘을 향해 높고 뾰족하게 되어 있는 모습을 쉽게 볼 수 있다. 이와 같이 높은 건물과 뾰족
>   한 첨탑을 주요한 특징으로 하며 수직적이고 직선적인 느낌을 주는 건축 양식을 고딕 양식이라
>   한다. 이는 중세 서유럽에서 유행하였으며 약 12세기부터 약 3세기 간 중세 건축 양식의 중심이
>   었다.
>
> (나) 사업에 필요한, 비교적 거액의 자금을 일시에 조달하기 위해 발행하는 것을 채권이라고 한다.
>   (   )은 대규모 자금 조달 수단이라는 점에서 주식과 유사한 면이 있다. 또한 (   )은 발행 주
>   체가 누구인지에 따라 국채, 회사채 등으로 나눌 수 있다. 또한 상환 기간에 따라 단기 (   ),
>   중기 (   ), 장기 (   )으로 나눌 수 있다.

1 (가)에서 용어의 정의가 드러난 부분을 찾아 써 보세요.

2 (나)의 (   ) 안에 공통으로 들어가기에 알맞은 단어를 (나)에서 찾아 쓰세요.

많은 사람들의 의견을 잘 반영하려면

(가) 대부분의 사람들이 선거나 투표에 대한 연구를 정치학의 분야로 생각할지 모른다. 하지만 선거나 투표에 대한 연구는 경제학의 주요 분야 중 하나이기도 하다. 특히 경제학에서는 공정하면서도 사람들의 의견을 가장 잘 반영할 수 있는 선거 방법이 무엇인지를 수학적 논리를 ⓐ이용하여 ⓑ분석하고 있다.

(나) 현재 시행하고 있는 다수결 투표 제도는 두 명의 후보만을 놓고 선거를 하는 경우라면 국민의 뜻을 잘 반영하는 민주적인 제도로 볼 수 있다. 또한 복잡한 현대 사회에 적용할 수 있는 효율적인 제도이기도 하다. 그러나 후보의 숫자가 셋 또는 그 이상이 되면 국민의 뜻을 제대로 반영하지 못하고 왜곡되는 경우가 생긴다. 예를 들어 갑, 을, 병이라는 세 명의 후보가 선거에 나왔다고 해 보자. 국민의 34%는 갑을 강력하게 응원하고 ⓒ지지하지만, 절반이 훨씬 넘는 나머지 66%의 국민들은 갑을 싫어한다. 하지만 세 명의 후보를 놓고 다수결로 투표를 해 보면 갑, 을, 병이 각각 34%, 33%, 33%의 표를 얻어 국민의 절반 이상이 싫어하는 갑이 뽑히게 될 수도 있는 것이다. 우리나라의 대통령 선거 역사를 보아도, 지지하는 국민의 수가 비슷한 두 정당 중에 한 측에서는 후보가 한 명만 나온 반면 다른 측에서는 두 명의 후보가 나와서 앞의 예와 비슷한 결과가 나온 사례가 있다. 그렇다면 세 명 이상의 후보를 놓고 투표할 때 국민의 뜻을 올바로 반영할 수 있는 선거 제도는 없을까? 다수결 투표 제도의 이러한 문제점을 보완하기 위한 방법으로 다음과 같은 제도들이 있다.

(다) ㉠조합 비교 투표 제도는 투표권을 가진 사람이 투표용지에 한 명의 이름만을 쓰는 것이 아니라 갑과 을 중에서 자신이 누구를 더 지지하는지, 을과 병 중에서 누구를 더 지지하고, 갑과 병 중에서는 누구를 더 지지하는지를 적는다. 이렇게 후보를 둘씩 붙여서 둘 중에 누가 더 지지층이 많은지를 ⓓ비교하여 일대일 대결에서 가장 많이 이긴 후보를 당선시키는 방법이다. 각 후보의 이름 옆에 자신이 좋아하는 순서대로 등수를 적어 넣기만 하면 컴퓨터가 둘씩 짝을 지어 계산해 낼 수 있기 때문에 실제 투표 방법도 그리 복잡하지 않다.

(라) 이외에 ㉡점수 투표 제도라는 것이 있는데, 이는 각 투표자들이 자신이 가장 좋아하는 후보에게 3점을 주고 두 번째로 좋아하는 후보에게 2점, 세 번째로 좋아하는 후보에게 1점을 주는 방식이다. 이렇게 얻은 각 후보의 점수를 합한 후 합한 점수가 가장 높은 후보를 당선시키는 방법으로, 이는 현재 시행 중인 다수결 투표 제도보다 개개인의 선호도를 잘 파악할 수 있는 투표 방식 중 하나이다.

(마) 최근 국내에서 ⓔ거론되고 있는 결선 투표 제도는 후보자들에 대해 1차 투표를 하고 과반수 득표자가 없는 경우 표를 가장 많이 얻은 두 사람에 대해 다시 결선 투표를 진행하여 당선자를 결정하는 방식이다. 이는 프랑스, 러시아 등의 선거에서 사용되는 방식인데, 다수결 투표 제도보다 우수한 면이 있다. 하지만 위의 두 가지 투표 방법보다는 국민의 뜻을 반영하는 데에 한계가 있으며, 투표를 두 번 진행해야 한다는 점에서 비용이 많이 드는 단점이 있다.

의사 결정의 도구

Q 다수결 투표 제도가 국민의 뜻을 제대로 반영하지 못하는 이유는 무엇인가요?

0 (가)~(마)의 중심 내용을 정리한 내용으로 적절하지 <u>않은</u> 것을 고르세요.

① (가): 선거와 투표에 대한 경제학적 접근 ☐

② (나): 다수결 투표 제도의 문제점 ☐

③ (다): 조합 비교 투표 제도의 장단점 ☐

④ (라): 점수 투표 제도의 방법 ☐

⑤ (마): 결선 투표 제도의 이점과 한계 ☐

문단의 중심 내용만 파악해도 글 전체의
내용과 글의 흐름을 알 수 있어!

무거운 짐도 나눠 담아야 쉽게 옮길 수 있듯이
글도 문단에 잘 나눠 담아야 중심 내용 파악이 쉽다!

1 ㉠과 ㉡에 대한 설명으로 옳은 것은 무엇인가요?

① ㉠은 셋 이상의 후보를 둘씩 짝지어서 비교해야 하므로 투표를 여러 번 해야 한다.

② ㉡은 좋아하는 순서대로 후보의 이름 옆에 등수를 표시하여 투표하는 방법이다.

③ ㉠과 ㉡은 모두 후보가 셋 이상일 때 활용할 수 있는 투표 방법이다.

④ ㉠과 ㉡ 모두 가장 좋아하는 후보의 이름 옆에 가장 큰 숫자를 적으면 된다.

⑤ ㉠과 달리 ㉡은 숫자의 합이 가장 낮은 후보를 당선시키는 방법이다.

㉠은 조합 비교 투표 제도, ㉡은 점수 투표 제도야. 용어를 잘 봐~ 용어 속에 투표 방식의 차이가 담겨 있지?

2 ⓐ～ⓔ의 사전적 의미로 적절하지 <u>않은</u> 것은 무엇인가요?

① ⓐ이용하다: 어떤 일에 마음이나 관심을 기울이다.

② ⓑ분석하다: 개념이나 문장을 보다 단순한 개념이나 문장으로 나누어 그 의미를 명료하게 하다.

③ ⓒ지지하다: 어떤 사람이나 단체의 주의·정책·의견 따위에 찬동하여 이를 위해 힘쓰다.

④ ⓓ비교하다: 둘 이상의 사물을 견주어 서로 간의 유사점, 차이점, 일반 법칙 따위를 고찰하다.

⑤ ⓔ거론되다: 어떤 사항이 논제로 제기되거나 논의되다.

3 이 글의 내용을 바탕으로 〈보기〉에 대해 보인 반응이 적절하지 **않은** 것은 무엇인가요?

┤보 기├

　대통령 선거 결과, A당의 김○○ 후보가 대통령으로 당선되었다. A당에서 김○○ 후보, B 당에서 박△△ 후보와 조□□ 후보가 출마했던 이번 선거는 기존 방식인 다수결 투표 제도로 진행되었다. 개표 결과 김○○ 후보, 박△△ 후보, 조□□ 후보는 각각 36%, 34%, 30%의 표를 얻은 것으로 알려졌다. 그리고 사전 여론 조사 결과를 통해 A당을 지지한다고 밝힌 국민은 40%, 지지하지 않는다고 밝힌 국민은 60%로 밝혀진 바 있다.

① 국민의 과반수가 A당을 지지하지 않는다는 점에서 이 선거 결과는 국민의 뜻을 제대로 반영했다고 판단하기는 어려워 보여.

② 김○○ 후보와 박△△ 후보에 대해 결선 투표를 다시 진행한다면, 그 결과는 〈보기〉의 결과와 다를 수도 있겠어.

③ 〈보기〉는 후보가 셋 이상일 때 다수결 투표 제도가 가질 수 있는 한계점을 보여 주는 사례라고 할 수 있어.

④ 다수결 투표 제도보다 국민의 뜻을 더 잘 반영할 수 있는 다른 방법에 대한 고민이 필요할 것 같아.

⑤ 득표수가 가장 많은 후보가 당선된 것인 만큼 국민의 의견이 잘 반영되었다고 볼 수 있어.

산대, 중국 전통 수학의 원동력

셈의 도구

Q 중국 수학사에서 산대는 어떤 의미를 지니고 있나요?

(가) 고대 중국 문헌에는 수학을 산술(算術) 또는 산학(算學)이라 하였는데, 이는 중국 전통 수학이 '계산'하는 것에 토대를 두고 있다는 사실을 나타낸다. 실제로 중국의 전통 수학책에서 놀라운 계산력을 보여 주는 내용을 어렵지 않게 ⓐ찾을 수 있는데, 이를 가능하게 한 계산 도구가 바로 산대이다. 오늘날 '산목' 혹은 '산가지'라고 부르는 도구인 산대를 중국에서는 보자기에 싸 가지고 다니면서 계산이 필요할 때마다 펼쳐 놓고 계산을 하였다고 한다.

(나) 산대는 총 271개를 한 세트로 하며, 길이나 단면의 모양은 시대에 따라 차이가 있었다. 예를 들어 한나라 때는 길이 6치(약 18cm)의 원형 단면이었다가 이후 세모 단면으로 바뀌었는데 아마도 산대가 굴러다니는 불편함 때문에 그 모양이 바뀌었다고 ⓑ추측된다. 양수와 음수는 색깔로 구분하여 양수는 적색 막대로, 음수는 흑색 막대로 나타냈다. 한편, 수나라 때는 길이 3치(약 9cm)에 단면의 모양이 세모인지 네모인지에 따라 양수와 음수를 구분하여 ⓒ나타냈다는 기록이 남아 있다. 한나라에서 수나라로 넘어오면서 산대의 길이가 짧아진 것은 사용상의 간편함을 위한 것으로 보인다. 계산 도구로서의 산대는 2천여 년 동안 제 역할을 하다가 명나라 때 상업이 급속도로 발달하는 과정에서 주판이 사용되면서 점차 ⓓ사라지게 되었다.

(다) 그렇다면 중국인들은 산대를 이용해 어떻게 수를 표현하였을까? 산대로 수를 나타낼 때는 위치로 자릿값을 나타내는 '십진 위치적 기수법'을 ⓔ따랐다. 자릿값의 배열은 오늘날과 마찬가지로 큰 자리의 수부터 왼쪽에서 시작하여 오른쪽으로 배열한다. 이때 각 자릿수를 한 자리 건너마다 같게 표기함으로써 자릿값을 혼동하지 않도록 하였다. 다시 말하면 아래 [표]와 같이 일, 백, 만… 자리의 숫자는 세워서 표기하고, 십, 천, 십만… 자리의 숫자는 뉘어 놓음으로써 자릿수를 혼동해 잘못 읽는 것을 방지하고자 한 것이다. 예를 들어 111은 | ― |로, 2222는 = ∥ = ∥로 표시한다. 그런데 숫자 0은 빈칸으로 두었기 때문에 표기의 정확성에 한계가 있었다. ― ∥는 12, 1002, 1200 등으로 읽힐 가능성도 있기 때문이었다. 이러한 모호함은 산대를 그림으로 기록하면서 0의 빈자리를 나타내기 위해 ○를 사용한 12~13세기까지도 계속된 것으로 추측된다. ○을 사용해 10220을 산대 그림으로 나타내면 | ○ ∥ = ○이 된다.

	1	2	3	4	5	6	7	8	9
일, 백, 만… 자리	|	||	|||	||||	|||||	⊤	⊤	⊤	⊤
십, 천, 십만… 자리	―	=	≡	≣	≣	⊥	⊥	⊥	⊥

[표] 산대를 이용한 숫자 표기법

(라) 그렇다면 양수와 음수는 어떻게 나타냈을까? 직접 산대를 이용할 때는 양수와 음수를 막대의 색깔이나 단면의 모양, 또는 바로 놓기와 기울여 놓기 등으로 구별하였다. 그에 반해 산대 그림에서는 음수를 나타내기 위해 일의 자리에 사선을 그었다. 만약 일의 자릿수가 0일 때에는 0이 아닌 가장 아랫자리 숫자에 사선을 그어서 그 수가 음수임을 나타내었다.

(마) 산대로 하는 계산을 이해하는 것이 중국 수학을 이해하는 열쇠라고 말할 수 있을 정도로, 산대는 중국 전통 수학에서 계산뿐 아니라 그 밖의 수학 연구를 가능하게 한 원동력이었다. 명나라 때 산대의 역할을 대신한 주판은 산대 계산을 연계·발전시킨 것으로 계산의 편리함이나 속도 면에서는 뛰어났지만, 13세기 중국의 수학자들을 세계 최고의 대수학자라는 위상까지 끌

어울린 것은 산대에 의한 수와 식의 표현 능력 덕분이었다고 해도 과언이 아니다.

0 학급 신문에 이 글의 내용을 소개한다고 할 때, 제목으로 가장 적절한 것은 무엇인가요?

① 산대를 활용한 계산 방법

② 중국 전통 수학의 발전 과정

③ 중국 전통 수학을 이해하는 열쇠, 산대

④ 산대를 활용한 숫자 표기의 장점과 한계

⑤ 산대에서 주판으로, 계산 도구의 변화 과정

글에 어울리는 멋진 얼굴, 제목을 찾으려면?

먼저 글의 중심 화제와 주제부터 찾고, 그다음엔 글쓴이의 의도가 무엇인지도 고려하자!

1 (가)~(마)의 핵심 내용으로 적절하지 <u>않은</u> 것은 무엇인가요?

① (가): 계산에 토대를 둔 중국 전통 수학과 산대
② (나): 시대에 따른 산대 길이와 모양의 변화
③ (다): 산대로 수를 표현하는 방법
④ (라): 산대를 활용한 수의 계산 방법
⑤ (마): 중국 전통 수학에서 산대가 가지는 의미

중심(中心), 핵심(核心) 모두 '심(心)'이 들어가네?
글에서 가장 중심이 되는 중요한 내용이란 뜻이야~
무엇이든 마음이 가장 중요한 법이지!

2 이 글의 내용과 일치하지 <u>않는</u> 것은 무엇인가요?

① 산대의 모양은 시대에 따라 달라지기도 했다.
② 오른쪽에서 왼쪽으로 갈수록 수의 자릿값이 커진다.
③ 주판은 계산 속도 등의 면에서는 산대보다 뛰어났다.
④ 수나라 때에는 산대의 색으로 음수와 양수를 구별하였다.
⑤ 고대 중국인들은 산대를 싸 가지고 다니며 셈에 활용했다.

3 〈보기〉의 산대 표기에 대해 바르게 이해하지 <u>못한</u> 학생은 누구인가요?

┤보 기├

丅 ≡ ‖ ＝ ┃

학생 1 64221을 산대로 나타내면 〈보기〉와 같이 나타날 거야. ························· ①

학생 2 십진 위치적 기수법에 따라 십, 천의 자리에는 산대를 뉘어서 표현했어. ····· ②

학생 3 만약에 이 숫자가 음수라면 산대 그림에서는 십의 자리에 사선을 그어서 나타낼 수 있을 거야. ··· ③

학생 4 12세기 이전이라면, 6004221이나 6422001 등으로도 읽힐 수 있겠어. ······· ④

학생 5 丅이 ⊥로 표현되어 있었다면, ⊥와 ≡ 사이에 적어도 한 개의 0이 생략되어 있다고 추측할 수 있겠어. ··· ⑤

4 밑줄 친 ⓐ~ⓔ와 바꾸어 쓰기에 적절하지 <u>않은</u> 것은 무엇인가요?

① ⓐ: 발견할
② ⓑ: 짐작된다
③ ⓒ: 표현했다는
④ ⓓ: 없어지게
⑤ ⓔ: 순종한다

나폴레옹은 정말 키가 작았을까

측정의 도구

Q 나폴레옹의 키에 대한 오해가 생겨난 이유는 무엇인가요?

프랑스 혁명에서 전쟁을 승리로 이끌며 15년 만에 유럽의 역사를 바꾸고 "나의 사전에 불가능이란 없다."라는 유명한 말을 남긴 나폴레옹. 천하의 영웅이었던 그는 작은 키의 대명사로도 사람들의 입에 오르내린다. 누군가는 그의 작은 키가 그를 더욱 채찍질하는 계기로 작용했다고도 말하지만, '땅꼬마'라고 불릴 정도의 단신이었다는 점은 그럼에도 세계를 정복하고 영토를 넓혔다는 그의 업적을 더욱 더 돋보이게 해 주었다. 그런데 과연 나폴레옹은 키가 정말 작았을까?

질문에 대한 답을 먼저 이야기하자면, 이는 사실이 아니다. 나폴레옹의 키는 그렇게 작지 않았다. 약 157cm라고 알려진 나폴레옹은 실제로는 약 170cm의 키를 가진 사람이었다. 그렇다면 나폴레옹의 키가 작다고 알려진 이유는 무엇일까? 그것은 바로 국가 간 측정 단위의 차이 때문이다.

나폴레옹이 단신이라는 이야기는 사후에 부검을 통해 그의 키가 '5피트 2인치'였다는 소문이 사람들 사이에 퍼지면서 시작되었다. 1피트는 약 30.48cm이고, 1인치는 약 2.54cm이므로, '5피트 2인치'였다는 나폴레옹의 키를 우리에게 보다 익숙한 미터 단위로 환산하면 나폴레옹의 키는 157.5cm가 된다. 그러나 이는 프랑스식 단위인 '5피에(pied) 2푸스(pouce)'라는 단위를 영국식 피트 단위로 바꾸어 부르면서 ㉠**와전된** 것이다. 실제로 프랑스식 길이 단위인 피에(1피에=32.48cm)는 영국식 피트 단위보다 약 2cm가 길었다. 결국 프랑스식 단위에 따른 '5피에 2푸스'를 영국식 단위로 환산하면 약 '5피트 7인치'가 되고, 이를 다시 cm로 환산하면 약 170cm가 된다. 당시 프랑스 성인 남성의 평균 키가 약 164cm였으니 나폴레옹은 평균보다 약 5cm나 큰 키의 사람이었던 것이다.

이러한 오해가 생겨나게 된 것은 당시 국가 간에 단위가 통일되지 않았기 때문이다. '피에'와 '피트'는 엄연히 다른 길이를 나타내는 단위였고 피에의 길이는 프랑스, 그리스, 로마, 이집트 등 나라마다 달랐다. 이후 국가 간 교류가 활발해지면서 단위를 통일하자는 목소리가 높아지기 시작했다. 1790년경 파리 과학 아카데미의 제안 이후 길이의 단위를 미터(meter, m)로, 질량의 단위를 킬로그램(kilogram, kg)으로 하며 십진법을 사용하는 도량형*법인 미터법이 제정되었다. 이는 1875년 미터 조약*을 계기로 국제적으로 확산되었고, 우리나라도 1960년대부터 미터법을 채택하여 사용하고 있으며 오늘날에는 거의 모든 국가가 미터법을 사용하고 있다.

* 도량형: 길이, 부피, 무게 따위의 단위를 재는 법.
* 미터 조약: 1875년에 프랑스 파리에서 미터법 도량형의 제정·보급을 목적으로 체결한 국제 조약.

0 이 글에 사용된 글쓰기 전략으로 가장 적절한 것은 무엇인가요?

① 한 가지 사건에 대한 상반된 관점을 제시하고 있다.

② 구체적인 수치를 활용하여 독자의 이해를 돕고 있다.

③ 전문가의 견해를 인용하여 글의 신뢰도를 높이고 있다.

④ 핵심 개념의 변화 과정을 통시적 관점에서 설명하고 있다.

⑤ 개념을 정의한 후 그에 대한 구체적인 사례를 제시하고 있다.

상반된 관점이란 어떤 사물이나 현상에 대해
두 사람이 생각하는 방향이 **서로 대립되는 것**을 말해!

1 **이 글을 읽고 답할 수 <u>없는</u> 질문은 무엇인가요?**

① 미터법의 제정은 무엇을 바탕으로 이루어졌는가?

② 나폴레옹의 키가 작다고 알려졌던 이유는 무엇인가?

③ 미터법이 국제적으로 확산되게 된 계기는 무엇인가?

④ 프랑스식 단위인 피에와 영국식 단위인 피트가 나타내는 길이는 같은가?

⑤ 나폴레옹이 단신이었다는 소문에 대해 당시 사람들은 어떤 반응을 보였는가?

2 **㉠과 바꿔 쓸 수 있는 말로 알맞은 것은 무엇인가요?**

① 달라진

② 만들어진

③ 잘못 전해진

④ 뿔뿔이 흩어진

⑤ 새롭게 알려진

3 다음은 이 글을 읽고 학생이 작성한 일기의 일부입니다. ⓐ~ⓔ 중 적절하지 <u>않은</u> 것은 무엇인가요?

ⓐ<u>키가 작았음에도 천하를 호령했다는 점에서 역사적으로 더욱 높은 평가를 받아 온 나폴레옹의 키가 실제로는 작지 않았다니 놀라웠다.</u> 심지어 나폴레옹의 키가 당시 평균 남성의 키보다도 컸다고 한다. ⓑ<u>나폴레옹의 키가 작다는 오해가 사실은 나라 간 길이를 나타내는 단위가 통일되지 않았기 때문에 생긴 오해라니, 또 한 번 놀라웠다.</u> 만약 아직까지 국가별 단위가 통일되지 않았다면 어땠을까? ⓒ<u>이전에 비해 국가 간에 교역이 활발해지기는 했지만, 그 나름대로 큰 불편함 없이 잘 지내지 않았을까 싶기도 하다.</u> ⓓ<u>이후 단위 통일의 필요성이 커지면서 미터법이 제정된 덕분에 오늘날에는 많은 국가들이 통일된 단위를 사용하고 있다고 한다.</u> ⓔ<u>국가 간 단위의 차이로 인해 생겨난 또 다른 오해는 없는지 다른 역사적 사례들도 한번 찾아보아야겠다.</u>

① ⓐ   ② ⓑ   ③ ⓒ   ④ ⓓ   ⑤ ⓔ

오브제, 예술이 되다

창작의 도구

Q 오브제의 주요한 특징은 무엇인가요?

(가) 현대 미술의 대표적인 표현 수단이자 전략으로 볼 수 있는 ㉠오브제[*]는 그 형태가 너무도 다양해서 한마디로 정의하기가 쉽지 않다. 하지만 오브제는 어떤 사물을 그 사물이 가지는 본래의 용도와 기능에서 떨어뜨려 놓는다는 점에서 중요한 특징을 가진다.

(나) 20세기 초 입체파의 대표적인 작가 피카소는 기존의 회화 기법에서 ⓐ벗어나, 신문과 잡지에서 오려 낸 조각을 화면에 붙여서 작품을 만드는 콜라주 기법을 창안하였다. 피카소는 「등나무 의자가 있는 정물」이라는 작품에서 레몬, 오이, 유리잔, 파이프, 신문 등이 나오는 정물화에 등나무 의자 무늬가 인쇄된 천 조각을 오려 붙였는데, 화면 위에 실물을 붙이는 이 아이디어는 손으로 그리지도 않고도 주위의 사물을 예술 작품으로 만드는 현대적 오브제를 탄생시켰다.

「등나무 의자가 있는 정물」

(다) 화장실의 소변기를 작품으로 전시한 「샘」과 같이 사물을 예술 작품에 적극적으로 도입한 뒤샹 이후로 오브제는 널리 알려지기 시작했다. 그는 공장 등에서 이미 만들어진 물건을 그 물건의 쓰임과는 관련 없는 엉뚱한 곳에 갖다 놓음으로써 그것을 미적 감상의 대상으로 변화시켰다. 뒤샹의 이러한 표현 방식은 평범한 것과 미적인 것을 구별하던 근대 예술에 대한 도전이라고 할 수 있다. 오브제에 의해 예술 작품과 일상적 사물의 경계가 무너지면서 예술이 될 수 없는 사물은 원칙적으로 존재하지 않게 되었다. 사물은 예술가의 손에 들려 미술관으로 들어오거나 아니면 그저 원래 있던 곳에서 예술가에 의해 작품으로 선언되는 것만으로도 예술이 되는 것이다.

(라) 원래 오브제라는 창작 방법은 사물의 본래 용도를 버림으로써 그것을 미적 대상으로 바꾸는 데에 그 중심이 있었다. 그런데 최근에는 사물이 본래의 기능을 그대로 가지고 있는 채로 예술이 되는 작품들이 나오고 있다. 초버닝은 고속도로에서 독일의 뮌스터 시(市)로 들어오는 길목에 「조각 프로젝트 뮌스터 1977」이라는 현수막을 내걸었는데, 이것은 전시회를 알리는 플래카드이자 동시에 그가 만든 예술 작품이기도 했다. 이러한 흐름은 설치 미술로도 확대되어 오늘날에는 미술관, 건물, 자연 등 현실의 특정 공간이 그 자체로 하나의 오브제가 되어 예술 작품이 되고 있다.

(마) 이제 오브제는 단순히 사물, 인공물에 한정되어 있지 않다. 입체파와 함께 출현한 현대적인 오브제는 회화의 일부로만 받아들여졌던 최초의 시도에서 벗어나 그 자체로 독립되는 과정을 거치면서 그 영역과 개념을 거의 무제한적으로 확대하고 있다.

---

* 오브제: 작품에 쓴 일상생활 용품이나 자연물 또는 예술과 무관한 물건을 본래의 용도에서 분리하여 작품에 사용함으로써 새로운 느낌을 일으키는 상징적 기능의 물체를 이르는 말.

0 이 글이 다음과 같이 총 5회에 걸쳐 진행되는 예술 강좌의 대본이라면, 이 글은 몇 번째 강좌의 대본으로 적절할까요?

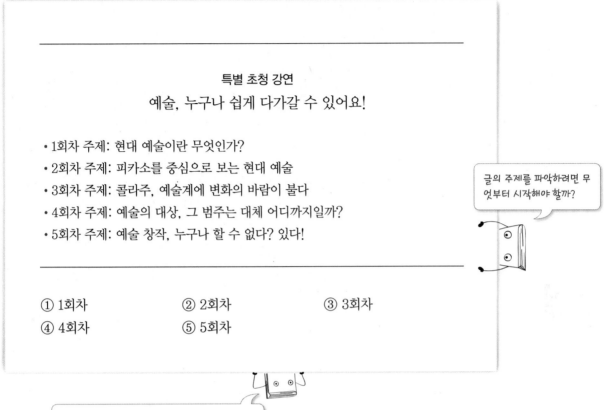

특별 초청 강연
예술, 누구나 쉽게 다가갈 수 있어요!

- 1회차 주제: 현대 예술이란 무엇인가?
- 2회차 주제: 피카소를 중심으로 보는 현대 예술
- 3회차 주제: 콜라주, 예술계에 변화의 바람이 불다
- 4회차 주제: 예술의 대상, 그 범주는 대체 어디까지일까?
- 5회차 주제: 예술 창작, 누구나 할 수 없다? 있다!

글의 주제를 파악하려면 무엇부터 시작해야 할까?

① 1회차   ② 2회차   ③ 3회차

④ 4회차   ⑤ 5회차

글의 주제를 파악하기 어렵다면, 먼저 핵심어를 찾아봐. 핵심어를 중심으로 글의 내용을 정리해 보면 주제가 보일 거야!

1 (가)~(마)의 중심 내용을 정리한 것으로 적절하지 <u>않은</u> 것을 고르세요.

① (가): 현대 미술에서 오브제의 의미 ☐

② (나): 현대적 오브제의 탄생 ☐

③ (다): 오브제에 대한 예술계의 반발 ☐

④ (라): 오브제와 예술의 범위 ☐

⑤ (마): 오브제 범위의 확장 ☐

2 ㉠에 대한 설명으로 적절하지 <u>않은</u> 것은 무엇인가요?

① ㉠은 설치 미술의 범주 안으로도 확대되고 있다.

② ㉠은 현대 미술에서 대표적인 표현 방법으로 일컬어진다.

③ ㉠과 미적 대상의 범위는 오늘날 나날이 확장되고 있다.

④ ㉠에 의해 일상적인 사물 또한 예술로 인정받을 수 있게 되었다.

⑤ ㉠은 일상적 사물이 본래의 용도를 버려야만 예술로 인정받을 수 있다.

3 〈보기〉의 소품을 '오브제'로 활용해 예술 작품을 만들어 보려고 합니다. 이에 대한 반응 중 이 글의 내용에 부합하는 것은 무엇인가요?

|보 기|

① 〈보기〉를 오브제로 활용해 예술 작품을 만든다고 하더라도, 〈보기〉의 오브제 자체는 예술이 될 수 없다.

② 〈보기〉를 오브제로 활용해 예술 작품을 만들었다면, 이는 어떤 대상이든 예술이 될 수 있음을 보여 주는 예라고 할 수 있다.

③ 〈보기〉를 오브제로 활용해 예술 작품을 만든다면, 예술 작품과 일상적 사물 간에는 분명한 경계가 있음을 보여 줄 수 있을 것이다.

④ 〈보기〉의 소품을 목욕탕으로 활용한 예술 작품을 만든다면, 이는 사물 본래의 용도를 버렸다는 점에서 뒤샹의 「샘」과 차이가 있다.

⑤ 예술 작품 속에서 〈보기〉의 소품을 목욕탕으로 나타냈다면, 이 경우는 사물의 본래의 기능을 그대로 유지하면서 그것을 미적 대상으로 간주했다는 점에서 초버닝의 현수막과 유사하다고 볼 수 있다.

문제에서 '글의 내용에 부합하는 것'을 고르라는 표현이 종종 나오지?
'부합하다=꼭 들어맞다, 일치하다'란 의미야~

4 ⓐ의 문맥적 의미로 가장 적절한 것은 무엇인가요?

① 신분 따위를 면하다.
② 맡은 일에서 놓여나다.
③ 어려운 처지에서 헤어나다.
④ 공간적 범위 밖으로 빠져나오다.
⑤ 규범이나 체계 따위에 어긋나다.

문자의 필요성과 논의들

(가) 1443년에 우리말에 맞는 글자인 훈민정음이 만들어지기까지 우리 민족은 우리말을 사용하면서도 글자는 한자를 사용하는 이중적인 언어생활을 해야 했다. 그러나 우리말은 한자와 차이가 클 뿐 아니라, 한자로 문장을 이룬 한문은 우리 문장의 어순과도 완전히 다르다. 그래서 우리말을 기록하는 방법을 마련해야 한다는 인식은 한글이 만들어지기 이전 시대부터 있어왔다.

(나) 이로 인해 사람들은 우리말을 표현할 수 있는 표기 방법을 ⓐ고안하기 시작했고, 그 결과 신라 시대 때 향찰이 탄생했다. 향찰은 한자를 빌려 쓰기는 하지만, 우리말을 매우 ⓑ정교하게 적을 수 있는 표기법이었다. 향찰을 이용하면 우리말의 어순대로 문장을 표기할 수 있었으며, 실질적인 의미를 지닌 부분은 한자의 뜻을 빌리고, 문법적 관계를 나타내는 부분은 한자의 음(소리)을 빌려 적었다. 향찰이 어떤 식으로 우리말을 기록했는지 다음을 통해 자세히 살펴보자.

> 생사로은(生死路隱)　　죽사릿길([삶과 죽음의 길]은)

　여기서 '죽사릿길[삶과 죽음의 길]'은 실질적 의미를 지니는 부분이므로 한자의 뜻을 빌려 '生(살 생) 死(죽을 사) 路(길 로)'로 적은 것이고, 문법적 부분에 해당하는 부분인 '은'은 한자의 음을 빌려 '隱(숨을 은)'으로 적은 것이다.

(다) 그런데 이러한 향찰은 고려 시대를 넘기지 못하고 사라지고 말았다. 오랜 세월 동안 갈고 닦아 나름의 정교한 체계를 ⓒ갖추었던 향찰 표기법은 왜 사라졌을까? 그 원인은 크게 두 가지로 나누어 생각해 볼 수 있다. 하나는 귀족 사회의 한문 선호도에서 찾을 수 있다. 신라 시대에 향찰은 주로 귀족 계급에서 사용했던 것으로 보인다. 한문을 알지 못하면 한자를 활용해 우리말을 우리 식으로 표기하는 것이 불가능했기 때문이다. 그런데 귀족들은 시간이 흐를수록 향찰과 같은 우리 식 표기법을 익혀서 사용하기보다는 아예 한문을 그대로 사용하는 쪽을 ⓓ선호하게 되었고, 자연스럽게 향찰로 표기하는 일이 점차 줄어들게 되었다. 또 하나는 한국어의 특성에서 찾을 수 있다. 글자 하나하나가 각각의 의미를 담고 있는 표의 문자*인 한자는 자음과 모음을 다양하게 결합하여 여러 가지 소리를 만들 수 있는 표음 문자*인 우리말을 만족스럽게 표기할 수 없었기 때문이다.

(라) 이렇게 볼 때, 향찰이 소멸한 것은 결국 우리말의 특성 때문으로 볼 수 있다. 아무리 향찰의 표기 체계가 정교했다고 하더라도, 한자만으로는 우리말의 다양한 소리를 제대로 표현할 수 없었던 것이다. 그 결과 한자를 활용하여 우리말을 우리 방식대로 적으려던 노력인 향찰은 사라지고 말았다. 그러나 그렇다고 해서 우리말을 기록하는 방법, 혹은 문자에 대한 연구도 향찰과 함께 사라진 것은 아니다. 이후에도 우리말을 우리의 방식대로 적으려는 시도는 꾸준히 이어졌으며 우리말을 제대로 기록할 수 있는 우리 문자의 필요성은 계속 ⓔ대두되었다.

기록의 도구

Q 향찰이 등장하게 된 이유는 무엇인가요?

---

* 표의 문자: 하나하나의 글자가 언어의 음과 상관없이 일정한 뜻을 나타내는 문자. 고대의 회화 문자나 상형 문자가 발달한 것으로 한자가 대표적이다.
* 표음 문자: 말소리를 그대로 기호로 나타낸 문자. 한글, 로마자, 아라비아 문자 따위가 있다.

0 이 글을 읽고 답할 수 <u>없는</u> 질문이 무엇인지 고르세요.

① 향찰이 생겨난 시대는 언제인가? ☐
② 향찰이 탄생하게 된 이유는 무엇인가? ☐
③ 향찰은 어떤 계급이 주로 사용하였는가? ☐
④ 향찰은 어떤 원리로 우리말을 표기하였는가? ☐
⑤ 향찰 이후 우리말을 우리 식대로 적으려는 시도에는 무엇이 있었는가? ☐

1 이 글을 통해 알 수 있는 내용이 <u>아닌</u> 것은 무엇인가요?

① 우리말의 어순과 한문의 어순은 다르다.
② 향찰은 오랫동안 사용되지 못하고 사라지고 말았다.
③ 향찰은 한자를 활용해 우리말을 표기할 수 있게 만든 방법이었다.
④ 향찰은 우리말의 모든 소리와 표현을 기록하기에 적절한 표기법이었다.
⑤ 한글이 만들어지기 훨씬 이전부터 우리말을 기록할 수 있는 방법을 마련하는 것에 대한 필요성이 제기되었다.

2 이 글의 구조를 정리한 것으로 가장 적절한 것은 무엇인가요?

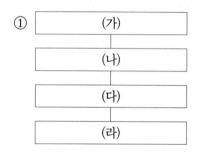

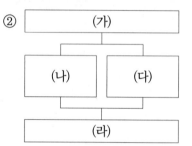

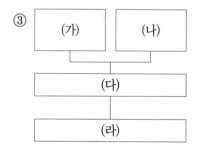

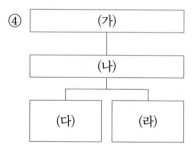

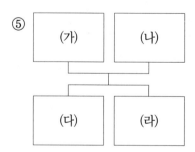

3 〈보기〉는 향찰로 기록된 노래인 향가 「서동요」입니다. 이 글을 참고할 때 〈보기〉를 이해한 내용으로 적절하지 <u>않은</u> 것은 무엇인가요?

┤보 기├

향찰 표기	해독본	현대어 풀이
善化公主主隱(선화공주주은)	선화공주니믄	선화 공주님은
他密只嫁良置古(타밀지가량치고)	눔 그스지 얼어 두고	남몰래 정을 통해 두고
薯童房乙(서동방을)	맛둥바올	맛둥(서동) 도련님을
夜矣卯乙抱遣去如(야의묘을포견거여)	바믹 몰 안고 가다	밤에 몰래 안고 간다

① 한자를 빌려 우리말을 기록한 노래이다.
② 첫 번째 줄의 '隱(은)'은 문법적 부분에 해당한다.
③ 우리말의 어순에 맞게 표기된 것을 확인할 수 있다.
④ 조선 시대에 이르기까지 향가가 창작되었을 것으로 짐작할 수 있다.
⑤ 첫 번째 줄의 '主隱'의 '主'가 '님 주'인 것으로 보아 한자의 뜻을 빌린 것임을 알 수 있다.

4 ⓐ~ⓔ의 사전적 의미로 적절하지 <u>않은</u> 것은 무엇인가요?

① ⓐ고안하다: 연구하여 새로운 안을 생각해 내다.
② ⓑ정교하다: 솜씨나 기술 따위가 정밀하고 교묘하다.
③ ⓒ갖추다: 필요한 자세나 태도 따위를 취하다.
④ ⓓ선호하다: 여럿 가운데서 특별히 가려서 좋아하다.
⑤ ⓔ대두되다: 어떤 세력이나 현상이 새롭게 나타나게 되다.

거론【擧論】
1. 어떤 사항을 논
제로 삼아 제기하
거나 논의함.

사전에 맨 처음 나오는 의미가 곧 사전적 의미야!

Q 다음은 생각을 읽을 수 있는 지문 구조도를 퍼즐로 나타낸 것입니다. 앞에서 읽은 글의 내용을 떠올리며 생각읽기 1~6에 해당하는 퍼즐을 선으로 연결해 보세요.

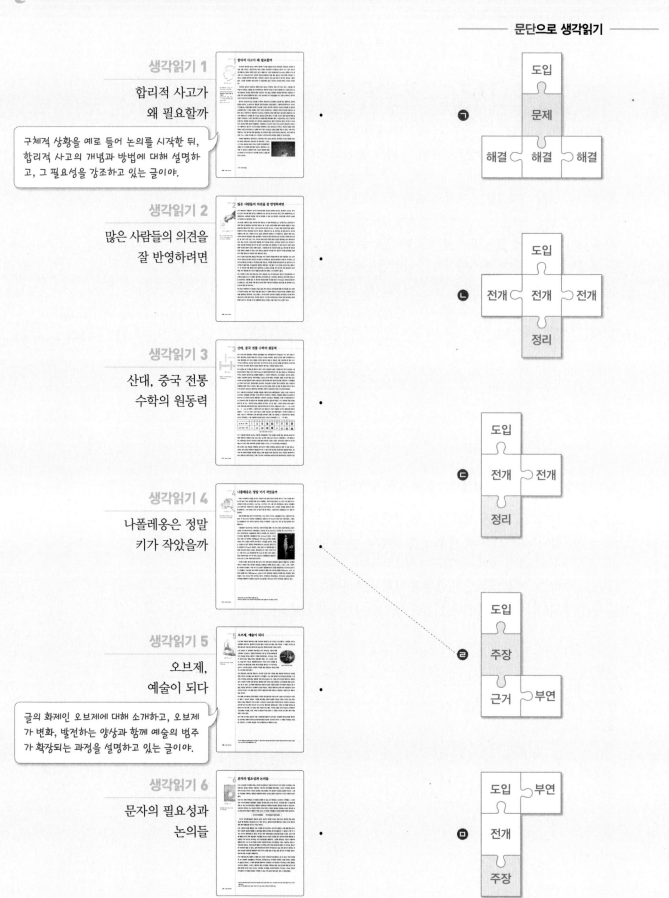

문단으로 생각읽기

생각읽기 1
합리적 사고가
왜 필요할까

구체적 상황을 예로 들어 논의를 시작한 뒤, 합리적 사고의 개념과 방법에 대해 설명하고, 그 필요성을 강조하고 있는 글이야.

ㄱ 도입 / 문제 / 해결 해결 해결

생각읽기 2
많은 사람들의 의견을
잘 반영하려면

ㄴ 도입 / 전개 전개 전개 / 정리

생각읽기 3
산대, 중국 전통
수학의 원동력

ㄷ 도입 / 전개 전개 / 정리

생각읽기 4
나폴레옹은 정말
키가 작았을까

ㄹ 도입 / 주장 / 근거 부연

생각읽기 5
오브제,
예술이 되다

글의 화제인 오브제에 대해 소개하고, 오브제가 변화, 발전하는 양상과 함께 예술의 범주가 확장되는 과정을 설명하고 있는 글이야.

생각읽기 6
문자의 필요성과
논의들

ㅁ 도입 부연 / 전개 / 주장

1 합리적 [　] 를 위해서는 객관적으로 상황을 바라보려는 노력과 자신의 판단에 대한 의심이 필요하다.

2 [　　] 투표 제도의 한계점을 보완하기 위한 방법으로 조합 비교 투표 제도, 점수 투표 제도, 결선 투표 제도 등이 있다.

3 중국 수학사에서 [　] 는 수학 연구를 가능하게 한 원동력이었으며, 13세기 중국 수학자들의 세계적 위상을 끌어올렸다.

4 나폴레옹의 키가 작다는 오해가 생긴 것은 국가 간에 측정의 [　] 가 통일되지 않았기 때문이었다.

5 현대 미술의 대표적인 표현 수단인 [　　] 는 시간의 흐름에 따라 그 영역과 개념이 확대되고 있으며, 이와 함께 예술의 범주 역시 확대되고 있다.

6 우리 문자가 없던 시절, 우리말을 기록하기 위한 도구로 만들어졌던 [　] 은 한자를 빌려 우리말을 매우 정교하게 기록할 수 있는 표기법이었다.

인간은 왜 도구를 생각할까?

"도구를 사용하며 한계를 뛰어넘다"

인간의 삶, 역사는 '도구' 없이는 생각하기 어려워요. '구석기 시대', '신석기 시대', '청동기 시대', '철기 시대' 등과 같은 말로 시대를 구분하는 것을 들어본 적이 있을 거예요. 여기서 공통적으로 쓰이는 '기'는 한자로 '器'라고 쓰는데, 이 글자는 '그릇, 도구'를 의미하는 글자예요. 어떤 도구를 사용했느냐를 기준으로 시대를 나눈 거죠. 그만큼 도구가 인간의 역사에 큰 부분을 차지하고 있다는 뜻이겠죠. 인간의 역사가 곧 도구 발달의 역사라고 이야기할 수 있을 정도로 말이에요.

호모 파베르(Homo Faber), 도구를 사용하는 인간
– 프랑스의 철학자 앙리 베르그송

05 차이

생각의 발견

차이를 말하다!

지구에 존재하는 사물 중에서 완전히 똑같은 것은 아마 찾기 힘들 것입니다. 인간, 동식물, 문화, 예술, 언어, 의견 등 우리는 유사한 것들을 모아 하나의 그룹으로 묶고 비슷하다고 생각하지만, 실제로 각기 모든 것은 저마다의 특성을 가지고 있으며 그로 인한 차이가 생겨납니다. 이렇듯 차이는 개별성을 갖게 하는 조건이나 기준이 되기도 하고, 극복해야 할 대상이 되기도 합니다. 차이에 대해 아는 것과 모르는 것, 인정하는 것과 인정하지 않는 것은 우리의 삶에 어떠한 영향을 미치게 될까요?

밀이 제안한 일치법과 차이법

대부분의 사람들은 자연 현상이나 사회 현상에 인과 관계가 존재한다고 생각한다. 이와 같이 어떤 일이 발생하면 거기에는 원인이 있을 것이라는 생각은 인과적 사고의 ⓐ토대가 된다. 이러한 맥락*에서 원인을 찾아내고자 한 사람으로 19세기 중엽 영국의 철학자 존 스튜어트 밀이 있다. 그는 원인을 찾아내는 몇 가지 방법을 제안하였는데, 그 가운데 대표적인 것이 일치법과 차이법이다.

㉠일치법은 어떤 결과가 발생한 여러 경우들에 공통적으로 선행하는 요소를 찾아 그것을 원인으로 간주하는 방법이다. 일치법은 오른쪽과 같은 도식으로 정리할 수 있다. X는 원인을 알고 싶은 결과이고, a, b, c, d, e, f는 여러 가지 선행하는 요소를 뜻한다. 이때 a는 X가 일어나는 모든 경우에 공통되는 유일한 요소이므로 a가 X의 원인이라고 결론을 내릴 수 있다.

$$a\,b\,c\,d \rightarrow X$$
$$a\,c\,e\,f \rightarrow X$$
$$a\,d\,e\,f \rightarrow X$$
$$\therefore a \rightarrow X$$

[A] 수학여행을 다녀온 ○○ 고등학교의 학생 다섯 명이 장염을 호소하였다. 보건 선생님이 이 학생들을 불러서 먹은 음식이 무엇인지 조사해 보았다. 다섯 명의 학생들이 제출한 자료를 본 선생님은 이 학생들이 공통적으로 먹은 유일한 음식이 돼지고기라는 사실을 알게 되었다. 이때 선생님이 돼지고기가 장염의 원인이라고 결론을 내리는 것이 바로 일치법을 적용한 예이다.

차이법은 결과가 나타난 사례와 나타나지 않은 사례를 비교하여 선행하는 요소들 사이의 유일한 차이를 찾아 그것을 원인으로 추론*하는 방법이다. 인도네시아의 연구소에 근무하던 에이크만은 사람의 각기병*과 유사한 증상을 보이는 닭의 질병을 연구하고 있었다. 어느 날 그는 병에 걸린 닭들 중에서 병이 호전된 한 마리의 닭을 발견하고는 호전된 원인이 무엇인지를 찾아보았다. 그 결과 병이 호전된 닭과 호전되지 않은 닭들의 모이에서 나머지는 모두 같았으나 유일한 차이가 현미에 있음을 알게 되었다. 즉 병이 호전되지 않은 닭들은 채소, 고기, 백미를 먹었으나 병이 호전된 닭은 추가로 현미를 먹었던 것이다. 이렇게 모이의 차이를 통해 닭의 병이 호전된 원인을 현미에서 찾은 에이크만의 사례는 바로 차이법을 적용한 예이다.

일치법과 차이법은 우리가 일상적으로 많이 사용하는 원인 식별* 방법이지만, 이 방법을 사용하여 정확한 원인을 찾기 위해서는 몇 가지 점에 주의해야 한다. 즉 ㉡선행하는 요소들을 충분히 검토하였는지, 밝혀진 요소 이외에 드러나지 않은 다른 요소는 없는지, 누락*된 요소 또는 인식하지 못해 누락시킨 요소는 없는지를 세심하게 검토해야 한다. 아울러 우연히 선후 관계로 일어난 현상을 인과 관계로 오해하거나, 하나의 원인이 일으킨 두 가지 현상을 각각 원인과 결과로 잘못 판단하지 않도록 하여야 한다.

논리의 차이

Q 일치법과 차이법을 구분하는 기준은 무엇일까요?

---

* 맥락: 사물 따위가 서로 이어져 있는 관계나 연관.
* 추론: 어떠한 판단을 근거로 삼아 다른 판단을 이끌어 냄.
* 각기병: 비타민 비 원(B_1)이 부족하여 일어나는 영양실조 증상.
* 식별: 분별하여 알아봄.
* 누락: 기입되어야 할 것이 기록에서 빠짐. 또는 그렇게 되게 함.

0 차이법을 **도식**으로 나타낸 것으로 가장 적절한 것은 무엇인가요?

(이때 '−X'는 'X'라는 결과가 일어나지 않았음을 의미함.)

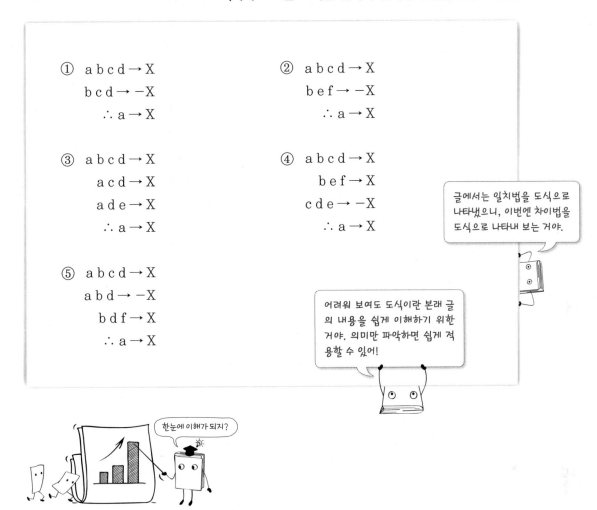

① a b c d → X
  b c d → −X
  ∴ a → X

② a b c d → X
  b e f → −X
  ∴ a → X

③ a b c d → X
  a c d → X
  a d e → X
  ∴ a → X

④ a b c d → X
  b e f → X
  c d e → −X
  ∴ a → X

⑤ a b c d → X
  a b d → −X
  b d f → X
  ∴ a → X

글에서는 일치법을 도식으로 나타냈으니, 이번엔 차이법을 도식으로 나타내 보는 거야.

어려워 보여도 도식이란 본래 글의 내용을 쉽게 이해하기 위한 거야. 의미만 파악하면 쉽게 적용할 수 있어!

한눈에 이해가 되지?

발표를 할 때 말로만 설명하는 것보다 **그림**이나 **표, 그래프** 등 **도식화된 자료**를 보여 주면 훨씬 이해가 잘 되겠지?

1 ㉠에 따라 원인을 찾아낸 사례로 가장 적절한 것은 무엇인가요?

① 아침에 두꺼비가 우는 소리를 들었는데 그때 장대비가 내렸다. 따라서 두꺼비의 울음이 장대비의 원인이다.

② 아이의 온몸에 붉은 반점이 생겼는데, 반점이 생기기 전에는 열이 있었다. 따라서 열이 붉은 반점의 원인이다.

③ 밤에 잠을 잘 이루지 못한 직장인이 그 원인을 따져 보니 평소와 달리 그날 저녁에만 커피를 마신 것을 알게 되었다. 따라서 커피가 불면의 원인이다.

④ 신장 결석에 걸린 20명의 아기들이 먹은 음식물을 모두 조사해 보았더니 유일한 공통 요소는 A사의 분유였다. 따라서 A사의 분유가 신장 결석의 원인이다.

⑤ 최근 우리나라 청소년의 컴퓨터 게임 시간은 평균 30분 늘어난 것으로 조사되었고, 같은 기간에 학력은 평균 2% 하락한 것으로 나타났다. 따라서 컴퓨터 게임 시간이 증가한 것이 학력 하락의 원인이다.

콩 심은 데 콩 나고 팥 심은 데 팥 난다.
모든 것에는 원인이 있고 그에 따른 결과가 있다!

2 ㉡에 유의하여 [A]의 판단을 검토할 때, 고려할 내용으로 적절하지 <u>않은</u> 것은 무엇인가요?

① 학생들의 건강 상태가 좋지 않아서 장염이 발생하지는 않았는가?

② 학생들이 함께 먹은 음식 가운데 가장 좋아하는 음식은 무엇인가?

③ 학생들이 함께 먹은 음식 가운데 잊어버리고 기록하지 않은 음식이 있지는 않은가?

④ 학생들이 먹은 돼지고기 자체가 원인이 아니라, 돼지고기를 담은 그릇에 문제가 있지는 않은가?

⑤ 다른 음식을 먹고 장염에 걸렸지만 그 사실을 선생님께 말씀드리지 않은 학생들이 있지는 않은가?

3 〈보기〉를 참고할 때 ⓐ의 유의어로 보기 <u>어려운</u> 것은 무엇인가요?

─────────────────┤ 보 기 ├─────────────────

　형태는 다르지만 의미가 서로 비슷한 단어들을 유의어라고 한다. 유의 관계에 있는 단어들은 상황이나 문맥에 따라 적절한 말로 바꿔 쓸 수도 있다.

① 기준　　　　　② 기초　　　　　③ 기틀
④ 바탕　　　　　⑤ 기반

세대 차이는 왜 일어날까

70대 할아버지와 10대 손녀가 있다고 가정하자. ㉠두 사람이 '문상'이라는 말을 들으면 할아버지는 '가족의 죽음을 맞은 상주를 위로하는 것'을, 손녀는 도서 구입이나 공연 관람의 비용을 대신하는 '문화 상품권'을 떠올릴 것이다. 이러한 반응의 차이는 세대 간에 발생하는 격차에서 비롯된다. 같은 세대란 비슷한 연령대의 사람들로, 유사한 경험을 통해 공통의 문화와 의식을 공유한다. 그러나 이러한 세대 의식은 다른 세대들 간의 이질감이나 갈등을 일으킬 수 있다.

세대 차이가 발생하는 원인은 다양하다. 첫째, 연령의 차이이다. 생물학적 연령에 따라 맞닥뜨리는 사회 현실이나 구조는 아주 다르기 마련이다. 전쟁을 겪은 1950년대생에게 '보릿고개'는 생생한 고통과 아픔의 기억이겠지만, 물질적으로 풍요한 2000년대생에게 '보릿고개'는 호랑이 담배 피우던 시절의 이야기일 수 있다. 둘째, ㉡디지털 격차이다. 과학 기술의 발달로 디지털 시대가 되면서 계층 간의 정보와 기술의 격차는 줄었으나, 컴퓨터와 스마트 기기를 자유자재로 다루는 젊은 세대가 좀 더 다양한 선택권을 가지게 되어 세대 간의 정보 격차는 커지고 디지털 정보 소외 현상이 일어났다. 2018년도 국가통계포털(KOSIS) 기준으로 보면 인터넷 이용률은 10대가 99.9%인 반면, 70대 이상은 38.6%에 불과했다. 셋째, 인구의 감소이다. 저출산으로 나타난 인구의 급격한 감소는 1인 가구와 핵가족을 증가시켰고 전체 인구 가운데 고령 인구 비중을 높였다. 이 때문에 여러 세대가 섞여 살아가는 다세대화가 빠르게 증가해 세대 간 갈등이 일어나고 있다.

미국의 사회학자 잉크하트는 세대별 가치관의 격차가 세계에서 가장 큰 나라로 한국을 꼽았다. 서양이 수백여 년 동안 겪은 변화를 수십여 년에 압축해 겪은 우리나라이니 만큼 세대 차이가 큰 것이 어쩌면 당연할지 모른다. 게다가 4차 산업 혁명의 길목에 서 있는 지금, 아날로그 세대*와 디지털 세대*의 격차는 더 벌어질 것이 분명하다. 과학 기술의 발달은 신세대가 구세대에게 질문하는 것이 아니라 구세대가 신세대에게 질문하는 사회 현상을 낳았다. 이로 인해 구세대의 소외 현상은 늘어나고 세대 간 소통은 더 줄어들었다. 하지만 세대 갈등이 꼭 부정적인 영향만을 끼친다고 볼 수는 없다. 사회 내 집단 간의 갈등과 대립은 그들이 속한 사회의 변화 및 발달에 기여할 수도 있다. 다만 불필요하거나 지나친 대립과 갈등은 사회의 안정을 위협하고 엄청난 사회적 비용을 발생시킬 수 있다. 따라서 세대 차이나 갈등을 해소하려는 사회적 노력이 필요하며, 각 세대는 자신들의 문화와 가치관만을 고집할 것이 아니라 서로를 존중하고 인정하며 한 사회를 이루는 구성원으로서의 유대감을 지닐 필요가 있다.

이집트 피라미드에는 "요즘 애들은 버릇이 없어."라는 글귀가 적혀 있고, 소크라테스는 "요즘 아이들이 버릇이 없고 윗사람을 무시한다."라고 말했다고 한다. 세대 차이는 오래전부터 있었고 앞으로도 지속될 것이다. 그러나 우리가 알아야 할 것은 구세대 역시 신세대인 시절이 있었고, 신세대는 결국 구세대가 된다는 점이다. 그렇다면 서로가 서로를 이해하지 못할 게 무엇이겠는가.

* 아날로그 세대: 컴퓨터나 인터넷을 다룰 기회가 없거나 적은 환경에서 자란 세대로, 중장년 세대를 주로 일컬음.
* 디지털 세대: 디지털 환경과 문화 속에 자란 세대로, 젊은 세대를 주로 일컬음.

세대 간의 차이

Q 세대 차이가 발생하는 원인에는 어떤 것들이 있나요?

글의 시작과 끝이 왜 중요할까
글의 시작과 끝에 주목하면 글 전체를 미루어 알 수 있다!

► 원리로 생각읽기 140쪽

0 이 글에서 글쓴이가 말하려고 하는 중심 화제가 무엇인지 고르세요.

① 세대 차이로 인한 갈등의 실태

② 세대 차이를 바라보는 다양한 시각

③ 세대 간 격차의 역사적 사례와 특징

④ 세대 차이가 일으키는 부정적인 영향

⑤ 세대 간 격차가 일어나는 원인과 해결 방안

화제란 이야기의 재료나 소재를 말해. 중심 화제란 글쓴이가 가장 중요하게 다루는 재료겠지?

1 다음은 이 글을 읽고 메모한 내용입니다. 이 글의 내용과 일치하지 <u>않는</u> 것을 고르세요.

- 인구의 급격한 감소가 세대 간 갈등의 원인이 될 수 있다. ················ ① ☐
- 우리나라는 세대 간의 가치관 격차가 큰 나라로 꼽히기도 했다. ········ ② ☐
- 세대별로 겪었던 경험들이 서로 달라 세대 차이가 나타나기도 한다. ··· ③ ☐
- 4차 산업 혁명으로 발달된 기술은 세대 차이를 줄이는 데 도움이 될 것이다.
  ·· ④ ☐
- 세대 차이로 인한 갈등은 사회를 발전시키는 데 긍정적인 영향을 주기도 한
  다. ·· ⑤ ☐

2 ㉠의 이유를 분석한 내용으로 적절하지 <u>않은</u> 것은 무엇인가요?

① 세대 간의 소통이 부족하여 벌어진 일이다.
② 세대 간의 갈등으로 인하여 벌어진 일이다.
③ 세대 간에 공유된 경험이 달라 벌어진 일이다.
④ 세대 간에 사용하는 언어가 달라서 벌어진 일이다.
⑤ 세대 간에 공유하는 문화의 차이로 벌어진 일이다.

3 ⓛ의 사례로 가장 적절한 것은 무엇인가요?

① 청장년층보다 노년층들이 유튜브의 가짜 뉴스에 취약한 것으로 나타났다.

② 젊은 세대에 비해 노년층의 텔레비전 시청 시간이 더 많은 것으로 조사되었다.

③ 노년층이 컴퓨터를 구매하는 비율보다 청년층이 컴퓨터를 구매하는 비율이 더 높다.

④ 청소년들은 주로 교통 카드로 대중교통을 이용하고, 노인들은 현금으로 대중교통을 이용한다.

⑤ 노인들은 젊은 세대가 잘 다루는 무인 자동 주문 기기를 사용할 줄 몰라 음식점에서 주문을 쉽게 하지 못한다.

구체적인 사례에 적용하는 문제는 핵심 개념을 잘 이해하고 있는지를 묻는 거야.
핵심 개념을 이해해서 사례의 적절성을 판단하자!

4 다음 중 이 글의 내용을 가장 바르게 이해한 학생은 누구인가요?

연우: 묻고 답하는 방식을 이용해 주장을 제시하고 있어.

태건: 세대 차이를 비유적으로 설명해 독자의 이해를 돕고 있어.

해린: 구체적인 수치를 제시해 내용에 대한 객관성을 확보하고 있어.

민재: 세대 차이를 역사적 · 지역적으로 살펴 다양한 정보를 제공하고 있어.

주원: 세대 차이로 생기는 갈등 사례를 자세히 다루어 문제의 심각성을 강조하고 있어.

① 연우　　　② 태건　　　③ 해린　　　④ 민재　　　⑤ 주원

글의 시작과 끝에 주목해야 하는 이유

다음 기차는 어느 목적지를 향해 가는 걸까요?

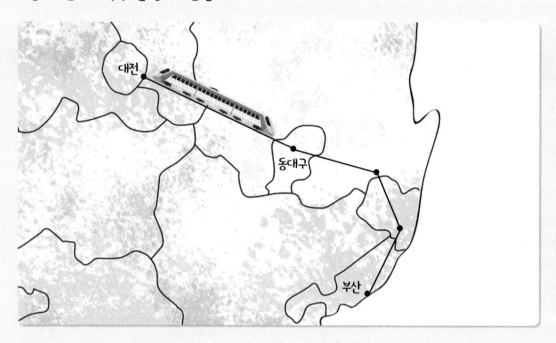

달리는 기차가 갑자기 방향을 전환하는 모습을 본 적이 있나요? 기차는 달리는 방향이 곧 머리가 됩니다. 이는 양방향으로 운행할 수 있도록 기차의 앞뒤 머리 모양이 똑같기 때문에 가능한 일입니다. 기차의 가운데 객차는 앞뒤가 이끄는 방향에 맞춰 그저 따라갈 뿐입니다. 한 편의 글도 이와 유사합니다. 출발지에서 시작해서 내용이 전개되다가 어느덧 종점에 도착합니다.

그럼 글의 시작과 끝은 왜 중요할까요? **글의 시작과 끝에 주목하면** 글의 방향을 미루어 짐작할 수 있습니다. 즉 글을 다 읽지 않은 상태에서도 글 전체 내용을 미루어 알 수 있고, 글의 핵심 대상이나 정보를 빠르게 파악할 수 있습니다. 마치 기차의 머리칸과 꼬리칸만 봐도 기차가 가는 방향을 알 수 있었던 것처럼 말입니다.

136쪽 지문

70대 할아버지와 10대 손녀가 있다고 가정하자. ㉠두 사람이 '문상'이라는 말을 들으면 할아버지는 '죽은 줄음을 많은 사조를 의곤하는 것'을, 손녀는 도서 구입이나 공연 관람의 비용을 대

> **첫 문단은 글이 다루는 대상이나 글의 방향을 알려주고~**

대 간에 발생하는 격차에서 비롯된다. 같은 세대란 비슷한 연령대의 사람들로, 유사한 경험을 통해 공통의 문화와 의식을 공유한다. 그러나 이러한 세대 의식은 다른 세대들 간의 이질감이나 갈등을 일으킬 수 있다.

〈중략〉

세대 차이는 오래전부터 있었고 앞으로도 지속될 것이다. 그러나 우리가 알아야 할 것은 구세대 역시 신세대인 시절이 있었고, 신세대는 결국 구_____ 로를 이해하지 못할 게 무엇이겠는가.

> **끝 문단은 글의 핵심 주장을 알려준다!**

독해연습 1 **아래 문단을 읽고, 물음에 답하세요.**

> 중국 역사에서 전국 시대는 전쟁으로 점철된 시대였다. 여러 사상가들이 혼란한 정국을 수습하고 백성들을 고통에서 벗어나게 하기 위한 대안을 마련하였는데, 이 과정에서 그들의 이론을 뒷받침할 형이상학적 체계로서의 인성론이 대두되었다. 인간의 본성에 관한 논의인 인성론은 크게 세 가지로 나누어 그 특징을 살펴볼 수 있다.

1 위 글에서 말하고자 하는 바를 찾아 (   ) 안에 알맞은 말을 써 보세요.

- 인간의 (   )에 대한 가설

2 (   ) 안에 알맞은 말을 넣어 위 글의 다음에 이어질 내용을 써 보세요.

- 인성론의 개념 및 (   )

독해연습 2 **아래 문단을 읽고, 물음에 답하세요.**

> 감정 이론과 인지주의적 이론은 유사한 맥락에서 한계를 지니고 있다. 그래서 오늘날의 심리 철학은 두 이론을 정서의 다면적인 성격을 설명하기 위한 철학적 바탕으로 삼되, 두 이론과 달리 정서의 다면적 성격을 종합적으로 설명할 수 있는 새로운 이론적 틀을 마련하기 위해 노력하고 있다.

1 위 글의 앞에서 서술되었을 내용을 떠올리며 (   ) 안에 알맞은 말을 써 보세요.

- 감정 이론과 인지주의적 이론의 개념과 장점 및 (   )

2 (   ) 안에 알맞은 말을 넣어 위 글에서 제시한 심리 철학의 전망에 대해 써 보세요.

- 정서의 (   ) 측면을 종합적으로 설명할 수 있는 (   ) 체계를 마련한다.

서로 다르게 읽히는 문화

'글로벌 시대'는 현재 우리가 살아가는 시기를 나타내는 말 중 하나이다. 컴퓨터와 모바일 인터넷을 통한 소셜 네트워크 서비스(SNS)나 유튜브 등은 지구 반대편에 있는 사람들을 거의 실시간으로 연결해 주고 있다. 평범한 일반인들도 세계화라는 말을 실감할 정도로 인터넷뿐만 아니라 교역*, 여행, 이민 등을 통해 세계 각국과 민족들은 서로 큰 영향을 주고받고 있다. 그런데 거대한 지구촌 연결망은 문명과 문화를 발달시키는 계기가 되기도 하지만 때로는 오해와 갈등을 일으키는 원인이 되기도 한다.

문화의 차이

Q 서로 다른 문화 간의 오해나 갈등을 해결하기 위해 필요한 자세는 무엇인가요?

[A] 한때 예능 프로그램의 영향으로 스페인 여행의 열풍이 불기도 했는데, 만약 즐거운 마음으로 스페인 현지 식당에 갔다면 한 가지 조심해야 할 것이 있다. 메뉴판에서 먹을 음식을 정한 뒤에 우리나라에서처럼 손을 들거나 종업원을 부르지 말고 종업원과 눈이 마주칠 때까지 기다리는 것이 좋다. 스페인에서는 종업원을 부르는 것을 교양 없고 무례한 행동으로 보기 때문이다. 말레이시아나 인도네시아에서는 남의 아이가 예뻐도 머리를 쓰다듬지 않는 것이 좋다. 그들은 머리를 신성시*하므로 머리를 만지는 행위는 결과적으로 위해를 가하는 행위로 보기 때문이다. 또한 우리는 보통 무언가를 가리킬 때 검지를 사용하는데, 몽골에서 그렇게 하면 대단히 실례를 범하는 것이 된다. 이는 곧 상대방을 죽이겠다는 뜻으로 읽히므로 몽골에서 무언가를 가리킬 때는 반드시 손바닥을 펴서 가리켜야 한다.

[B] 2004년 프랑스에서는 공공장소에서의 히잡 착용을 금지하였다. 히잡은 무슬림* 여성들이 머리와 목 등을 가리기 위해서 쓰는 두건의 일종이다. 무슬림 여성에게 있어 히잡은 종교적 신념과 문화적 정체성을 상징하는 도덕적 의무의 표출 방법인데, 프랑스 정부가 이를 금지한 것이다. 프랑스 정부는 정교분리*와 여권 신장을 그 이유로 내세웠지만 히잡 착용 금지법은 종교의 자유를 제한하고 인권을 침해한다는 논란을 일으켰다. 페미니스트*를 비롯한 서구인들은 히잡이 여성을 차별하고 억압하는 종교적 구속이라고 주장하지만, 무슬림들은 히잡이 여성을 보호하는 이슬람의 전통 방식 중 하나라고 반박하고 있는 것이다. 한편으로는 프랑스의 히잡 착용 금지 이면에 테러로 인해 뿌리박힌 이슬람 문화에 대한 공포나 혐오가 깔려 있다는 의심 또한 지우기 힘들다.

'로마에 가면 로마법을 따르라'는 말이 있다. 문화는 한 민족이나 국가의 구성원들이 오랜 세월 동안 지켜 온 생활 방식이자 행동 양식이다. 그러나 글로벌 시대에 각국의 다양한 문화들은 서로 영향을 주고받으며 변화를 겪을 수밖에 없다. 한편으로는 문화 간 충돌로 인해 인종 차별이나 테러 등 세계의 평화를 위협하는 위기들도 빈번해지고 있다. 그리 멀지 않은 시기에 우리는 지구촌 1일 생활권을 맞게 될 것이다. 문화 간 접촉은 지금보다 더 빈번할 것이며 결코 피할 수 없는 일이 되었다. 서로 다른 문화에 대한 인정과 존중이 우리 인류의 번영과 평화를 위해 필수적으로 요구되는 시점이다.

---

* 교역: 주로 나라와 나라 사이에서 물건을 사고팔고 하여 서로 바꿈.
* 신성시: 어떤 대상을 신성한 것으로 여김.
* 무슬림: 이슬람교를 믿는 사람.
* 정교분리: 국가가 종교적 중립성을 유지하여 정치권력과 종교를 결부하지 아니함.
* 페미니스트: 성별로 인해 발생하는 정치·경제·사회 문화적 차별을 없애야 한다는 견해를 따르거나 주장하는 사람.

0 **이 글을 쓰기 전에 글쓴이가 떠올렸을 생각으로 가장 적절한 것을 고르세요.**

① 문화 간의 오해로 인해 벌어진 역사적 사건을 나열하자. ☐
② 문화 간의 갈등이 현재보다 과거에 더 심했음을 서술하자. ☐
③ 문화의 다양성이 가져오는 긍정적 결과를 구체적으로 나타내자. ☐
④ 문화 차이에 대한 나의 경험을 예로 들어 글의 진실성을 높이자. ☐
⑤ 문화 간 충돌을 줄여야 인류의 앞날이 밝을 수 있다는 전망을 제시하자. ☐

글쓴이는 글을 쓰기 전에 글의 구조를 어떻게 정하고 전개할지, 어떤 표현 방법을 사용할지를 생각하지. 글을 읽을 때도 마찬가지야!

1 [A]에 해당하는 사례로 적절하지 <u>않는</u> 것은 무엇인가요?

① 우리는 '최고'라는 의미로 엄지를 올리지만 호주 사람들은 이를 '거절'의 의미로 받아들인다.

② 우리에게 긍정의 뜻인 오케이(OK) 손가락 표시를 프랑스에서는 '형편없다'는 뜻으로 받아들인다.

③ 인도 사람들은 왼손을 불결하다고 여기기 때문에 상대방이 왼손으로 선물을 주면 불쾌하게 생각한다.

④ 우크라이나 사람들은 짝수의 꽃을 선물로 받으면 이를 불길하게 여겨 상대방의 뜻을 호의로 받아들이지 않는다.

⑤ 집 안에서 신발을 신고 생활하는 미국에서는 친구의 집을 방문할 때 신발을 신고 들어가는 것을 자연스럽게 생각한다.

2 〈보기〉는 [B]를 읽고 학생들이 나눈 대화 내용입니다. ㉠~㉤ 중에서 글쓴이의 관점과 <u>다른</u> 것은 무엇인가요?

───────────| 보 기 |───────────

하정: 이슬람 문화에서 무슬림 여성들은 자신들의 정체성을 표현하기 위해서 히잡을 착용하는구나. ·· ㉠

준기: 맞아. 그런데 서구인들은 히잡을 여성에 대한 종교적 구속이라고 생각했기 때문에 히잡 착용을 부정적으로 본 것 같아. ······················· ㉡

윤지: 무슬림 여성들 중에는 스스로 원해서 히잡을 쓴 사람도 있을 테니 무조건 히잡 착용을 반대하는 것은 옳지 않아. ··························· ㉢

혜인: 그렇지. 히잡을 쓰는 것이 그 민족의 고유한 문화라고 생각한다면 존중해야 한다고 생각해. ·· ㉣

현영: 문화의 고유성이라는 이유로 여성의 자유를 억압해서는 안 돼. 히잡을 착용하는 문화는 오늘날의 현실에 맞지 않으므로 금지해야 한다고 생각해. ···························· ㉤

① ㉠   ② ㉡   ③ ㉢   ④ ㉣   ⑤ ㉤

 물이 반이나 남았네! vs 물이 반밖에 없어!
관점을 파악하려면 글쓴이의 중심 생각부터 찾자!

3 **글쓴이의 핵심 주장으로 가장 적절한 것은 무엇인가요?**

① 문화 간의 접촉과 교류 및 갈등과 대립을 통해 인류의 문화는 발전하게 된다.

② 문화를 둘러싼 오해와 갈등을 피하기 위해 문화 간의 빈번한 접촉을 줄여야 한다.

③ 문화 간의 대립을 해소하기 위해서는 상대방 문화를 무조건적으로 수용할 필요가 있다.

④ 서로 다른 문화 간의 충돌을 피하려면 상대방 문화를 인정하고 존중하는 자세가 필요하다.

⑤ 자국의 문화에 대한 자부심이 부족하면 다른 문화에 대해 사대주의적 태도를 갖게 될 수 있다.

수 체계의 차이

Q 우리의 일상생활에서 활용되고 있는 기수법의 종류에는 어떤 것들이 있나요?

지역과 민족마다 다른 수의 체계

우리는 수의 체계에 둘러싸여 살고 있다. 등교 시간에 늦지 않게 벨을 울려 주는 알람 시계, 복잡한 프로그램을 한 치의 오차 없이 운영하는 컴퓨터, 가족들의 저녁 식사를 위해 식재료를 담은 장바구니 속 영수증 등 많은 곳에 숫자의 세계가 존재한다. 오늘날 우리는 대부분 0부터 9까지 총 10개의 기호를 조합하여 수를 나타내는 십진법을 사용하고 있다. 그러나 이러한 십진법 외에도 숫자를 사용하여 수를 적는 방법인 기수법은 아주 다양하다.

ⓐ2진법은 0과 1로만 이루어진 기수법으로, 수학의 한 분야인 미적분학을 ⓐ창시한 수학자 빌헬름 라이프니츠가 ⓑ고안한 것으로 유명하다. 그런데 한 가지 흥미로운 점은 라이프니츠가 동양의 음양* 사상에 영향을 받아 2진법을 만들어 냈다는 것이다. 2진법은 '—(양)'을 '1', '– –(음)'을 '0'으로 해서 모든 자연수를 나타낸다. 또 다른 기수법인 10진법은 고대 이집트 문명에서 처음 발생했지만, 지금의 10진법은 인도 문명에서 시작된 것으로 알려져 있다. 10진법은 자릿값이 올라감에 따라 10배씩 커지는 수의 표시법으로, 10진법이 현재 널리 사용되고 있는 이유는 수를 셈하는 손가락이 열 개이기 때문이라고 짐작된다. 미국 캘리포니아 지역 원주민인 유카족은 8진법을 사용하는데, 이는 이들이 수를 셀 때 손가락 대신 손가락과 손가락 사이를 세기 때문이라고 한다.

12진법은 유럽에서 널리 ⓒ통용된 기수법으로, 여러 면에서 사용하기 편리하다. 연필 한 다스(연필 12자루)와 같이 물건 열두 개를 묶어 세는 단위인 '다스'는 하루를 나타내는 시간의 단위로도 활용할 수 있다. 하루는 2다스(2×12=24)의 시간으로, 1시간은 5다스(5×12=60)의 분으로, 1분은 5다스(5×12=60)의 초로 나타낼 수 있다. 영국에서는 단위를 12진법으로 표시했는데, 길이를 나타내는 1피트는 12인치, 무게를 나타내는 1파운드는 12온스에 해당된다. 60진법은 지금의 이라크 남부인 수메르 지역에서 처음 사용되어 이후 고대 바빌로니아로 ⓓ전파된 것으로 알려져 있다. 1시간이 60분으로 되어 있는 것은 60진법을 활용한 예이다. 지구의 공전 주기가 360일 정도 된다는 사실을 알고 있던 고대 바빌로니아인들은 태양의 모습인 원을 360으로 생각하고 360을 6등분한 60을 단위로 택해서 사용하였다. 또한 동양의 60갑자*는 10간*과 12지*를 ⓔ조합하여 만든 것으로 10과 12의 최소 공배수가 60인 데서 나온 것이다.

이처럼 수를 적고 셈하는 방법은 지역과 민족에 따라 다양한 체계로 만들어지고, 이것이 세계로 전파되어 널리 사용되고 있다. 우리가 사용하는 기수법에는 그것을 만든 사람이나 나라, 민족의 사고방식과 전통, 문화 등이 깃들어 있는 것이다. 현재 전 세계적으로 10진법이 널리 쓰인다고 해서 10진법이 기수법으로 가장 좋다고 할 수는 없다. 컴퓨터의 복잡한 연산에는 2진법이, 시계를 보고 시간을 읽을 때는 12진법과 60진법이 효율적인 것처럼 말이다. 따라서 기수법에 담겨 있는 논리적 사고와 지혜를 읽고 받아들이는 자세가 필요하다.

* 음양: 우주 만물의 서로 반대되는 두 가지 기운으로서 이원적 대립 관계를 나타내는 것. 달과 해, 겨울과 여름, 북과 남, 여자와 남자 등은 모두 음과 양으로 구분된다.
* 60갑자: 10간과 12지를 순차로 배합하여 예순 가지로 늘어놓은 것.
* 10간: 육십갑자의 위 단위를 이루는 요소. 갑(甲)·을(乙)·병(丙)·정(丁)·무(戊)·기(己)·경(庚)·신(辛)·임(壬)·계(癸)
* 12지: 육십갑자의 아래 단위를 이루는 요소. 자(子)·축(丑)·인(寅)·묘(卯)·진(辰)·사(巳)·오(午)·미(未)·신(申)·유(酉)·술(戌)·해(亥)

0 **이 글의 주제문으로 가장 적절한 것은 무엇인가요?**

① 기수법은 과학 기술이 높은 문화권에서 주로 발달하였다.

② 기수법은 국가나 민족의 수학적 능력을 측정하는 기준이 된다.

③ 기수법에는 그것을 만들어 낸 민족의 문자 체계가 접목되어 있다.

④ 기수법은 종류가 다양함에도 불구하고 최근에 이를 하나로 통일하려는 움직임이 있다.

⑤ 기수법에는 그것을 만든 사람이나 나라와 민족의 전통, 문화, 사고방식 등이 깃들어 있다.

압축기로 뽑아낸 엑기스처럼
주제문은 글쓴이가 궁극적으로 하고자 하는 말이야.

1 〈보기〉는 ㉠에 대한 설명입니다. 〈보기〉의 (　) 안에 들어갈 알맞은 수는 무엇인가요?

┤보 기├

　　2진법은 0과 1 두 개의 숫자만으로 수를 나타내는 체계이다. 예를 들어 2는 한 자리 올려서 10이 되고, 6은 110이 된다. 즉 2는 $(2^1 \times 1)+(1 \times 0)$이므로 10이 되고, 6은 $(2^2 \times 1)+(2^1 \times 1)+(1 \times 0)$이므로 110이 되는 것이다. 그렇다면 10은 $(2^3 \times 1)+(2^2 \times 0)+(2^1 \times 1)+(1 \times 0)$이므로 2진법으로 (　　　)로 나타낼 수 있다.

2진법의 자릿값이 어떤 원리로 바뀌는지 '2'와 '6'의 예를 살펴서 파악해야 문제를 해결할 수 있어.

이 문제를 풀려면, 2진법의 개념과 규칙을 먼저 알아야 돼.

① 1000
② 1001
③ 1010
④ 1011
⑤ 1100

2 이 글을 통해 알 수 있는 내용이 아닌 것은 무엇인가요?

① 고대 바빌로니아인들은 1년의 주기를 대략 360일이라고 생각했다.
② 12진법에 따르면 여섯 시간은 반 다스의 시간으로 표시할 수 있다.
③ 2진법, 10진법, 12진법은 셈하는 방법은 다르지만 올라가는 자릿값의 수는 같다.
④ 2진법은 서양의 학자가 처음 내세운 것으로, 동양의 사상에 영향을 받아 만들어졌다.
⑤ 8진법이나 10진법이 만들어진 이유는 인간의 신체적 특징과 관련지어 짐작해 볼 수 있다.

3 이 글을 읽은 학생들의 반응으로 가장 적절한 것을 고르세요.

학생 1　수를 잘 세기 위해서는 10진법에 통달하면 된다는 것을 깨달았어. … ① ☐

학생 2　숫자의 발명이 인류 문명의 발달을 앞당겼다는 사실을 알게 되었어. … ② ☐

학생 3　문명의 발달 정도에 따라 수를 세는 방법이 달라졌다는 사실을 알게 되었어. ………………………………………………………………… ③ ☐

학생 4　수를 셈하는 다양한 방법이 있고 효율적으로 쓰이는 분야가 다르다는 것을 깨달았어. ………………………………………………………… ④ ☐

학생 5　수를 나타내는 방법은 자연적으로 발생했고 인위적으로 만들어진 수의 체계는 없다는 사실을 알게 되었어. …………………………………… ⑤ ☐

4 ⓐ~ⓔ를 바꾸어 쓴 말로 적절하지 <u>않은</u> 것은 무엇인가요?

① ⓐ: 처음으로 시작하거나 내세운

② ⓑ: 연구하여 새로운 안을 생각해 낸

③ ⓒ: 두루 쓰이는

④ ⓓ: 널리 전해져 퍼뜨려진

⑤ ⓔ: 여러 번의 셈을 하여

동물들의 눈동자 모양은 왜 다를까

동물 간의 차이

Q 매복형 육식 동물과 초식 동물의 눈동자 모양은 어떻게 다른가요?

동물들은 홍채에 있는 근육의 수축*과 이완*을 통해 눈동자를 크게 혹은 작게 만들어 눈으로 들어오는 빛의 양을 조절하므로 눈동자 모양이 원형인 것이 가장 무난하다. 그런데 고양이와 늑대와 같은 육식 동물은 세로로, 양이나 염소와 같은 초식 동물은 가로로 눈동자 모양이 길쭉하다. 특별한 이유가 있는 것일까?

육상 동물 중 ㉠매복형 육식 동물의 눈동자는 세로로 길쭉하다. 이는 숨어 있다가 기습하는 사냥 방식과 밀접한 관련이 있는데, 세로로 길쭉한 눈동자가 사냥감과의 거리를 정확히 파악하는 데 효과적이기 때문이다. 매복형 육식 동물은 양쪽 눈으로 초점을 맞춰 대상을 보는 양안시*로, 각 눈으로부터 얻는 영상의 차이인 양안 시차를 하나의 입체 영상으로 재구성하면서 물체와의 거리를 파악한다. 그런데 이러한 양안 시차뿐만 아니라 거리 지각*에 대한 정보를 주는 요소로 심도 역시 중요하다. 심도란 초점이 맞는 공간의 범위를 말하며, 심도는 눈동자의 크기에 따라 결정된다. 즉 눈동자의 크기가 커져 빛이 많이 들어오게 되면, 커지기 전보다 초점이 맞는 범위가 좁아진다. 이렇게 초점의 범위가 좁아진 경우를 심도가 '얕다'고 하며, 반대인 경우를 심도가 '깊다'고 한다. 이런 원리로 매복형 육식 동물은 세로로는 커지고, 가로로는 작아진 눈동자를 통해 세로로는 심도가 얕고, 가로로는 심도가 깊은 영상을 보게 된다. 세로로 심도가 얕다는 것은 영상에서 초점이 맞는 범위를 벗어난, 아래와 위의 물체들, 즉 실제 세계에서는 초점을 맞춘 대상의 앞과 뒤에 있는 물체들이 흐릿하게 보인다는 것이고, 가로로 심도가 깊다는 것은 초점을 맞춘 대상이 더욱 뚜렷하게 보인다는 것을 말한다. 세로로 길쭉한 눈동자를 통해 사냥감은 더욱 선명해지고, 사냥감을 제외한 다른 물체들이 흐릿해짐으로써 눈동자가 원형일 때보다 정확한 거리 정보를 파악하는 데 유리해진다.

한편, 대부분의 초식 동물은 가로로 길쭉한 눈동자를 지니고 있으며 눈의 위치가 좌우로 많이 벌어져 있다. 이는 주변을 항상 경계하면서 포식자*의 출현을 사전에 알아채야 하는 생존 방식과 관련이 있다. 초식 동물은 가로로 길쭉한 눈동자를 통해 세로로는 심도가 깊고 가로로는 심도가 얕은 영상을 얻게 되는데, 이로 인해 초점이 맞는 범위의 모든 물체가 뚜렷하게 보여 거리감보다는 천적*의 존재 자체를 확인하는 데 더욱 효과적이다. 게다가 눈동자가 가로로 길쭉하기 때문에 측면에서 들어오는 빛이 위아래에서 들어오는 빛보다 많아 영상을 밝게 볼 수 있다. 또한 양안시인 매복형 육식 동물과 달리 초식 동물은 한쪽 눈으로 초점을 맞추는 단안시여서 눈의 위치가 좌우로 많이 벌어질수록 유리하다. 두 시야가 겹쳐 입체 영상을 볼 수 있는 영역은 정면뿐이지만 바로 뒤만 빼고 거의 전 영역을 볼 수 있기 때문이다.

이렇게 동물의 눈동자 모양은 동물들의 생존과 밀접한 관련이 있다. 생태학적 측면에서 포식자가 될지, 피식자가 될지 그 위치에 따라 각각의 동물들은 생존을 위해 가장 최적화된 형태로 진화해 온 것이다.

---

* 수축: 근육 따위가 오그라듦.
* 이완: 굳어서 뻣뻣하게 된 근육 따위가 원래의 상태로 풀어짐.
* 양안시: 양쪽 눈의 망막에 맺힌 대상물을 각각이 아닌 하나로 보게 하고, 입체적으로 보게 하는 눈의 기능.
* 거리 지각: 관찰자의 위치에서 관찰 대상까지의 거리에 관한 지각. 또는 대상물 사이의 상대적인 거리에 대한 지각.
* 포식자: 다른 동물을 먹이로 하는 동물.
* 천적: 잡아먹는 동물을 잡아먹는 동물에 상대하여 이르는 말.

0 이 글을 과학 논문지에 발표하려고 합니다. 다음 중 가장 적합한 제목을 고르세요.

① 동물의 눈동자 모양과 생존 방식 ☐

② 생태계의 먹이 그물이 형성되는 이유 ☐

③ 포식자와 피식자의 생존을 위한 환경 ☐

④ 홍채의 조절과 관련된 동물의 사냥 원리 ☐

⑤ 동물의 눈동자 색과 모양을 결정하는 요인 ☐

1 이 글에 나타난 내용 전개 방식으로 가장 적절한 것을 고르세요.

① 의문을 제기한 후에 과학적 원리로 해답을 제시하고 있다. ☐

② 화제를 제시한 뒤 과학계의 다양한 의견을 종합하여 정리하고 있다. ☐

③ 과학계에서 논란이 되고 있는 문제를 여러 측면에서 살펴보고 있다. ☐

④ 일반적인 통념을 제시한 후에 그것을 뒤집는 과학적 결과를 서술하고 있다. ☐

⑤ 과학계의 풀리지 않은 질문을 던진 뒤 해답이 될 만한 여러 가능성을 살피고 있다. ☐

> '내용을 전개하는 방식'은 글쓴이가 글의 내용을 효과적으로 전달하기 위해 글 전체를 어떻게 구성할 것인지에 대한 전략을 말해.

2 이 글의 내용과 일치하는 것은 무엇인가요?

① 초식 동물은 양안 시차로 물체와의 거리감을 파악한다.

② 초식 동물은 뒤만 빼고 거의 전 영역의 입체 영상을 볼 수 있다.

③ 육식 동물의 눈은 포식자의 출현을 미리 알기 위해 좌우로 많이 벌어져 있다.

④ 눈동자의 크기가 작아져 빛이 적게 들어오게 되면, 초점이 맞는 범위가 넓어진다.

⑤ 초점이 맞는 공간의 범위인 심도는 눈이 양안시인지, 단안시인지에 따라 결정된다.

3 ㉠의 문맥상 의미로 가장 적절한 것은 무엇인가요?

① 상대를 불시에 습격하기 위해 몰래 숨어 있는 유형

② 상대에게 자신의 위세를 보여 겁을 먹게 만드는 유형

③ 상대가 도망갈 수 있는 길목을 미리 막아 버리는 유형

④ 상대가 눈치채지 못하게 자신의 몸 색깔을 바꾸는 유형

⑤ 상대를 구석진 곳으로 내몰아 도망치지 못하게 하는 유형

4 이 글을 참고할 때, 〈보기〉의 ⓐ와 ⓑ에 가장 알맞은 답은 무엇인가요?

─| 보 기 |─

늘대   바위   양   나무

그림 속 각 동물이 글에서 설명한 매복형 육식 동물과 초식 동물 중 어느 것에 속하는지 파악하고, 선택지와 관련된 내용이 글의 어느 부분에 제시되었는지 확인하자!

　양을 사냥하기 위해 매복하고 있는 늑대는 사냥감에 초점을 맞춘 후 거리를 파악하고 있다. 모든 물체들은 일직선상에 위치하고 있으며, 양과 늑대는 움직이지 않고 있다. 이때, ⓐ 늑대가 얻는 영상의 심도는 어떨까? 그리고 ⓑ 늑대의 눈에는 다른 물체들이 어떻게 보일까?

	ⓐ	ⓑ
①	가로로 심도가 얕음. 세로로 심도가 얕음.	바위와 양보다 나무가 더 어두워 보임.
②	가로로 심도가 깊음. 세로로 심도가 얕음.	양보다 바위와 나무가 더 흐릿해 보임.
③	가로로 심도가 얕음. 세로로 심도가 깊음.	나무와 양보다 바위가 더 뚜렷해 보임.
④	가로로 심도가 깊음. 세로로 심도가 깊음.	양과 나무, 바위가 모두 뚜렷해 보임.
⑤	가로로 심도가 깊음. 세로로 심도가 깊음.	나무가 바위와 양보다 더 흐릿해 보임.

동서양의 그림, 어떻게 다를까

동서양 그림의 차이

Q 서양화에 비해 동양의 옛 그림이 이상하게 느껴지는 이유는 동양화의 어떤 형식 때문일까요?

동양의 옛 서화(書畵)*에서는 이치에 맞지 않는 이상한 그림들을 많이 볼 수 있다. 예를 들어 책상 앞쪽 모서리보다 뒤쪽 모서리를 더 크게 그린다든지, 뒤로 갈수록 건물의 각도가 넓어지는 등 ㉠역원근법적인 방법으로 그린 그림들이 그렇다. 서양화의 이론에 익숙한 현대인들에게는 너무나 이상한 그림이다. 이외에도 ㉡한 화면에 두세 개의 시점이 존재한다든지, 마치 영화에서 카메라가 사방을 훑고 지나가듯 ㉢파노라마식으로 그려진 경우도 있다. 파노라마식 그림은 화면이 긴 병풍 그림이나 5~10미터 가량 되는 두루마리 그림에서 많이 나타난다. 그리고 한 번도 하늘에서 땅 위를 내려다본 경험이 없음에도 불구하고 ㉣조감도 형식으로 내려다본 모습을 자연스럽게 그린다든지, 보이지 않을 만큼 먼 곳에 있는 사람이나 물체를 마치 망원경으로 당겨서 본 것처럼 주변의 물체에 비해 자세하게 확대해서 그리는 일도 있다.

서양화에 길들여진 눈으로 봤을 때 가장 이상하게 느껴지는 점은 명암이나 음영을 표현하지 않았다는 것이다. 특히 물체의 입체감을 나타내는 데에 효과적인 명암 표현이 초상화나 동물 그림에서도 보이지 않는다. 또 서양의 인상주의 이후 회화에서 아주 중요한 표현 요소로 떠오른 그림자의 표현이, 동양의 옛 그림에서는 보이지 않는다. 서양의 풍경화에서는 필수이다시피 한 빛의 표현과 건물의 명암, 나무들의 그림자가 동양의 산수화에서는 표현된 적이 거의 없다. 의식적으로 표현하지 않았다기보다는 그러한 개념 자체가 없었던 것으로 볼 수 있다.

그렇다면 동양의 옛 그림에는 왜 이렇게 이상하게 느껴지는 표현이 많이 나타날까? 그것은 동양의 그림과 서양의 그림의 바탕에 ⓐ깔려 있는 사고가 서로 달랐기 때문이다. 서양의 그림이 형체, 명암, 빛깔 등 보이는 것을 화면에 그대로 묘사하는 형식이라면, 동양의 그림은 ㉤화가가 생각한 것이나 아는 것, 즉 관념을 그리는 형식이기 때문이다. 예를 들어 동양에서는 산수화를 그리는 경우, 현장에 가서 직접 보고 그 모습을 담는 것이 아니라 기억하고 있는 내용을 그린다. 그러니 풍경화처럼 눈에 보이는 경치를 그리지 않고, 수많은 이야기가 담긴 자연의 오묘한 조화나 이상향을 그리게 된다. 간혹 직접 현장에 가서 경치를 보고 그린다 하더라도, 사생(寫生)*이 아니라 경치에서 느껴지는 기운이나 운치에 초점을 두어 그림을 그렸다.

어떻게 보면 동양의 옛 그림이 이치에 맞지 않는다는 생각 그 자체가 잘못된 것이다. 그렇게 생각한 데에는 우리가 그동안 서양의 그림에 익숙해져 있다 보니 서양화를 보는 눈으로 동양의 그림을 감상하기 때문이다. 서양의 과학적 표현만이 우수한 회화라고 볼 수는 없는 일이다. 서양의 그림도 현대 회화에 와서는 대상을 재현한 그림보다는 뜻을 가진 그림이 오히려 더 성행하기도 했다. 따라서 우리는 서양화를 보는 눈으로 동양화를 볼 것이 아니라, 동양화를 보는 눈으로 동양화를 보는 자세가 필요하다.

* 서화: 글씨와 그림을 아울러 이르는 말.
* 사생: 실물이나 경치를 있는 그대로 그리는 일.

0 이 글에서 글쓴이가 전달하려고 하는 핵심 화제가 무엇인지 고르세요.

① 산수화와 풍경화의 역사적 발전 과정 ☐
② 산수화와 풍경화를 감상하는 방법의 차이 ☐
③ 산수화와 풍경화에 나타나는 소재의 차이 ☐
④ 산수화와 풍경화에 드러나는 작가의 세계관 ☐
⑤ 산수화와 풍경화에서 자연을 표현하는 방식의 차이 ☐

김밥에도 주재료가 있지? 한 편의 글에도 주재료가 있어.
그게 바로 핵심 화제야!

1 이 글을 통해서 알 수 있는 내용이 <u>아닌</u> 것은 무엇인가요?

① 동양화에는 원근법이나 시점이 맞지 않는 그림들이 많이 있다.

② 서양의 풍경화와 달리 동양의 산수화에는 빛의 표현이 거의 없다.

③ 동양화에는 물체와 물체 간의 거리감이 무시되어 그려진 그림들도 있다.

④ 서양화는 화가의 관념을, 동양화는 있는 그대로의 사물을 그리는 데 중점을 둔다.

⑤ 동양화에서 파노라마식으로 그려진 그림은 화면이 긴 병풍 그림이나 두루마리 그림에서 많이 나타난다.

2 ㉠~㉤ 중 〈보기〉에 해당하는 것끼리 모두 묶인 것은 무엇인가요?

┤보 기├

〈보기〉에서 설명하는 내용을
㉠~㉤과 연결 지을 수 있는지
아닌지를 판단해야 해!

　이 그림은 조선 시대 추사 김정희가 그린 「세한도」로, 집 한 채와 소나무, 잣나무 각 두 그루를 그려 세상의 차가운 인정, 선비로서의 절개와 지조 등을 그려 낸 작품이다. 선으로 표현된 집의 삼각형 지붕은 정면에서 본 각도로, 그 아래의 둥근 창문은 왼쪽에서 본 각도로, 긴 직사각형의 지붕은 오른쪽에서 본 각도로 각각 그린 것이다. 그리고 소나무에 가려진 벽은 오히려 뒤로 갈수록 넓어지고 있다.

① ㉠, ㉡, ㉣　　　　　② ㉠, ㉡, ㉤　　　　　③ ㉡, ㉢, ㉣

④ ㉡, ㉢, ㉤　　　　　⑤ ㉢, ㉣, ㉤

3 다음 밑줄 친 말 중 ⓐ와 가장 유사한 의미로 쓰인 것은 무엇인가요?

① 봄이 되니 어여쁜 진달래꽃이 지천으로 <u>깔렸다</u>.
② 그 집의 거실에는 호화로운 양탄자가 <u>깔려</u> 있었다.
③ 그녀에 대한 좋지 않은 소문이 동네에 파다하게 <u>깔렸다</u>.
④ 이 작품에는 주인공의 운명에 대한 암시가 곳곳에 <u>깔려</u> 있다.
⑤ 그들은 권력자의 힘에 <u>깔려</u> 부당한 일을 당해도 저항하지 못하였다.

Q 다음은 생각을 읽을 수 있는 지문 구조도를 퍼즐로 나타낸 것입니다. 앞에서 읽은 글의 내용을 떠올리며 생각읽기 1~6에 해당하는 퍼즐을 선으로 연결해 보세요.

── 문단으로 생각읽기 ──

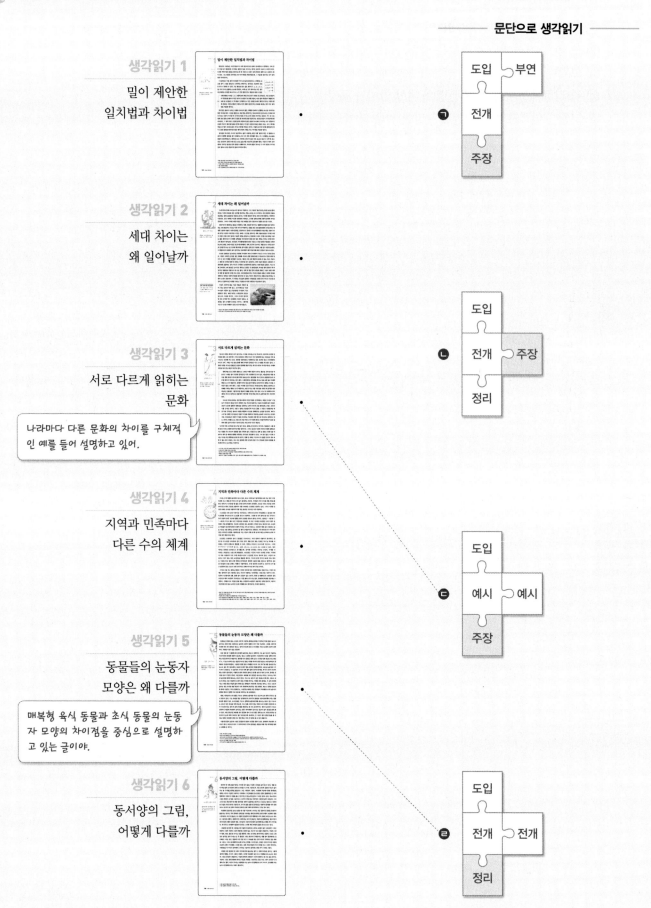

생각읽기 1

밀이 제안한
일치법과 차이법

도입 ─ 부연
전개
주장 ㄱ

생각읽기 2

세대 차이는
왜 일어날까

생각읽기 3

서로 다르게 읽히는
문화

> 나라마다 다른 문화의 차이를 구체적
> 인 예를 들어 설명하고 있어.

도입
전개 ─ 주장 ㄴ
정리

생각읽기 4

지역과 민족마다
다른 수의 체계

도입
예시 ─ 예시 ㄷ
주장

생각읽기 5

동물들의 눈동자
모양은 왜 다를까

> 매복형 육식 동물과 초식 동물의 눈동
> 자 모양의 차이점을 중심으로 설명하
> 고 있는 글이야.

생각읽기 6

동서양의 그림,
어떻게 다를까

도입
전개 ─ 전개 ㄹ
정리

1 어떤 현상에 대한 원인을 찾아내는 방법으로 존 스튜어트 밀은 일치법과 □□□을 제안하였다.

2 세대 간의 문화와 가치관의 차이로 인한 □□ 차이는 부정적 영향을 줄 수 있으므로 이를 극복하기 위해 각 세대가 서로의 차이를 인정하고 존중하도록 노력해야 한다.

3 나라와 민족에 따라 다양한 문화가 존재하므로 인류의 번영과 평화를 위해서는 서로 다른 □□를 인정하고 존중하는 자세가 필요하다.

4 □□□에는 2진법, 10진법, 12진법, 60진법 등이 있는데, 이러한 수의 체계에는 그것을 만들어 낸 사람이나 나라, 민족의 사고방식, 문화, 전통 등이 담겨 있다.

5 육식 동물과 초식 동물의 □□□ 모양은 각 동물들의 생존 방식과 밀접한 관련이 있다.

6 자연을 있는 그대로 묘사하는 데 중점을 둔 서양의 풍경화와 달리 동양의 □□□는 화가의 관념 속 자연을 그려 내는 데 중점을 두었다.

인간은 왜 차이를 생각할까?

"다름을 인정하면 조화를 얻을 수 있다"

우리가 살아가는 지구상에는 약 77억 명의 인류가 존재합니다. 인구수가 77억에 이르는 것보다 더 놀라운 것은 77억의 인간 중 똑같은 인간이 단 한 명도 없다는 사실이에요. 인간뿐만 아니라 지구상에 존재하는 모든 생명체도 그렇습니다.

'다르다'는 것은 지구의 모든 생명체들의 존재 양상이고 타고난 것이죠. 차이를 인정하는 자세가 필요한 까닭이기도 합니다. 고정된 하나만을 고집하지 않고 '다름(차이)'을 인정하는 것, 그것은 상대를 이해하고 상대와 소통하는 첫걸음이 되며 더 나아가 인류가 평화롭고 조화롭게 앞날을 향해 나아가는 길이 될 것입니다.

한 가지 소리는 아름다운 음악이 되지 못하고,
한 가지 색은 찬란한 빛을 이루지 못하며,
한 가지 맛은 진미(珍味)를 내지 못한다.
– 고대 철학자

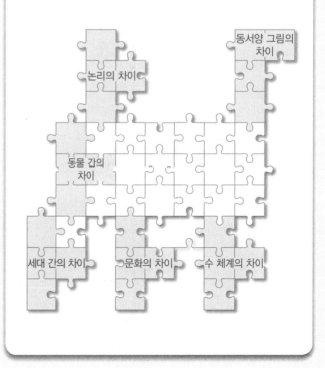

06 기원

기원을 말하다!

'기원'은 '사물이 처음으로 생김. 또는 그런 근원.'을 의미하는 말입니다. 그런데 '기원'이라는 말 속에는 처음부터 지금까지 어떻게 흘러왔는지, 그 역사를 살펴본다는 의미가 포함되어 있어요. 그래서 어떤 대상의 '기원'을 살펴본다는 것은, 그 대상의 역사를 살펴본다는 것을 의미해요. 우리는 과거를 이해하기 위해서, 또 미래를 예측하고 대비하기 위해서 역사를 살펴보곤 합니다. 우리가 어디에서부터 온 존재인지, 어떻게 '지금 여기'에 와 있는지 그 '기원'을 살펴본다면, 그 과정을 통해 우리가 나아가야 할 길을 좀 더 합리적으로 판단해 볼 수 있지 않을까요?

과학자들이 바라본 우주

우주의 기원에 대한 관심은 아주 오래전부터 존재했다. 우선 우주의 기원에 대한 이야기는 다양한 창조 신화 속에서 찾아볼 수 있다. 대표적 예로 중국의 신화에서는 우주가 계란 모양의 혼돈* 상태였다가 '반고'라는 거인이 계란을 깨고 나와 하늘과 땅을 만들고, 그가 죽은 후 태양과 달, 그리고 별이 만들어졌다고 설명한다. 한편 그리스 신화에서는 모든 것이 뒤섞여 있던 상태에서 땅과 어둠이 나타났고, 이후 여러 명의 신들이 등장했다고 설명한다. 그러나 오늘날 이러한 창조 신화들을 우주의 기원에 대한 적합한 설명으로 보지 않는 것은 이 이야기들을 뒷받침할 만한 명확한 증거가 없기 때문이다.

여러 가지 과학적 증거들을 토대로 우주의 기원에 대해 설명한 과학자로는 ㉠가모브와 앨퍼를 들 수 있다. 그들은 150억 년 전에서 200억 년 전 사이의 어느 시점에 한 점에 모여 있던 질량과 에너지가 팽창*하여 폭발하면서 우주가 탄생하였다는 빅뱅 이론을 주장하였다. 이 빅뱅 이론은 허블의 법칙을 근거로 하였다. 미국의 천문학자였던 ㉡에드윈 허블은 은하들이 지구로부터 멀어지는 속도가 지구와 은하 사이의 거리에 정비례*한다는 법칙을 발견하였다. 허블이 발견한 이 법칙을 토대로 은하들 사이의 거리가 멀어지며 은하들이 모두 바깥쪽으로 이동하고 있다는 사실이 밝혀지면서 우주가 팽창하고 있다는 주장이 타당성*을 얻게 되었다. 가모브와 앨퍼는 우주가 팽창한다는 것은 결국 질량과 에너지를 가진 작은 점에서 우주가 처음 시작되었다는 것을 의미한다고 생각하고 과학적 근거들을 토대로 우주의 기원을 설명하는 빅뱅 이론을 주장하였다. 이 이론은 1964년에 천문학자 ㉢펜지어스와 윌슨에 의해 증명되었다. 펜지어스와 윌슨은 우주 폭발로 탄생한 매우 뜨거웠던 초기 우주의 온도가 점차 낮아지면서 우주 공간으로 퍼져 나간 빛의 파장을 발견했다. 이 파장이 바로 우주 배경 복사이다. 이 우주 배경 복사에 대한 과학적 발견은 우주의 시작과 팽창을 설명하는 데 중요한 증거로 활용되었다.

허블의 법칙이나 우주 배경 복사의 발견은 당시 우주관의 변화를 가져왔다. '우주는 어떻게 시작되었을까?'라는 질문에 대한 대답을 찾는 과정 속에서 오랫동안 사람들은 혼돈의 상태에서 무엇인가가 나타나 우주를 만들었다는 창조 신화를 믿었고, 우주가 변화하지 않는다고 믿었다. 그러나 이와 같은 우주관은 다양한 과학적 증거들이 발견되고 제시됨에 따라 변화하기 시작했다. 빅뱅 이론은 우주의 시작과 그 이후 나타났던 다양한 변화들을 명백한 과학적 증거들을 토대로 설명한다는 점에서 과거의 창조 신화들이나 우주관과 차별된다.

그러나 빅뱅 이론이 우주의 기원에 대한 절대적인 설명이라고 할 수는 없다. 여전히 빅뱅 이론이 갖는 한계를 극복하고 보완하기 위해 다양한 시도들이 나타나고 있으며, 만약 새로운 과

학적 증거들이 발견된다면 빅뱅 이론에서 주장하고 있는 내용 역시 수정되어야 하기 때문이다. 지식과 정보가 쌓이면서 창조 신화에서 빅뱅 이론까지 우주의 기원을 설명하는 방식은 다양하게 변화했다. 새로운 과학적 증거들의 발견과 더불어 빅뱅 이론 역시 변화할 것이다. 그리고 이와 같은 변화를 통해 우리는 '우주는 어떻게 시작되었을까?'라는 질문에 대한 대답을 하나의 관점과 시각에서 분석하는 것이 아니라 다양한 관점과 시각에서 살펴보게 될 것이다.

* 혼돈: 하늘과 땅이 아직 나누어지기 전의 상태.
* 팽창: 부풀어서 부피가 커짐.
* 정비례: 두 양이 서로 같은 비율로 늘거나 주는 일.
* 타당성: 사물의 이치에 맞는 옳은 성질.

0 이 글의 제목을 작성한다고 할 때, 가장 적절한 것을 고르세요.

① 우주 배경 복사가 발견된 계기
② 우주의 기원에 관한 연구와 그 의의
③ 창조 신화 속에서 찾아볼 수 있는 우주의 기원
④ 빅뱅 이론의 한계점과 이를 보완하기 위한 시도
⑤ 우주가 팽창하고 있다는 주장이 등장하게 된 배경

1 이 글의 '빅뱅 이론'과 관련하여 〈보기〉의 실험을 이해한 내용으로 적절하지 <u>않은</u> 것은 무엇인가요?

┤보 기├

　다음은 빅뱅 이론의 원리를 설명할 수 있는 실험이다. 우선 풍선과 수성펜을 준비한다. 풍선 위에 펜으로 작은 점들을 여러 개 찍는다. 그다음 풍선을 불면서 점의 크기와 위치의 변화를 관찰해 보자. 점들의 위치는 어떻게 변하는가? 그리고 어느 순간 바람을 빼기 시작하면 점들의 위치는 어떻게 변하는가? 풍선을 불면 점들은 서로 점점 멀어지고, 풍선의 바람을 빼면 점들은 다시 점점 가까워진다. 풍선을 계속 불면 결국 어느 순간 터지게 된다.

① 풍선 위에 찍은 작은 점들은 '여러 은하들'에 대응된다.
② 풍선에 바람을 넣어 풍선이 커지는 것은 '팽창하는 우주'에 대응된다.
③ 풍선이 어느 순간 터지는 것은 '한 점에 모여 있던 질량과 에너지의 폭발'에 대응된다.
④ 풍선을 불면 점들 사이가 멀어지는 것은 '은하들 간의 거리가 멀어지는 것'에 대응된다.
⑤ 풍선의 바람을 빼면 점들이 가까워지는 것은 '우주 공간으로 퍼져 나간 빛'에 대응된다.

2 이 글에 대해 보인 반응으로 적절하지 <u>않은</u> 것을 고르세요.

학생1 빅뱅 이론은 과학적 발견을 근거로 우주의 기원을 설명하지만 그것이 절대적인 설명이라고 보기는 어렵군. ┈┈┈┈┈┈┈┈┈┈┈┈① ☐

학생2 빅뱅 이론을 주장하는 과학자들은 질량과 에너지를 가진 작은 점에서 우주가 처음 시작되었다고 생각하였겠군. ┈┈┈┈┈┈┈┈┈② ☐

학생3 허블의 법칙에 따르면, 은하들이 지구로부터 멀어지는 속도가 두 배 빨라지면 지구와 은하 사이의 거리는 두 배 가까워지겠군. ┈┈┈③ ☐

학생4 중국 신화에서는 그리스 신화에서와 달리 특정 대상이 하늘과 땅을 만들고, 그 대상이 죽은 후 태양, 달, 별이 만들어졌다고 설명하는군. ┈┈④ ☐

학생5 우주 배경 복사는, 우주 탄생 직후 매우 뜨거웠던 초기 우주의 온도가 점차 낮아지면서 우주 공간으로 퍼져 나간 빛의 파장을 일컫는 말이군. ┈┈⑤ ☐

3 이 글의 내용을 근거로 할 때, ㉠~㉢에 대한 이해로 가장 적절한 것은 무엇인가요?

① ㉠은 ㉡이 발견한 사실을 근거로 우주의 기원을 설명하는 빅뱅 이론을 주장하였다.

② ㉡은 ㉠, ㉢과 달리 혼돈의 상태에서 무엇인가가 나타나 우주를 창조했다고 생각하였다.

③ ㉢은 ㉡이 발표한 법칙을 바탕으로 은하들이 바깥쪽으로 이동하고 있다는 사실을 밝혀 내었다.

④ ㉠, ㉡은 ㉢과 달리 거대한 에너지가 여러 곳으로 나뉘어 쌓이면서 폭발이 일어나 우주가 탄생했다고 보았다.

⑤ ㉠, ㉡, ㉢은 모두 창조 신화들이 우주의 기원에 대한 적합한 설명이 될 수 없다며 비판하였다.

> 특정 인물과 관련된 정보의 일치 여부를 묻는 문제는 글에 제시된 각 인물에 대한 정보를 먼저 정리해 봐~ 그리고 그 내용을 선택지와 비교해 보면 정답을 쉽게 찾을 수 있어!

연결고리인 접속어에 주목해야 하는 이유

다음 밑줄 친 부분에 들어갈 알맞은 접속어를 떠올려 볼까요?

한국 고대사에서 통일 신라 이전 시기를 '삼국 시대'라고 부른다. _____ 기원전 1세기경부터 서기 562년까지 약 600년 동안은 '고구려, 백제, 신라, 가야' 사국(四國)이 있었고, 가야가 멸망하고 삼국(三國)만 유지된 기간은 100여 년 정도이다. 따라서 통일 신라 이전 시기를 '삼국 시대'라고 부르면 한국 고대사는 가야를 제외한 3국만의 역사로 축소된다.

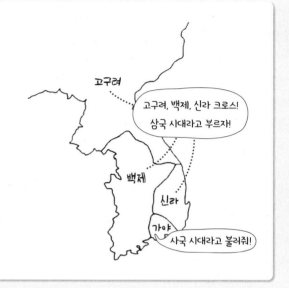

글에서 단어와 단어, 구절과 구절, 문장과 문장을 이어주는 언어적 장치가 바로 접속어입니다. 대표적인 접속어에는 '그리고, 그러나, 그런데, 그래서, 그러므로' 등이 있습니다.

그럼 글쓴이는 왜 접속어를 사용할까요? 글에서 **접속어는 필자의 의도를 나타내는 표지판**과 같은 기능을 합니다. 접속어를 활용하면 표현을 한층 돋보이게 할 수 있고 설득력을 가질 뿐 아니라, 글 전체의 내용을 암시할 수 있기 때문이죠. 그러므로 글을 읽을 때 접속어에 주목하면 필자의 의도, 즉 글의 중심 생각을 찾기가 쉬워져서 독해를 정확하고 효율적으로 할 수 있습니다.

162쪽 지문

우주의 기원에 대한 관심은 아주 오래전부터 존재했다. 우선 우주의 기원에 대한 이야기는 다양한 창조 신화 속에서 찾아~~~~~~~~~~~~~~~~~~~~~~~~~양의 혼돈* 상태였다가 '반고'라는 ~~~~~~~~~~~~~~~~~~~~~~~~태양과 달, 그리고 별이 만들어졌다~~~~~~~~~~~~~~~~~~~~~~~던 상태에서 땅과 어둠이 나타났고, 이후 여러 명의 신들이 등장했다고 설명한다. **그러나** 오늘날 이러한 창조 신화들을 우주의 기원에 대한 적합한 설명으로 보지 않는 것은 이 이야기들을 뒷받침할 만한 명확한 증거가 없기 때문이다.

> 주제문을 암시해 주는 독해의 key, 접속어~
> 그러나가 문단의 앞부분에 나오면 그게 주제문이다!

정답: 그러나

독해연습 1   **아래 문장을 읽고, 물음에 답하세요.**

> (가) 세상의 절반은 여성이다. 그래서 정치 분야에 진출한 여성은 매우 적다.
>
> (나) 정보 과잉으로 인해 현대인들은 엄청난 양의 정보를 수용하지 못해, 자신의 관심거리에만 몰두
>   하려고 한다. 그러나 자신의 관심거리에 대해 소수의 친밀한 사람들과만 소통하려는 경향을 보
>   인다.

1 (가)에서 잘못된 접속어를 찾아 바르게 고쳐 보세요.

2 (나)에서 잘못된 접속어를 찾아 바르게 고쳐 보세요.

독해연습 2   **아래 문단을 읽고, 물음에 답하세요.**

> 고구려는 태조왕 때에 옥저와 요동 지방을 정복하여 경제 기반을 확대하였고 계루부 고씨가 왕위
> 를 독점하는 등 중앙 집권적 고대 국가로서의 모습을 갖추었다. 백제는 고이왕 때에 밖으로 활발한
> 정복 활동을 벌여 마한의 목지국을 병합하고 안으로는 국가 조직을 정비함으로써 중앙 집권적 고대
> 국가의 면모를 갖추게 되었다. 신라는 내물왕 때에 진한을 정복하여 낙동강 유역까지 영토를 확장
> 하고, 왕위를 세습하는 등 중앙 집권 체제를 갖춘 고대 국가의 기틀을 확립하였다.   ⊙   연맹
> 왕국이었던 가야는 각 소국이 독자적인 정치 기반을 유지했으므로 지배력을 집중시키지 못하였다.
>   ⓛ   가야는 통일 왕국을 이루지 못하였고 결국 중앙 집권적인 고대 국가로 성장하지 못한 채
> 신라에 병합되었다.

1 ⊙에 알맞은 접속어와 그 기능이 무엇인지 써 보세요.

2 ⓛ에 알맞은 접속어는 무엇인지 써 보세요.

비금속으로 금을 만들자

값싼 물질을 재료로 삼아 금, 은 등의 귀금속을 만들 수 있는 기술이 발명된다면 세상은 어떻게 바뀌게 될까? 물리적 · 화학적 변화만으로 원소의 종류가 바뀌지 않는다는 사실이 밝혀진 현대에 와서는, 이러한 기술을 ⓐ발명하려고 한다는 것 자체가 허무맹랑한 소리로 들릴 수밖에 없다. 하지만 중세 시대에는 곳곳에서 '연금술(鍊金術)'이라는 이름을 가진 이 기술을 발명하기 위해 갖은 시도를 다하였다. 심지어 레오나르도 다빈치, 아이작 뉴턴과 같은 일류 과학자들조차 연금술을 ⓑ연구했다는 기록이 있을 정도로 연금술은 당시에 폭발적인 인기를 끌었다.

연금술이란 일반적으로 화학적 수단을 활용해 구리, 납, 주석 같은 비금속 물질을 금, 은과 같은 귀금속으로 정련*하려는 시도를 의미한다. 연금술은 이와 관련된 자료가 많이 남아 있지 않아 그 기원이 명확하지는 않지만 고대 이집트에서 유래한 것으로 ⓒ추정된다. 당시 사람들은 세상에 존재하는 물질 중 금이 가장 완벽한 물질이라고 여겼기 때문에 금을 얻기 위한 연금술에 관심을 가지기 시작했다. 그들은 화학 실험을 통해 금을 구성하는 원소를 일정 비율로 알맞게 섞으면 금을 만들어 낼 수 있을 것이라고 확신하였고, 심지어 원소의 변환*을 빠르게 하여 금을 비롯한 모든 물질을 만들어 낼 수 있는 '현자의 돌*'을 제조하기 위해 힘쓰기까지 했다. 단순한 화학 실험에서 시작된 연금술은 다양한 사상들과 결합하면서 근대 화학의 기초가 ⓓ확립될 때까지 1,000년 이상 발전을 거듭하였다. 일상적 감각 세계를 벗어나 내적인 직관에 따라 신을 직접 체험하려는 신비주의, 별의 빛이나 위치, 운행 등을 보고 개인과 국가의 길흉을 점치는 점성술 등이 연금술과 연결된 사상의 대표적 예이다. 이러한 연금술은 사람들에게 세상을 새롭게 창조하는 기술, 육체나 영혼을 더 완전한 존재로 만드는 기술로 받아들여졌다. 이에 따라 자연스레 현자의 돌의 가치도 높아졌는데, 당시 사람들은 이 돌이 늙지 않는 영약(靈藥)*, 만병통치약 등의 역할을 할 수 있다고 여겼다.

하지만 ㉠과학 기술이 발전하면서 연금술의 명맥은 그리 오래 유지되지 못했다. 연금술에 대한 사람들의 맹목적인 믿음이 흔들리기 시작한 것은 영국의 과학자 로버트 보일이 그의 저서 『회의적 화학자』에서 원소의 개념을 세우며, 화학자와 연금술사를 구분하고 연금술을 ⓔ비판하면서부터이다. 또한 여러 화학자에 의해 원소가 더는 쪼개지지 않는 입자임이 밝혀지고, 금 역시 원소의 한 종류이기 때문에 다른 물질을 섞는다고 해서 금이 될 수 없다는 사실이 증명되면서 연금술은 더 이상 연구되지 않았다.

연금술을 통해 금을 만들어 내지는 못했지만, 연금술을 연구하는 사람들이 남긴 경험은 근대 화학의 기반을 마련하는 데 도움이 되었다. 오늘날 다양한 실험에서 활용되고 있는 액체를 걸러내는 데 쓰이는 여과기, 여러 성분이 섞인 액체를 끓여 성분이 비교적 순수한 것을 얻어내는 증류기 등의 실험 기구나 이와 관련된 화학 실험 방법 모두 중세 시대 연금술에서 이미 활용되었던 것들이다. 그뿐만 아니라 염산, 황산과 같은 물질도 연금술을 연구하는 과정에서 만들어졌다.

---

* 정련: 광석이나 기타의 원료에 들어 있는 금속을 뽑아내어 정제하는 일.
* 변환: 달라져서 바뀜. 또는 다르게 하여 바꿈.
* 현자의 돌: 중세의 연금술사들이, 병을 치료하고 모든 물질을 황금으로 만드는 신비한 힘을 가졌다고 믿었던 미신적인 돌.
* 영약: 영묘한 효험이 있는 신령스러운 약.

0 다음 중 이 글에서 언급된 내용이 <u>아닌</u> 것을 고르세요.

① 연금술의 등장 배경 ☐

② 연금술과 결합한 사상 ☐

③ 연금술을 비판한 학자 ☐

④ 연금술을 연구한 과학자 ☐

⑤ 연금술이 예술에 미친 영향 ☐

1 〈보기〉의 ㄱ~ㅁ 중, 이 글에 활용된 전개 방식으로만 묶은 것은 무엇인가요?

┤보 기├

ㄱ. 핵심 개념을 설명하여 독자의 이해를 돕고 있다.
ㄴ. 가상적 상황을 예로 들어 현상을 설명하고 있다.
ㄷ. 질문을 던짐으로써 독자의 관심을 유도하고 있다.
ㄹ. 권위자의 견해를 들어 현상의 원인을 설명하고 있다.
ㅁ. **통념**의 문제점을 지적하고 새로운 이론을 주장하고 있다.

① ㄱ, ㄴ   ② ㄱ, ㄷ   ③ ㄴ, ㅁ
④ ㄷ, ㄹ   ⑤ ㄹ, ㅁ

해가 뜰 때만 선글라스를
쓴다는 생각은 통념이지!

통념이란 **일반적으로 널리 통하는 개념**을 말해.
많은 사람들이 공통적으로 인정하고 있는 생각인 거지.

2 〈보기〉를 활용하여 이 글의 내용을 보충하려고 할 때, 그 계획으로 적절한 것은 무엇인가요?

┤보 기├

연금술에서 납을 금으로 변화시킨다는 것에는 비유의 의미가 담겨 있다. 연금술의 본질적 의미는 납을 금으로 바꾸는 것이 아니라, 무지한 수준에 머물러 있는 인간을 금같이 고귀한 신의 높은 경지로 발전시키는 것을 의미한다. 연금술에 대해 전해지는 금언으로 '인간이 바로 신이다.'라는 말이 있다. 납을 금으로 변화시키듯이 인간의 내부에 있는 잠재력을 끌어내어 신성화된 존재로 탈바꿈시키는 것을 의미하는 구절이다.

① 염산, 황산과 같은 물질이 연금술을 연구하는 과정에서 만들어진 물질이라는 내용을 반박하는 근거로 활용한다.
② '현자의 돌'이 원소의 변환을 도와 금을 비롯한 모든 귀금속을 만들어 내는 물질임을 뒷받침하는 근거로 활용한다.
③ 별의 빛이나 위치, 운행 따위를 보고 개인과 국가의 길흉을 점치는 것과 연금술과의 관계를 설명하는 자료로 활용한다.
④ 화학 실험을 통해 금을 구성하는 원소들을 일정 비율로 섞으면 금을 만들어 낼 수 있다는 내용을 뒷받침하는 근거로 활용한다.
⑤ 인간이 내적인 직관에 따라 신을 직접 체험하려는 신비주의 사상과 연금술이 서로 이어져 있음을 보여 주는 구체적 사례로 활용한다.

3 ㉠의 이유를 추론한 내용으로 적절한 것은 무엇인가요?

① 구리, 납, 주석 등의 비금속 가격이 금보다 비싸졌기 때문이다.

② 과학자인 로버트 보일이 연금술의 개념을 새롭게 만들었기 때문이다.

③ 여과나 증류에 관한 새로운 화학적 실험 방법이 발명되었기 때문이다.

④ 금은 다른 물질들을 섞어 만들 수 있는 원소가 아님이 밝혀졌기 때문이다.

⑤ 신비주의나 점성술에 대한 사람들의 인식이 부정적으로 바뀌었기 때문이다.

사전적 의미를 묻는 문제는 선택지에 제시되어 있는 의미를 문맥에 넣어 보면 쉽게 정답을 찾을 수 있어!

4 ⓐ~ⓔ의 사전적 의미로 알맞지 <u>않은</u> 것을 고르세요.

① ⓐ: 아직까지 없던 기술이나 물건을 새로 생각하여 만들어 냄. ☐

② ⓑ: 어떤 일이나 사물에 대해 깊이 있게 조사하고 생각하여 진리를 따져 봄. ☐

③ ⓒ: 옳고 그름이나 좋고 나쁨을 판단하여 구별함. ☐

④ ⓓ: 체계나 견해, 조직 따위가 굳게 섬. ☐

⑤ ⓔ: 현상이나 사물의 옳고 그름을 판단하여 밝히거나 잘못된 점을 지적함. ☐

화폐의 등장, 그 이후

경제의 시작

Q 중세 군주들이 화폐의 귀금속 함유량을 감소시켜 화폐의 소재 가치가 액면 가치보다 낮은 주화를 발행한 이유는 무엇일까요?

화폐는 처음 어떻게 사용되기 시작했을까? 그 기원은 고대에 교환의 매개 수단으로 쓰였던 쌀, 소금, 조개 등에서 찾아볼 수 있다. 고대에는 쌀, 소금, 조개 등이 물품 화폐로 널리 쓰였는데, 시간이 흘러 금은 등의 금속이 그릇, 장신구 등의 재료로 널리 쓰이게 되면서 이 금속들이 물품 화폐를 대신하게 되었다. 이때부터 금속이 교환을 위한 화폐 가치가 되는 금속 화폐가 쓰이기 시작한 것이다.

중세 국가가 형성되고 기술이 발전되자 국가에 의한 금속 화폐의 표준화가 진행되었고 금속 화폐의 주조권*을 군주 등 국가 권력이 소유하게 되었다. 그런데 군주들은 화폐 제조에서 이익을 얻을 목적으로 화폐의 귀금속 함유량을 감소시켜 화폐의 소재 가치가 액면* 가치보다 낮은 주화를 발행하게 되었다. 결국 이를 계기로 화폐의 소재로 쓰인 재료 가치와는 별개의 명목상 교환 가치인 화폐 액면이 등장하게 되었다. 더욱이 경제 규모가 커지고, 먼거리 지역과의 무역이 늘어남에 따라 금속 화폐를 대량으로 가지고 다니는 불편을 해소하기 위해 국가나 은행이 금은 등의 정식 화폐를 보관하고 그 보관 증서로 지폐를 발행하는 제도가 정착되었다. 대표적 예로 19세기 초 당시 경제 강국이었던 영국이 화폐 단위를 금의 일정량과 같게 하고 전액 금화로 지급하는 조건으로 지폐 등의 명목 화폐를 통용시키는 금 본위 제도*를 채택한 것을 들 수 있다. 이것은 20세기 초에 이르기까지 많은 국가가 금 본위 제도를 채택하는 계기가 되었다.

그러나 국가 간의 교역 규모가 더욱 확대되면서 지폐 등 명목 화폐를 발행하기 위한 조건인 금의 공급에는 한계가 있었으며, 제1차 세계 대전 등의 전쟁을 겪으면서 많은 국가들은 금이 없이도 지폐를 발행하게 되었다. 이로써 점차 정식 화폐인 금과 지폐의 가치는 일대일의 관계에서 벗어났으며 결국 ㉠화폐에 그 소재 가치와 무관한 액면이 정해지게 되었다. 그 대신 오늘날 거의 모든 국가가 정부 행정 조직과는 별개인 중앙은행을 ⓐ만들고 그 중앙은행에 화폐를 발행하도록 하는 독점*적 권한을 주어 화폐의 가치 안정을 위한 책임과 의무에 힘쓰게 하고 있다. 이러한 화폐의 역사적 흐름에서 볼 때 오늘날 화폐의 기본 요건은 화폐 단위, 액면, 발행 기관으로 모아지며, 이 기본 요건을 법적으로 엄격하게 관리하는 것이 화폐에 대한 신뢰를 갖게 하는 핵심이다.

먼저 화폐 단위를 보면 우리나라는 1962년 제정된 긴급 통화 조치법에서 '원'으로 규정하고 있으며 미국은 법전 제31편 「통화 및 금융」에서 '달러(dollar)'로 명시하고 있다. 또 일본의 화폐 단위는 통화의 단위 및 주화의 발행 등에 관한 법률에서 '엔(圓)'으로 정하고 있으며 캐나다, 호주, 싱가포르는 자국의 화폐법에 '달러(dollar)'로 규정하고 있다. 다음으로 화폐 액면을 보면 우리나라를 비롯한 대부분의 국가는 화폐 발행 기관이 화폐 관련법 등에 정해진 절차에 따라 자율적으로 결정하고 있으나 발행 가능한 화폐 액면의 종류를 법으로 정한 나라도 있다. 예를 들면 우리나라는 중앙은행인 한국은행이 정부의 승인과 금융 통화 위원회의 의결을 거쳐 화폐의 액면을 결정하고 있어 다소 융통성이 있다. 현금으로 쓰는 지폐인 은행권은 거의 대부분 각국의 중앙은행이 발행하고 있지만 동전과 같은 주화는 중앙은행 또는 정부가 발행하고 있다. 우리나라, 중국, 필리핀, 헝가리 등과 같이 제2차 세계 대전 이후에 현대적 중앙은행을 설립한 대부분의 국가에서는 은행권과 주화 모두를 중앙은행이 발행하고 있지만, 미국, 영국, 일본, 캐나다 등에서는 중앙은행이 은행권을 발행하고 정부가 역사적 전통에 따라 주화를 발행하고 있다.

* 금속 화폐의 주조권: 금속을 주조하여 화폐를 만들 수 있는 권리.
* 액면: 화폐나 유가 증권 따위의 표면에 적힌 가격.
* 금 본위 제도: 금의 일정량의 가치를 기준으로 단위 화폐의 가치를 재는 화폐 제도.
* 독점: 개인이나 하나의 단체가 다른 경쟁자를 배제하고 생산과 시장을 지배하여 이익을 독차지함. 또는 그런 경제 현상.

0 이 글에서 다루고 있는 내용이 <u>아닌</u> 것을 고르세요.

① 화폐 액면이 등장하게 된 계기 ☐
② 고대에 화폐로 사용된 물품의 예 ☐
③ 우리나라의 화폐 단위를 규정하고 있는 법 ☐
④ 우리나라가 금 본위 제도를 채택하게 된 이유 ☐
⑤ 제2차 세계 대전 이후에 현대적 중앙은행을 설립한 국가 ☐

FACT 불필요한 상상은 버려! 보이는 그대로만 읽어야 해!

1 〈보기〉를 근거로 할 때, 중앙은행 의 역할에 대한 설명으로 가장 적절한 것은 무엇인가요?

─┤보 기├─

중앙은행이 마음대로 돈을 만들어 공급하는 것은 아니다. 제도적으로는 중앙은행이 마음만 먹으면 돈을 많이 만들어 공급할 수도 있지만 그렇게 되면 돈의 가치가 떨어져 이미 돈을 가진 사람이 필요한 물건을 사지 못하는 등의 피해를 주게 된다. 반대로 중앙은행이 필요 이하로 돈을 적게 공급하면 많은 회사들이 새로운 물건을 만들기 위한 공장이나 건물을 지을 돈을 마련하기 어렵게 되고 또 시장에서는 물건이 넘쳐나도 살 사람이 없어 물건을 생산한 기업이 어려워지는 것은 물론 그 기업의 근로자는 일자리를 잃게 되는 상황도 발생하게 된다.

① 화폐의 소재 가치가 액면 가치보다 낮아지게 만들기 위해 물가를 안정시킨다.
② 금융 통화 위원회가 화폐를 마음대로 만들어 시장에 공급하는 것을 견제한다.
③ 화폐의 가치가 떨어지지 않게 화폐의 공급을 늘이는 금 본위 제도를 시행한다.
④ 시장에 화폐를 적게 공급하여 기업에서 실업 문제가 발생하지 않도록 유도한다.
⑤ 화폐의 독점적 발행 권한을 통해 화폐 가치가 안정화되도록 화폐의 공급을 조절한다.

2 다음은 학생이 이 글을 읽으며 메모한 내용의 일부입니다. 적절하지 <u>않은</u> 것을 고르세요.

- 화폐의 기본 요건: 화폐 단위, 액면, 발행 기관 ······························ ① ☐
  – 우리나라의 화폐 단위: '원'으로 규정함. ······························· ② ☐
- 화폐 액면: 화폐 발행 기관이 화폐 관련법 등에 정해진 절차에 따라 자율적으로 결정하고 있으나 발행 가능한 화폐의 액면 종류를 법으로 정한 나라도 있음. ·· ③ ☐
  – 우리나라의 화폐 액면: 한국은행이 정부의 승인과 금융 통화 위원회의 의결을 거쳐 결정함. ··· ④ ☐
  – 우리나라 화폐의 발행 기관: 중앙은행이 은행권을 발행하고 정부가 주화를 발행함. ·· ⑤ ☐

메모에서 제시된 내용을 글에서 찾아
보고, 서로 일치하는지를 확인해 봐.

3 ㉠의 결과가 나타나게 된 배경에 해당하지 <u>않는</u> 것은 무엇인가요?

① 금과 지폐의 가치가 일대일의 관계에서 벗어났다.
② 금이 준비되지 않아도 국가들이 지폐를 발행하였다.
③ 제1차 세계 대전이 끝나면서 세계 경제가 안정되었다.
④ 명목 화폐의 발행 조건인 금의 공급에 한계가 있었다.
⑤ 국가 간의 교역 규모가 이전에 비해 더욱 확대되었다.

4 ⓐ와 바꾸어 쓸 수 있는 말로 가장 적절한 것은 무엇인가요?

① 결정(決定)하고
② 정립(正立)하고
③ 발생(發生)하고
④ 설립(設立)하고
⑤ 발견(發見)하고

선사 시대 인류의 삶

인류의 기원

Q 아프리카에서 화석으로 발견된 최초 인류의 명칭은 무엇인가요?

(가) 우리가 살고 있는 지구상에 인류가 처음으로 ⓐ출현한 것은 지금으로부터 약 300만~350만 년 전으로 알려져 있다. 최초의 인류는 아프리카에서 화석이 발견된 오스트랄로피테쿠스였다. 이들은 두뇌 용량이 현생 인류의 3분의 1 정도였으나, 직립 보행이 가능해 두 손으로 간단하고 조잡한 도구를 만들어 사용할 수 있었다. 구석기 시대의 인류는 처음에 나무로 된 도구를 사용하다가 곧이어 돌로 도구를 만들어 사용하였다.

(나) 이후 인류는 지혜가 발달하면서 불을 사용하는 법을 알게 되어 음식을 익혀 먹었고, 빙하기에도 추위를 견딜 수 있었다. 구석기 시대의 사람들은 사냥과 채집을 통해 식량을 조달*하였고, 시체를 매장하는 풍습도 지니고 있었다. 구석기 시대 후기인 약 4만 년 전부터는 진정한 의미의 현생 인류인 호모 사피엔스 사피엔스가 출현하였다. 이들은 두뇌 용량을 비롯한 체질상의 특징이 오늘날의 인류와 거의 같았으며, 현생 인류에 속하는 여러 인종의 직계 조상으로 추정되고 있다. 이렇게 인류가 진화할 수 있었던 것은 생각하는 능력을 가지고 있었고, 주변의 자연 환경에 적응하면서 문화를 창조해 나갔기 때문이다.

(다) 신석기 시대의 문화는 농경과 목축의 시작, 간석기*와 토기의 사용, 정착 생활과 촌락 공동체의 형성 등을 특징으로 한다. 구석기 시대 사람들이 식량 채집 생활을 한 것과는 달리, 신석기 시대 사람들은 농경과 목축을 시작하여 식량을 생산하는 경제 활동을 전개함으로써 인류의 생활 양식도 크게 변화하였다. 이를 신석기 혁명이라고도 한다. 이러한 획기적인 변화는 중동 지방을 비롯한 아시아 여러 지역에서 기원전 8,000년경에 시작된 것으로 추정되며, 이후 세계 각 지역으로 퍼져 나갔다.

(라) 신석기 시대의 인류는 부족 사회를 이루며 살고 있었다. 부족은 혈연을 바탕으로 한 씨족을 기본 구성단위로 하였으며 이들 씨족은 점차 다른 씨족과의 혼인을 통하여 부족을 이루었다. 그러나 부족 사회도 구석기 시대의 무리 사회처럼 아직 지배와 피지배의 관계가 발생하지 않았고, 연장자나 경험이 많은 자가 자기 부족을 이끌어 나가는 평등 사회였다. 한편 농경과 정착 생활을 하게 되면서 인간은 자연의 섭리*를 생각하게 되었다. 그래서 농사에 큰 영향을 끼치는 자연 현상이나 자연물에도 정령*이 있다고 믿는 애니미즘이 생겨났는데, 여기에는 풍요로운 생산을 기원하는 의미가 담겨 있었다. 그중에서도 태양과 물에 대한 숭배가 으뜸이었다. 또 사람이 죽어도 영혼은 없어지지 않는다고 생각하여 영혼 숭배와 조상 숭배가 나타났고, 영혼이나 하늘을 인간과 연결시켜 주는 존재인 무당과 그 주술을 믿는 샤머니즘이나 자기 부족의 기원을 특정한 동식물과 연결시켜 그것을 숭배하는 토테미즘도 있었다.

(마) 기원전 3000년경을 전후하여 메소포타미아의 티그리스강과 유프라테스강, 이집트의 나일강, 인도의 인더스강, 중국의 황허강 유역에서는 문명이 형성되었다. 이들 큰 강 유역에서는 관개* 농업의 발달, 청동기의 사용, 도시의 출현, 문자의 사용, 국가의 형성 등이 이루어져 문화가 크게 발달하였다. 이러한 변화들은 모두 청동기 시대에 일어났는데 이로써 인류는 선사 시대를 지나 비로소 역사 시대로 접어들게 되었다.

---

* 조달: 자금이나 물자 따위를 대어 줌.
* 간석기: 돌의 전면 또는 필요한 부분을 갈아 만든 도구.
* 섭리: 자연계를 지배하고 있는 원리와 법칙.
* 정령: 산천초목이나 무생물 따위의 여러 가지 사물에 깃들어 있다는 혼령. 원시 종교의 숭배 대상 가운데 하나이다.
* 관개: 농사를 짓는 데에 필요한 물을 논밭에 댐.

0 이 글의 구조를 나타낸 것으로 가장 적절한 것은 무엇인가요?

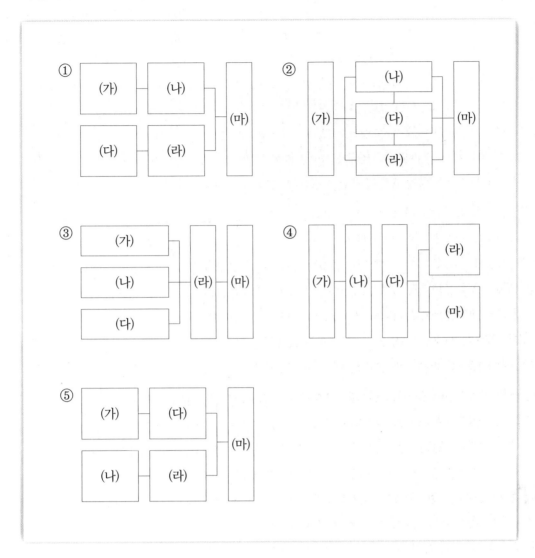

 뼈대가 탄탄하면 건물을 더 멋지게 지을 수 있어.
글도 뼈대를 알아야 더 잘 이해할 수 있는 거야!

1 〈보기〉를 바탕으로 이 글을 이해한 내용으로 적절한 것은 무엇인가요?

┤보 기├

　〈그림 1〉은 프랑스에서 발견된 구석기인의 벽화로, 사냥하는 장면을 담고 있다. 한편 〈그림 2〉는 아프리카에서 발견된 신석기인의 벽화로, 농사를 짓는 모습을 담고 있다.

〈그림 1〉

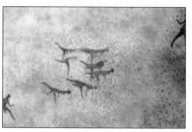
〈그림 2〉

① 〈그림 1〉은 〈그림 2〉와 달리 당시 사람들이 목축을 하며 살았음을 드러내는 자료라고 할 수 있군.

② 〈그림 2〉는 〈그림 1〉과 달리 당시 관개 농업이 발달하였음을 확인할 수 있는 자료라고 할 수 있군.

③ 〈그림 2〉는 〈그림 1〉과 달리 당시 사람들이 믿었던 샤머니즘이 반영되어 있는 자료라고 할 수 있군.

④ 〈그림 1〉과 〈그림 2〉는 모두 당시 사람들이 식량을 조달하였던 방식을 표현한 자료라고 할 수 있군.

⑤ 〈그림 1〉과 〈그림 2〉는 모두 당시 태양과 물을 숭배하는 풍습이 있었음을 보여 주는 자료라고 할 수 있군.

2 이 글의 내용을 통해 답을 얻을 수 있는 질문이 <u>아닌</u> 것을 고르세요.

① 구석기 시대에 인류는 어떤 방법으로 식량을 조달하였나요? ☐

② 구석기 시대에 시체 매장 풍습이 있었던 이유는 무엇이었나요? ☐

③ 신석기 시대에 부족을 이루는 기본 구성단위는 무엇이었나요? ☐

④ 신석기 시대에 애니미즘이 등장하게 된 이유는 무엇이었나요? ☐

⑤ 기원전 3000년경을 전후로 문명이 형성된 강 유역에는 어떤 곳들이 있나요? ☐

3 〈보기〉를 이 글에 추가한다고 할 때, 문맥상 가장 적절한 위치는 어디인가요?

┤보 기├

　구석기 시대에서 신석기 시대로 넘어가는 전환기에는 빙하기가 지나 기후가 다시 따뜻해졌다. 새로운 자연 환경에 대응하기 위해 이 시기의 사람들은 적합한 생활 방법을 찾으려고 노력하였다. 그리하여 큰 짐승 대신에 토끼, 여우, 새 등 작고 빠른 짐승을 잡기 위하여 활을 사용하였다. 이 시기의 석기들은 이전보다 더욱 작게 만들어진 잔석기로서, 한 개 내지 여러 개의 석기를 나무나 뼈에 꽂아 쓰는 톱, 활, 창, 작살 등의 이음 도구를 만들었다. 한편 기후가 따뜻해지면서 동식물이 번성하여 사람들은 식물을 채취하거나 고기잡이를 많이 하였다.

① (가)의 뒤　　　　② (나)의 뒤　　　　③ (다)의 뒤
④ (라)의 뒤　　　　⑤ (마)의 뒤

문맥상 적절한 위치를 찾는 문제는 〈보기〉의 내용이 본문의 내용 중 어떤 부분과 관련이 있는지를 찾는 것이 중요해. 반복되는 핵심어를 중심으로 내용상의 관련성을 판단해 보면 정답을 찾을 수 있어!

4 ⓐ의 사전적 의미로 가장 적절한 것은 무엇인가요?

① 창고에서 물품을 꺼냄.
② 어떤 자리에 나아가 참석함.
③ 나타나거나 또는 나타나서 보임.
④ 부대 따위가 일정한 목적을 실행하기 위하여 떠남.
⑤ 연기, 공연, 연설 따위를 하기 위하여 무대나 연단에 나감.

생명의 기원에 대한 논의들

지구에 생명은 어떻게 생겨났을까? 이 질문은 오랫동안 논쟁거리가 되어 왔다. 1923년 러시아의 ㉠알렉산드르 오파린은 원시 지구에서 화학 반응으로 최초의 세포가 만들어졌다는 가설을 내놓았다. 오파린 가설은 그 20년 전인 1903년 스웨덴 물리학자 ㉡스반테 아레니우스가 주장한 '범종설'에 대한 이론적 반격이었다. 범종은 '모든 씨앗', '두루 존재하는 씨앗'이란 뜻인데, 범종설에서는 생명이 우주에서 떠돌던 미생물을 씨앗으로 삼아 탄생했다고 보았다.

오파린으로부터 30년 뒤, 1953년 미국의 ㉢스탠리 밀러가 원시 지구의 자연 상태를 흉내 낸 '닫힌계'(메탄, 수증기, 암모니아, 수소를 산소가 없는 플라스크에 넣은 곳)에 방전을 하여 무기 물질에서 유기 화합물을 ⓐ만들어 내는 데 성공했다. 밀러의 실험은 지구에서 생명이 저절로 생겨났다는 오파린 가설을 실험으로써 증명한 것으로 ⓑ여겨지는 분위기였다. 그런데 여기에 생명의 비밀을 풀 열쇠로 일컬어지는 DNA 분자 구조를 제임스 왓슨과 함께 밝혀낸 영국의 분자 생물학자 ㉣프랜시스 크릭이 가세하였다.

크릭은 노벨상 수상 11년 뒤인 1973년 지구 생명의 외계 기원론을 주장하였다. 그는 화학자 레슬리 오겔과 함께 범종설을 다시 끄집어내었다. 두 사람은 밀러의 실험이 놀라운 과학적 성과이지만, 그것이 생명의 지구 기원론을 전적으로 뒷받침하는 것은 아니라고 보았다. 두 사람은 범종설을 약간 변형하여, 40억 년 전쯤 외계 고등 문명이 보낸 미생물로부터 지구의 생명이 시작되었으리라는 '정향(定向) 범종설'을 제안하였다. 크릭의 '정향 범종설'은 그의 저서 『생명 그 자체』에 구체적으로 설명되어 있다. 그는 ㉮외계 존재가 자신들은 우주선에 탑승하지 않고 미생물만 우주선에 태워 보냈을 것이라고 주장했다. 우주선을 보낼 만큼 고등 문명을 지닌 외계 존재가 자신들은 우주선에 타지 않고 미생물만 태운 것은, 외계 존재들이 우주에서 오랜 시간을 여행하고도 복사 에너지에 손상되지 않은 채 지구에 도착하기 어렵기 때문이라고 보았다. 그리고 생물 발생 이전의 지구 대기는 산소가 거의 없었을 가능성이 높으므로 산소 없이 존재할 수 있는 미생물을 태웠을 것이라고 생각했다. 이 미생물이 원시 지구의 생명도 없고 썩지도 않는 바다, 곧 묽은 닭고기 육수 같은 상태의 '원시 국물'에 도달하여 생명을 만들어 냈다는 것이다.

그는 정향 범종설에 대한 반론 중 하나인 '외계에서 미생물이 왔다면 진화에 주어진 시간이 지나치게 짧다'는 것에 대해 반박을 제기하기도 하였다. 즉 우주의 나이는 약 138억 년, 지구의 나이는 약 45억 년인 만큼 90억 년 전 어느 먼 행성에서 생명이 시작되고, 40억~50억 년에 걸쳐 우리와 비슷한 생물체가 발달하고 그들이 가장 단순한 생명 형태를 지구로 보내기에 충분한 시간이라고 주장하였다.

생명의 출현

Q 지구 생명의 기원이 외계에 있다는 주장에는 어떤 것들이 있나요?

* 가설: 어떤 사실을 설명하거나 어떤 이론 체계를 세우기 위하여 설정한 가정.
* 방전: 기체 따위의 절연체를 사이에 낀 두 전극 사이에 높은 전압을 가하였을 때, 전류가 흐르는 현상. 불꽃 방전, 진공 방전 따위가 있다.
* 무기 물질: 탄화수소와 그 유도체를 제외한 모든 화합물과 금속이나 비금속 단순 물질을 통틀어 이르는 말.
* 유기 화합물: 탄소의 산화물이나 금속의 탄산염 따위를 제외한 모든 탄소 화합물을 통틀어 이르는 말.
* 복사 에너지: 물체에서 방출되는 전자기파의 에너지.

0 다음은 이 글의 '내용 구성 방안'입니다. 이 글에 반영되지 <u>않은</u> 것을 고르세요.

논제 – 생명의 기원에 대한 논의들을 정리한다.

내용 구성 방안

• 질문을 던지며 글을 시작하여 독자의 관심을 유도한다. ············① ☐

• 특정 이론에 대한 반론도 함께 제시하며 내용을 전개한다. ········② ☐

• 독자가 어렵게 느낄 수 있는 단어는 그 개념을 풀이해 준다. ·····③ ☐

• 유사한 대상에 빗대는 방식을 활용해 독자의 이해를 돕는다. ······④ ☐

• 논제와 관련된 다양한 관점들을 소개하면서 **절충안**을 찾는다. ···⑤ ☐

절충안이란 '**두 가지 이상의 안**을 서로 **보충**하여 알맞게 **조절한 안**'을 의미하는 말이야.

1 〈보기〉의 밑줄 친 부분에 들어갈 사례로 적절한 것은 무엇인가요?

┤보 기├

학생: 선생님, 사실 고등 문명을 지니고 있다는 외계 존재가 실제로 존재하는지 증명할 수 없잖아요. 그렇게 본다면 크릭의 정향 범종설은 거짓 아닌가요?

선생님: 넌 정향 범종설이 옳다는 게 증명되지 않았다는 것만으로 정향 범종설이 거짓이라고 주장하는 거구나. 그런 것을 무지에 호소하는 오류라고 해. '_____' 같은 예를 들 수 있지.

> 〈보기〉에서 설명하고 있는 논리적 오류가 무엇인지부터 명확하게 파악하는 것이 중요해. 개념 이해를 바탕으로 이와 유사한 사례를 찾아보도록 하자!

① 네 생각은 말도 안 돼. 좀 더 공부하고 와서 다시 이야기해.
② 너 밥 좀 그만 먹어라. 그렇게 먹다가는 배가 터져 버릴 거야.
③ 오빠는 정말 불쌍한 사람이야. 우리 오빠를 이번만 용서해 줘.
④ 유령 따위는 세상에 없어. 유령이 존재한다는 증거를 들 수 없잖아.
⑤ 올해 크리스마스에는 눈이 올 거야. 왜냐하면 작년에도 눈이 왔거든.

니 말이 맞다는 증거를 대 봐! 없지? 그러니까 니 말은 믿을 수 없어!

주장을 뒷받침하는 자료가 없다는 이유로 그 주장을 거부한다면 듣는 사람은 무지 황당하겠지? 이런 게 **무지에 호소하는 오류**야!

2 '크릭'이 ㉮와 같이 판단한 이유로 적절한 것을 〈보기〉에서 모두 고른 것은 무엇인가요?

┤보 기├

ㄱ. 진화하는 데 충분한 시간이 주어지지 않았기 때문에 외계에서 온 미생물은 지구에서 제대로 발달하지 못했을 것이다.

ㄴ. 외계 존재들은 우주에서 오랜 시간을 여행하고도 복사 에너지에 손상되지 않은 채 지구에 도착하기 어려웠을 것이다.

ㄷ. 생물 발생 이전의 지구 대기는 산소가 거의 없었을 가능성이 높으므로 외계 존재들은 산소 없이 존재할 수 있는 미생물을 보냈을 것이다.

① ㄱ   ② ㄴ   ③ ㄴ, ㄷ
④ ㄱ, ㄷ   ⑤ ㄱ, ㄴ, ㄷ

3 ㉠~㉣에 대한 이해로 적절하지 <u>않은</u> 것은 무엇인가요?

① ㉠은 우주에서 떠돌던 미생물에서 생명이 탄생했다는 ㉡의 가설을 반박하였다.

② ㉣은 『생명 그 자체』라는 저서를 통해 ㉡이 주장한 '범종설'을 변형한 '정향 범종설'을 제안하였다.

③ ㉣은 ㉠과 함께 DNA 분자 구조를 밝혀내어 이를 바탕으로 지구 생명의 '외계 기원론'을 주장하였다.

④ ㉣은 ㉢의 실험에 대해 과학적 성과로 볼 수 있지만 생명의 지구 기원론을 전적으로 뒷받침하지는 못한다고 보았다.

⑤ ㉢의 실험의 영향으로 지구에서 생명이 저절로 생겨났다는 ㉠의 가설이 증명되는 것으로 여겨지는 분위기가 형성되기도 하였다.

4 ⓐ, ⓑ와 바꾸어 쓸 수 있는 말을 바르게 짝지은 것은 무엇인가요?

	ⓐ	ⓑ
①	발산(發散)해	분별(分別)되는
②	발산(發散)해	간주(看做)되는
③	생성(生成)해	분별(分別)되는
④	생성(生成)해	간주(看做)되는
⑤	생성(生成)해	분류(分類)되는

원소는 어떻게 만들어졌을까 ———

우주의 만물은 모두 원소로 이루어져 있다. 원소는 모든 물질을 구성하는 기본 요소로, 화학적으로 보면 성립과 구조가 가장 간단한 성분을 일컫는다. 지금까지 알려진 원소의 종류는 118개인데, 흔히 이들이 우주가 생겨날 때부터 존재했을 것이라고 생각하지만 원소에 따라 그 생성 기원이 다르다. 특히 26개는 기계 장치를 이용해 실험실에서 만들어진 원소이다. 자연에서 발견된 원소는 사실상 92가지라고 할 수 있는데, 이 원소들은 어떻게 만들어졌을까?

원소의 기원을 찾는 일은 20세기 물리학자들과 화학자들에게 주어졌던 중요한 과제 중 하나였다. 우주를 구성하고 있는 원소의 대부분은 수소와 헬륨인데, 이 두 원소가 빅뱅의 과정에서 만들어졌다는 것을 처음으로 밝혀낸 사람은 조지 가모와 랄프 알퍼였다. ㉠그들은 빅뱅 우주론에 대해 연구하는 과정에서 우주에 존재하는 수소와 헬륨의 수가 약 10:1이라는 것을 밝혀내었다. 이 연구 결과는 「화학 원소의 기원」이라는 논문에 발표되어 당대 과학자들의 ⓐ   . 하지만 수소와 헬륨 이외의 원소들의 기원에 대해서는 설명하지 못하는 한계가 있었다.

헬륨보다 무거운 원소들이 빅뱅의 과정에서 만들어질 수 없었다면 이들은 어디에서 만들어진 것일까? 태양을 비롯한 대부분의 별이 주로 수소와 헬륨으로 이루어져 있었다는 것은 이미 알려져 있었다. 이에 별이 내는 에너지가 수소와 헬륨으로 변하는 핵융합*에 의해 나오는 것이 아닐까 하고 생각하는 과학자들이 나타났다. 특히 프레드 호일, 윌리엄 파울러 등과 같은 과학자들의 노력으로 별 내부에서 가장 가벼운 원소인 수소가 헬륨 원자핵으로 바뀌는 과정이 설명되었고, ㉡별의 내부에서 여러 단계의 핵융합 반응을 통해 헬륨보다 무거운 마그네슘, 규소, 황 등과 같은 원소들이 만들어진다는 사실이 밝혀졌다. 그러나 여기에도 한계가 있었다. ㉢별 내부에서의 핵융합 반응으로는 철보다 더 무거운 원소를 만들 수 없다는 것을 알게 되었기 때문이다.

우주에는 철보다 더 무거운 원소를 만들어 내는 또 하나의 원자핵 합성 과정이 남아 있다. 바로 초신성의 폭발이다. 초신성은 질량이 큰 별이 진화하는 마지막 단계로, 급격한 폭발로 엄청나게 밝아진 뒤 점차 사라지는 것이 특징이다. ㉣별을 구성하는 모든 양성자*가 붕괴하여 중성자*가 만들어지는 초신성의 폭발 시에는 별이 일생 동안 핵융합을 통해 방출한 것보다 훨씬 많은 에너지가 아주 짧은 순간에 방출된다. 이 넘쳐나는 에너지가 순식간에 라듐이나 우라늄 등과 같은 무거운 원소를 만들어 내는 것이다. ㉤초신성 폭발은 큰 에너지로 무거운 원소를 만들 뿐만 아니라 별의 일생을 통해 만들어 낸 무거운 원소들을 우주 공간에 흩어 놓아 우주가 화학적으로 풍요로운 공간이 되도록 하는 역할도 한다.

초신성 폭발

원소의 기원

Q 우주를 구성하고 있는 원소의 대부분을 차지하며 빅뱅 과정에서 만들어진 원소 두 가지는 무엇인가요?

* 핵융합: 가벼운 몇 개의 원자핵이 핵반응으로 결합하여 무거운 원자핵으로 되는 일.
* 양성자: 중성자와 함께 원자핵의 구성 요소가 되는 소립자의 하나.
* 중성자: 수소를 제외한 모든 원자핵을 이루는 구성 입자.

0 이 글에 제시된 질문에 주목할 때 글쓴이가 말하고자 하는 핵심 화제를 고르세요.

① 초신성의 특징

② 원소의 생성 기원

③ 수소와 헬륨의 발견

④ 빅뱅 우주론의 한계

⑤ 별 내부에서의 핵융합 반응

핵심 화제는 글에서 항상 반복적으로 제시될 수밖에 없어. 반복적으로 사용되는 어구가 무엇인지 생각해 보면 답을 찾을 수 있어!

물고기를 잡을 때 미끼를 던지듯,
글쓴이도 독자에게 질문이라는 미끼를 던진다!

1 이 글을 통해 알 수 있는 내용이 <u>아닌</u> 것은 무엇인가요?

① 무거운 원소에 해당하는 우라늄은 초신성이 폭발할 때 발생하는 에너지에 의해 만들어졌다.

② 조지 가모와 랄프 알퍼는 수소와 헬륨 원소가 빅뱅의 과정에서 만들어졌다는 것을 처음으로 밝혀내었다.

③ 지금까지 알려진 원소의 종류는 118개로, 그중 일부는 기계 장치를 이용해 실험실에서 인공적으로 만들어졌다.

④ 별 내부에서 헬륨 원자핵이 가벼운 수소로 바뀌는 과정은 프레드 호일, 윌리엄 파울러 등과 같은 과학자들의 노력으로 설명되었다.

⑤ 조지 가모와 랄프 알퍼가 발표한 「화학 원소의 기원」이라는 논문에서는 수소와 헬륨 이외의 원소들의 기원을 설명하지 못했다.

2 〈보기〉의 선생님의 질문에 대한 답으로 적절한 것은 무엇인가요?

┤보 기├

선생님: 글의 내용을 근거로 하여 '수소', '라듐', '철', '마그네슘'을 무거운 원소부터 가벼운 원소의 순으로 배열해 볼까요?

① 라듐 > 철 > 수소 > 마그네슘

② 라듐 > 마그네슘 > 철 > 수소

③ 라듐 > 철 > 마그네슘 > 수소

④ 수소 > 철 > 마그네슘 > 라듐

⑤ 수소 > 마그네슘 > 철 > 라듐

글의 내용을 꼼꼼하게 읽었는지를 묻는 문제야. '수소', '라듐', '철', '마그네슘'이 본문의 어느 부분에서 언급되었는지 찾아보고, 그것들이 무거운 원소인지, 가벼운 원소인지를 비교해 보면 문제를 풀 수 있을 거야.

3 ㉠~㉤ 중, 〈보기〉를 바탕으로 뒷받침할 수 있는 내용으로 가장 적절한 것은 무엇인가요?

┤보 기├

핵융합에 의해 철 원소가 만들어지는 조건에서 일시적으로 철보다 무거운 원소가 만들어질 수도 있지만, 그 원소는 다시 분해되어 안정된 철로 되돌아간다.

① ㉠   ② ㉡   ③ ㉢   ④ ㉣   ⑤ ㉤

4 〈보기〉를 참고할 때, ⓐ 에 들어갈 말로 가장 적절한 것은 무엇인가요?

┤보 기├

ⓐ에는 '주의나 관심 따위를 쏠리게 하다.'라는 의미를 가진 말이 들어가는 것이 문맥상 적절하다.

① 눈에 어리었다
② 손발이 맞았다
③ 이목을 끌었다
④ 발을 디디었다
⑤ 말을 맞추었다

Q 다음은 생각을 읽을 수 있는 지문 구조도를 퍼즐로 나타낸 것입니다. 앞에서 읽은 글의 내용을 떠올리며 생각읽기 1~6에 해당하는 퍼즐을 선으로 연결해 보세요.

문단으로 생각읽기

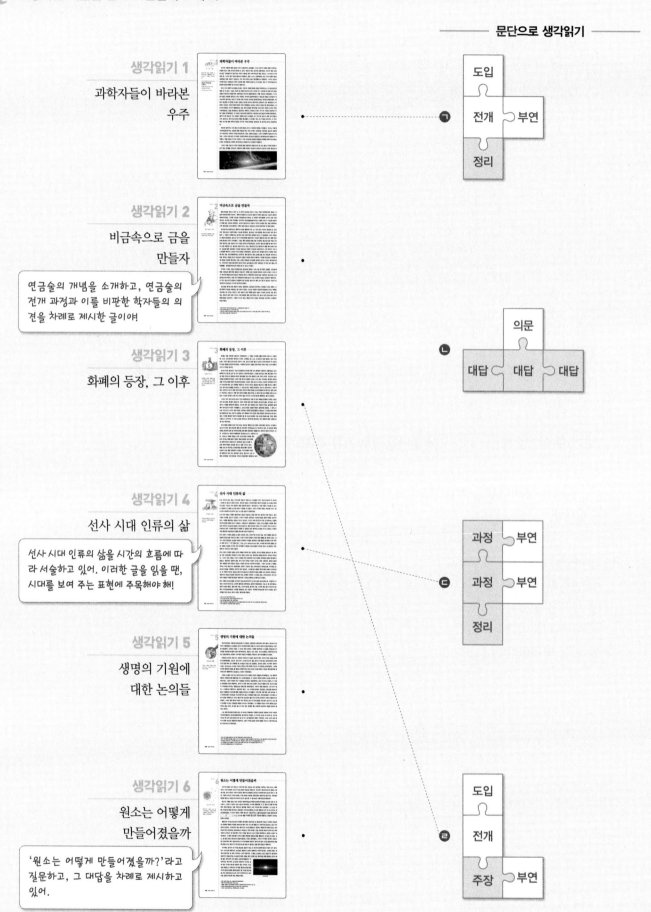

생각읽기 1

과학자들이 바라본 우주

생각읽기 2

비금속으로 금을 만들자

연금술의 개념을 소개하고, 연금술의 전개 과정과 이를 비판한 학자들의 의견을 차례로 제시한 글이야!

생각읽기 3

화폐의 등장, 그 이후

생각읽기 4

선사 시대 인류의 삶

선사 시대 인류의 삶을 시간의 흐름에 따라 서술하고 있어. 이러한 글을 읽을 땐, 시대를 보여 주는 표현에 주목해야 해!

생각읽기 5

생명의 기원에 대한 논의들

생각읽기 6

원소는 어떻게 만들어졌을까

'원소는 어떻게 만들어졌을까?'라고 질문하고, 그 대답을 차례로 제시하고 있어.

ㄱ 도입 / 전개 · 부연 / 정리

ㄴ 의문 / 대답 · 대답 · 대답

ㄷ 과정 · 부연 / 과정 · 부연 / 정리

ㄹ 도입 / 전개 / 주장 · 부연

1 우주의 기원에 대한 관심은 창조 신화에서부터 시작하여 허블의 법칙과 우주 배경 복사를 근거로 한 ☐☐ 이론으로 전개되었다.

2 비금속으로 ☐과 은 등의 귀금속을 만들려는 시도인 ☐☐☐은 현재는 더 이상 연구되지 않지만, 근대 화학의 기반을 마련하는 데 도움을 주었다.

3 ☐☐는 교환 매개의 수단으로 쓰인 물품 화폐에서 시작하여 금속 화폐를 거쳐 현재는 지폐와 주화가 사용되고 있다.

4 인류가 출현하여 인류의 삶이 시작되는 ☐☐ 시대에는 구석기 시대와 신석기 시대가 포함되며, 이후 청동기 시대로 바뀌면서 역사 시대에 들어서게 된다.

5 생명의 기원에 대한 학설로는 지구에 기원이 있다고 보는 '오파린 가설'과 외계에 기원이 있나고 보는 '☐☐☐', '정향 범종설' 등이 있다.

6 지구상의 자연에서 발견되는 ☐☐들은 우주의 빅뱅 과정, 핵융합 반응, 초신성의 폭발 등을 통해 만들어졌다.

인간은 왜 기원을 생각할까?

"세상 모든 것엔 그 시작이 있다"

우주는 빅뱅에서 시작되었고, 모든 물질은 138억 년 전에 만들어졌으며, 지구의 생명은 45억 년 전에 시작되었습니다. 인류가 던져 온 수많은 질문 중 그 시작을 나타내는 기원, 우주, 물질, 생명, 인류, 문명, 경제까지 그 시작과 탄생에 관한 거대하고 신비로운 이야기들을 읽다 보면, 우리는 누구인지, 어디에서 왔는지, 어디로 가는지도 알 수 있지 않을까요?

> 우리는 어디에서 왔는가? 우리는 누구인가?
> 우리는 어디로 가는가?
> – 폴 고갱

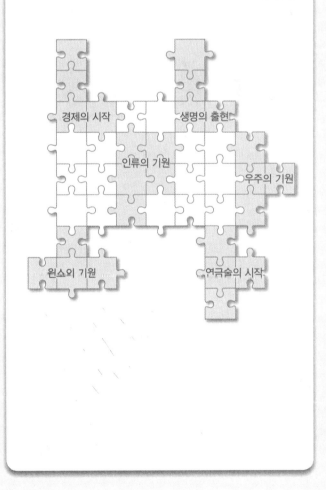

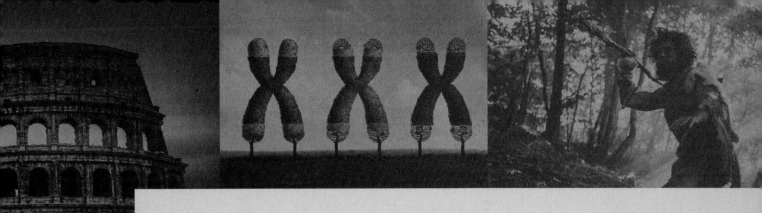

07 소멸

생각의 발견

소멸을 말하다!

이 세상에 존재하는 모든 것에는 그 존재의 끝이 있습니다. 사실상 영원히 존재하는 것은 없으며, 대상이 무엇이든 소멸의 과정을 겪기 마련입니다. 그렇지만 소멸은 또 다른 탄생을 의미하기도 합니다. 그래서 우리는 우리를 둘러싼 것들이 소멸하는 과정과 그 원인을 살펴보면서 우리에게 다가올 미래가 무엇인지 예측하고, 같은 소멸의 과정을 겪지 않기 위해서 어떻게 대처해야 할지를 고민할 수 있는 것입니다. 소멸과 관련된 생각들을 읽어 나가다 보면 좀 더 발전적인 미래도 만날 수 있지 않을까요?

네안데르탈인은 왜 사라졌을까

네안데르탈인*은 현생 인류*보다 먼저 빙하 시대에 살던 인류로 당시 유럽을 지배하며 살고 있었다. ㉠네안데르탈인은 ㉡현생 인류와 함께 가장 최근까지 생존했던 인류로서 동아프리카에서 시작된 현생 인류와 약 7,000년 이상을 공존하다 멸종되었다. 네안데르탈인은 왜 사라졌을까? 네안데르탈인의 키는 현생 인류보다 작았지만 몸집과 뇌는 더 컸다고 알려진다. 그들은 혹독한 자연 환경에서 집단으로 생활하며 서로 협력하면서 살았고, 생존을 위한 수준에 불과했지만 언어도 사용할 만큼 발달한 문명을 지니고 있었다. 이러한 네안데르탈인이 어떻게 멸종했는지를 ⓐ밝히는 것은 고고학계의 오랜 과제였다. 멸종의 원인을 설명할 수 있는 명확한 증거는 아직까지 없으며, 현생 인류와의 경쟁에서 밀려 도태*되었다는 가설부터 기후 변화에 적응하지 못해 멸종된 것이라는 가설에 이르기까지 다양한 학설들이 존재한다.

현생 인류는 네안데르탈인보다 생물학적 수명이 길었다. 긴 유년기를 보내면서 뇌를 발달시키고 사회적으로 성장할 수 있는 시간이 충분했으며, 성인이 되어서도 오래 살아남으면서 사회 유지와 발전에 도움이 되었다. 그에 비해 네안데르탈인의 수명은 길어도 약 30~35년으로 짧은 생애를 살았다. 그만큼 짧은 유년기로 인해 신체적으로나 사회적으로 성장할 기회 없이 오로지 생존만을 위해 살아갔으며, 성인으로서의 삶도 길지 못했다. 여기서 지적 능력과 사회성 면에서 수준 차이가 생기게 되었고, 개인적 힘은 약했지만 사회적 힘이 강했던 현생 인류와의 생존 경쟁에서 패한 네안데르탈인이 결국 멸종되었다는 주장이다.

또 다른 관점으로는 현생 인류의 세력이 강화되면서 점점 추운 곳으로 밀려난 네안데르탈인이 극심한 빙하기가 오자 훨씬 더 불리한 처지에 놓이게 되었을 것이라는 주장이 있다. 급격한 기후 변화가 왔을 때 현생 인류는 이미 큰 마을 단위의 사회로까지 집단 규모를 확대하며 네안데르탈인의 10배에 가까운 인구를 이루고 있었고 주요 유럽 대륙을 차지하고 있었다. 이에 비해 북쪽 추운 지역에 주로 거주했던 네안데르탈인은 혹독한 추위 때문에 식량 수급에 어려움을 겪게 되었다. 혹한*의 환경에서는 육식 위주의 고열량 식사를 해야 하지만, 음식을 주로 날로 먹어 소화되는 비율조차 적었던 네안데르탈인에게 이러한 환경은 매우 비효율적이었고 결국 이로 인해 멸종하게 되었다는 것이다.

이 밖에도 현생 인류로부터 전파된 질병이 네안데르탈인에게 치명적으로 작용했을 가능성, 현생 인류의 공격으로 학살되었을 가능성도 언급되고 있으며, 최근에는 다른 인종과의 경쟁이나 기후 변화 등의 외부 요인이 없었더라도 네안데르탈인은 인구가 매우 적었기 때문에 자연적으로 소멸했을 가능성이 크다는 주장도 제기되었다.

인류의 종말

Q 유년기의 차이가 두 인류에게는 어떤 결과를 가져왔나요?

---

* 네안데르탈인: 1856년 독일 네안데르탈의 석회암 동굴에서 머리뼈가 발견된 화석 인류. 제4빙하기에 살아 있었던 것으로 보며, 지금의 인류와 유인원의 중간 형질로 유럽 각지와 소아시아에서도 발견되었다. 가장 오래된 화석은 약 43만 년 전이며 약 42,000년 전에 멸종한 것으로 추정된다.
* 현생 인류: 현재 생존하고 있는 인류와 같은 종에 속하는 인류.
* 도태: 여럿 중에서 불필요하거나 부적당한 것이 줄어 없어짐.
* 혹한: 몹시 심한 추위.

0 이 글에서 글쓴이가 말하려고 하는 핵심 화제가 무엇인지 고르세요.

① 네안데르탈인이 지닌 집단적 특성 ☐

② 네안데르탈인의 신체적 특징과 한계 ☐

③ 네안데르탈인이 현생 인류에 미친 영향 ☐

④ 네안데르탈인의 멸종에 관한 다양한 가설 ☐

⑤ 네안데르탈인과 현생 인류의 문화 교류 양상 ☐

각 문단의 중심 내용을 통해 핵심 화제를 파악해 봐.

1 **이 글에 대한 이해로 적절한 것은 무엇인가요?**

① 네안데르탈인이 멸종한 후에 현생 인류가 나타났다.
② 네안데르탈인의 수명은 사회성을 발달시키기에 충분하였다.
③ 네안데르탈인이 멸종한 이유에 대해서는 이미 정확하게 밝혀진 학설이 있다.
④ 네안데르탈인의 멸종 원인으로는 모두 외부 요인에 의한 것만 언급되고 있다.
⑤ 네안데르탈인이 급격하게 추워진 기후에 적응하지 못하고 멸종했다는 주장이 있다.

2 **〈보기〉의 관점에서 이 글의 내용을 평가할 수 있는 말로 적절한 것은 무엇인가요?**

┤보 기├

　일반적으로 불을 이용해 고기를 조리하면 날고기를 먹을 때보다 소화가 더욱 잘 된다. 소화가 잘 된다는 것은 같은 양의 음식을 먹어도 더 많은 에너지가 체내에 쌓일 수 있다는 것을 의미한다. 한 연구진은 네안데르탈인이 불을 사용하고 현생 인류 못지않은 뛰어난 도구를 만들어 사용했다는 근거는 있지만 현생 인류와는 달리 음식을 조리할 때에는 불을 사용하지 않은 것으로 보았다. 이러한 점 때문에 네안데르탈인이 멸종되었을 것이라고 주장한다.

① 불을 사용하지 않고 음식을 날로 먹었던 네안데르탈인은 세균으로 인한 질병에 걸릴 수밖에 없었겠군.
② 네안데르탈인은 음식을 날로 먹었기 때문에 현생 인류보다 적은 양의 식량으로도 살아남을 수 있었겠군.
③ 지적 능력의 한계로 불을 사용할 수 있는 도구를 만들지 못한 것이 네안데르탈인의 생존에 영향을 준 셈이군.
④ 네안데르탈인이 도구를 사용하여 다양한 동물을 사냥할 수 있었다면 필요한 에너지를 충분히 섭취할 수 있었겠군.
⑤ 빙하기에는 사냥이 어려운데다가 날로 먹는 습관 때문에 네안데르탈인이 생존에 필요한 에너지를 더 공급받지 못했겠군.

마주 보는 사람들로 보여? 잔으로 보여?
관점은 글쓴이가 글의 화제나 대상에 대해 취하는 입장이야.

3 ㉠과 ㉡에 대한 이해로 적절한 것은 무엇인가요?

① ㉠은 ㉡에 비해 몸집과 뇌가 더 작았다.

② ㉠은 ㉡과 마찬가지로 짧은 유년기를 보냈다.

③ ㉡은 ㉠에 비해 덜 추운 지역에서 거주하였다.

④ ㉡은 ㉠에 비해 작은 규모의 사회를 이루며 살았다.

⑤ ㉠은 ㉡과 달리 서로 소통할 수 있는 언어가 전혀 없었다.

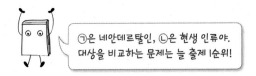

㉠은 네안데르탈인, ㉡은 현생 인류야.
대상을 비교하는 문제는 늘 출제 1순위!

4 다음 중 ⓐ와 문맥적 의미가 유사한 것은 무엇인가요?

① 당신은 세상을 밝히는 등불입니다.

② 그 기사는 사건의 전모를 자세히 밝혔다.

③ 자식 걱정 때문에 뜬눈으로 밤을 밝혔다.

④ 돈만 밝히던 사장은 결국 사기를 당하였다.

⑤ 부당한 것에는 단호하게 거절 의사를 밝히는 것이 좋다.

Q 게르만족은 왜 로마를 침공하였을까요?

글쓴이의 관점이 왜 중요할까
글의 관점에 주목하자!
관점은 곧 글의 주제와 관계되니까!

▶ 원리로 생각읽기 200쪽

로마 제국은 왜 멸망했을까

고대 로마 제국의 정치가이자 역사학자인 카시우스 디오는 몰락의 길로 가고 있는 제국을 바라보면서 '황금 왕국으로부터 이어져 내려온 우리의 역사가 이제 녹슨 철의 왕국으로 넘어가려 한다.'라며 한탄했다고 한다. 로마 제국은 작은 도시 국가로 시작하였지만 유럽과 아프리카 일대까지 세력을 확장하며 세계를 호령했다. 로마 제국의 최고 전성기에는 지금의 유럽 연합보다도 큰 영토를 차지했다고 한다. 그런데 이렇게 강대한 제국이었던 로마는 왜 멸망하게 된 것일까?

주로 야만족들의 무자비한 약탈과 침략을 로마 제국 멸망의 원인으로 언급하곤 한다. 그런데 로마는 과연 ＿＿＿＿＿＿＿ ⓐ ＿＿＿＿＿＿＿? 로마 제국이 멸망한 데에는 내부적인 문제도 큰 비중을 차지한다. 강 하나를 사이에 두고 로마와 이웃해 있던 게르만족은 훈족*의 공격을 피해 로마로 넘어오게 되었다. 당시 로마는 그동안 다양한 이민족*을 수용하며 번영해 왔기 때문에 게르만족이 로마 제국으로 이주하는 것을 허용했다. 하지만 그 대신 로마는 게르만족을 무지한 야만인으로 취급하는 형태의 이주 조건을 제시했다. 그 첫 번째 조건은 게르만족이 지닌 무기를 반납하라는 것이었다. 하지만 게르만족에게 무기는 자존심과도 같은 것이었다. 두 번째 조건은 게르만족 자녀들을 인질로 삼겠다는 것이었다. 이로 인해 게르만족의 자녀들이 로마인들에게 혹독한 고통을 겪게 되었고, 이에 분노한 게르만족은 로마 제국을 침공하게 된다. 즉 게르만족의 침략은 결국 로마인들 스스로가 자초한* 일이라고 볼 수 있는 것이다.

한편, 서로마 제국의 실질적인 지도자였던 스틸리코 장군은 게르만족의 1, 2차 침략으로부터 로마를 구한 공을 인정받으며 점차 지지 세력이 커지고 있었다. 그러나 이에 위기감을 느낀 귀족들은 스틸리코 장군이 적과 내통했다고 음해하며 로마의 마지막 희망이었던 현명한 지도자를 버리고 만다. 결국 지배층들의 권력 투쟁이 로마를 붕괴시키고 만 것이다.

뿐만 아니라 로마가 그리스도교 때문에 멸망했다는 관점도 있다. 당시 로마는 그리스도교인이라는 이유로 우수한 인재들이 군대가 아닌 수도원으로 가게 되면서 군인의 숫자가 크게 부족해졌다. 또한 교리 논쟁이 더해지면서 국론이 분열되고 내란이 일어나기도 하였다. 제일 큰 문제는 국가를 유지해야 할 돈이 교회와 수도원으로 흘러가 점차 국가 재정이 고갈되었다는 것이다. 교회가 국가 재정을 갉아먹는 현상이 점점 심화되면서 성직자들이 타락하고 부패하게 되었으며 결국 로마 사회를 썩게 만들었다고 본 것이다.

아마도 로마 제국 멸망의 원인은 수십 가지에 달할 것이다. 영국의 역사학자인 골즈워디는 '이민족 침략자들이 로마의 숨통을 끊어 놓았다고 하는데 ⓐ그들은 그저 ⓑ쇠락해진 몸에 최후의 일격을 날렸을 뿐'이라고 분석한다. 어쩌면 로마 제국은 그 규모부터가 엄청났던 만큼 오랜 세월에 걸쳐 여러 가지 원인들이 쌓여 가며 점진적으로 몰락의 길로 가게 된 것인지도 모른다.

---

* 훈족: 중앙아시아의 스텝 지대에서 활약하던 유목 민족. 4세기 중엽에 서쪽으로 이동하여 유럽에 침입하여 게르만 민족 대이동을 유발하였다.
* 이민족: 언어·풍습 따위가 다른 민족.
* 자초하다: 어떤 결과를 자기가 생기게 하다. 또는 제 스스로 끌어들이다.

0 이 글을 바탕으로 기사문을 작성할 때, 가장 적절한 제목은 무엇인가요?

① 로마, 결국 외부의 침략에 의해 무너지다

② 로마, 발전을 위해 과감히 멸망을 선택하다

③ 작은 도시로 시작한 로마, 세계를 호령하다

④ 로마의 가장 큰 적은 바로 로마 자신이었다

⑤ 오랜 시간 만들어진 로마의 힘, 한번에 사라지다

글의 제목에는 글의 핵심 내용이 드러나야 해. 핵심 화제와 글쓴이의 관점이 함께 반영되어야 하는 거야.

1 이 글을 읽고 보인 학생들의 반응을 나타낸 것입니다. 내용을 잘못 이해한 학생은 누구인가요?

> 지민: 로마에는 다양한 이민족들이 수용되어 살고 있었군.
>
> 다미: 로마와 게르만족은 서로 가까운 지역에 위치하였군.
>
> 민용: 로마가 멸망한 이유 중에는 국가 재정 고갈의 문제도 있었군.
>
> 보현: 스틸리코 장군도 결국 권력을 지키려다가 귀족들에게 쫓겨난 것이군.
>
> 은정: 로마가 게르만족에게 제시한 이주 조건은 게르만족을 화나게 했겠군.

① 지민   ② 다미   ③ 민용   ④ 보현   ⑤ 은정

2 ㉠에 들어갈 내용으로 가장 적절한 것은 무엇인가요?

① 강력한 제국이었을까
② 정말로 침략을 받은 것일까
③ 평화로운 사회를 유지했을까
④ 외부의 침략에 무너진 것일까
⑤ 짧은 시간에 멸망하게 되었을까

3 〈보기〉와 이 글을 비교하여 이해한 내용으로 적절한 것은 무엇인가요?

┤보 기├

　　삼국 시대를 거쳐 신라와 고려 시대까지 불교가 국교로 이어져 오면서 고려 말에는 국가 토지의 상당 부분을 사찰이 소유했다. 소수의 귀족과 사찰이 토지의 대부분을 차지하게 되자 백성들은 먹고 살 방법이 없게 되었고 겨우 소작농이 되거나 노비가 되어 생계를 유지할 수밖에 없었다. 뿐만 아니라 귀족들과 사찰은 나라에 세금을 내지 않는 특혜를 받고 있어 이 부담이 고스란히 백성들에게 넘어갔고, 그들은 없는 형편에 이중 삼중의 부담을 져야만 했다. 이렇게 국고가 텅텅 빈 상태에서 홍건적과 왜구가 침입하니 갈수록 민생이 어려워지고 고려는 결국 무너질 수밖에 없었다.

① 고려는 로마와 달리 종교가 나라에 부정적인 영향을 끼친 역사가 있군.
② 고려는 로마와 달리 결국 국고가 고갈되면서 나라가 흔들리게 된 것이군.
③ 고려는 로마와 달리 상류층의 부패로 인한 사회적 문제가 나라를 망하게 한 것이군.
④ 고려는 로마와 마찬가지로 지배층들 간의 갈등으로 인해 나라의 기반이 무너진 것이군.
⑤ 고려는 로마와 마찬가지로 외부의 침입이 나라의 멸망에 영향을 주었다고 볼 수 있겠군.

4 ⓐ와 ⓑ가 지칭하는 대상으로 알맞은 것은 무엇인가요?

	ⓐ	ⓑ
①	성직자	교회
②	교회	로마
③	이민족 침략자	로마
④	성직자	이민족 침략자
⑤	이민족 침략자	교회

내 마음은 호수요.

비유적인 표현을 이해하려면 말하고 싶은 원대상(원관념)과
비유하는 대상(보조 관념)의 관계부터 알아야 해!

글에서 드러나는 관점에 주목해야 하는 이유

식탁 위에 그림과 같은 컵이 놓여 있습니다. 컵을 반으로 잘라 낸 단면은 어떤 모양일까요?

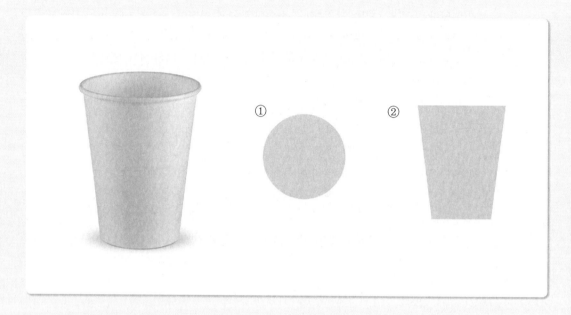

위 질문에 대한 답은 '모두 정답'입니다. 왜 그럴까요? 바로 컵을 어느 시선에서 보느냐에 따라 단면의 모양이 달라질 수 있기 때문입니다. 만약 컵을 위에서 보았다면 컵의 단면은 둥근 원으로 보이겠지만 컵을 정면에서 바라보게 되면 컵의 단면은 사다리꼴이 됩니다. 이처럼 단순한 사물도 바라보는 시선의 방향에 따라 달리 보일 수 있습니다.

글을 읽을 때에는 글에 드러나는 관점을 파악하는 것이 중요합니다. 왜일까요? 같은 사물이나 현상이라도 이를 바라보는 사람의 태도나 방향, 처지에 따라 서로 다른 해석이 가능하기 때문입니다. 따라서 핵심 화제가 같은 글일지라도 글쓴이의 관점에 따라 주제는 달라질 수 있습니다. **글의 관점 파악은** 곧 주제를 파악하는 것과 밀접한 관계가 있기 때문입니다.

196쪽 지문

주로 야만족들의 무자비한 약탈과 침략을 로마 제국 멸망의 원인으로 언급하곤 한다. 그런데 로마는 과연 _____㉠_____? 로마 제국이 멸망한 데에는 내부적인 문제도 큰 비중을 차지한다. 각 ~~지나를 시스 매 득그 근미이 이우해 이던~~ 게르만족은 훈족[*]의 공격을 피해 로마로 넘어오게 ~~되었다.~~ **글쓴이의 관점이 어디를 향하는지를 알아야** 용하며 번영해 왔기 때문에 게르만족이 로마 **글의 주제가 무엇인지 알 수 있다!** ~~신~~ 로마는 게르만족을 무지한 야만인으로 취급하는 형태의 이주 조건을 제시했다. 그 첫 번째 조건은 게르만족이 지닌 무기를 반납하라는 것이었다. 하지만 게르만족에게 무기는 자존심과도 같은 것이었다. 두 번째 조건은 게르만족 자녀들을 인질로 삼겠다는 것이었다. 이로 인해 게르만족의 자녀들이 로마인들에게 혹독한 고통을 겪게 되었고, 이에 분노한 게르만족은 로마 제국을 침공하게 된다. 즉 게르만족의 침략은 결국 로마인들 스스로가 자초한[*] 일이라고 볼 수 있는 것이다.

독해연습 1   아래 문장을 읽고, 물음에 답하세요.

> (가) '반톡'은 스마트폰을 사용한 단체 대화로 학급의 공지 사항을 알리거나 친구들과의 친목을 도모
> 할 수 있다는 점에서 효과적이다.
> (나) '반톡'은 스마트폰을 사용한 단체 대화로 반톡 중에 은근한 따돌림이 발생하거나 학생들의 스마
> 트폰 사용 횟수가 늘어나는 단점이 있다.

1 (가)와 (나)의 핵심 소재는 무엇인지 찾아 써 보세요.

2 핵심 화제에 대한 (가)와 (나)의 관점을 파악하여 (   ) 안에 들어갈 알맞은 단어를 고르세요.

> • (가)는 반톡을 사용하는 것에 (찬성, 반대)하는 관점이고, 이와 달리 (나)는 (찬성, 반대)하는 관
> 점이다.

독해연습 2   아래 문단을 읽고, 물음에 답하세요.

> 인간의 본성을 이해하는 관점에는 여러 가지가 있는데, 그중 동양에서는 성선설, 성악설, 성무선
> 악설이 대표적이다. 성선설은 맹자가 주장한 것으로 인간은 태어날 때부터 다른 사람을 불쌍히 여기
> 고 자신의 잘못을 부끄러워하며, 옳고 그름을 구별할 수 있는 존재라고 보는 관점이다. 성악설은 순
> 자의 주장으로 인간은 본래 이기적이고, 질투와 미움의 감정을 지닌 존재라고 보는 관점이고, 성무
> 선악설은 인간의 본성은 결정된 것이 아니라 인간의 선택과 환경에 의해 결정되는 것이라고 보는 관
> 점이다. 그런데 한 부모에게서 태어난 쌍둥이가 각기 다른 환경에서 성장한 후 완전히 다른 사고관
> 을 지니게 되었다는 사례를 보면 인간의 본성은 정해진 것이 아니라는 생각이 든다.

1 인간의 본성에 대한 관점 중 위 글은 어느 것에 해당하나요?

2 (가)~(다) 중 위 글의 관점과 일치하는 것은 무엇인가요?

> (가) 본성을 따르고 감정에 맡겨 버리면 반드시 다투게 되어 규범과 사회가 무너져 드디어는 천
> 하가 혼란에 빠지게 된다.
> (나) 사람의 본성은 소용돌이치는 물과 같다. 물길을 동쪽으로 트면 동쪽으로 흐르고, 서쪽으로
> 트면 서쪽으로 흐른다.
> (다) 사람의 본성이 선한 것은 마치 물이 아래쪽으로 흐르는 것과 같다. 사람은 선하지 않은 사람
> 이 없고, 물은 낮은 데로 흘러가지 않는 것이 없다.

지구상에서 사라져 가는 언어들

언어의 소멸

Q 다양한 언어의 존재가 중요한 이유는 무엇인가요?

유엔(UN)은 2019년을 '세계 토착어*의 해'로 정하였다. 사라지는 언어에 대한 사람들의 관심을 일깨우기 위해서이다. 현재 세계에 존재하는 언어는 약 6,700가지가 되지만 이 중 40% 이상이 곧 사라질 위기에 처해 있으며 21세기가 끝나기 전에 90%에 달하는 언어가 소멸될 것이라 예상되고 있다. 한 연구 조사에 따르면 지난 500년 동안 전체 언어의 4.5%가 소멸되었는데 같은 기간 동안 멸종된 포유류가 1.9%인 것에 비하면 언어가 동식물보다 더 심각한 소멸 위기에 처해 있음을 알 수 있다. 지금은 소멸 속도가 더 빨라져 2주일에 1개꼴로 지구상에서 언어가 사라지고 있다고 한다.

우리나라에도 소멸될 위기에 처한 언어가 존재한다. 2010년 12월, 유네스코의 '소멸 위기 언어 레드북 홈페이지'에는 우리나라의 제주어가 인도의 코로어와 함께 소멸 위기 언어로 등재된 바 있다. 제주어는 유네스코가 정한 기준에 의해 소멸 위기 언어의 네 번째 단계인 '아주 심각한 위기에 처한 언어'로 규정됐다. 이는 마지막 단계인 '소멸하는 언어'의 바로 전 단계에 해당한다. 제주어는 조선 시대 훈민정음 창제 당시에 쓰던 어휘도 일부 남아 있어 소중한 문화 자산이다. 하지만 표준어 교육으로 인해 현재는 노령 인구만 드물게 사용하고 있다. 2010년 제주의 중고등학생을 대상으로 조사한 결과, 제주어 120개 어휘 중 90% 이상이 알고 있는 단어로는 아빠, 엄마, 할아버지, 할머니에 해당되는 4개의 단어 뿐이었다고 한다.

어떤 사람들은 소수 언어들이 사라져도 우리의 삶에는 큰 영향이 없을 것이라고 생각할 수도 있다. 하지만 언어는 그 언어를 사용하는 사람들의 역사, 관습, 전통, 기억, 독특한 사고방식과 의미, 표현을 담는 그릇으로써 이것들을 보존할 수 있게 한다. 세계 곳곳에 존재하는 다양한 언어들은 인류의 문화적 다양성*에 이바지하는 것이며, 언어가 소멸된다는 것은 그 속에 담긴 집단의 전통과 정체성을 잃는 것을 의미한다. 한 연구학자가 서태평양 팔라우에 사는 어부를 인터뷰한 일이 있었는데, 그는 300개 이상이나 되는 어종의 이름을 토착어로 정확히 알고 있었으며, 과학 문헌에 실린 자료의 몇 배나 되는 물고기들의 음력 산란 주기를 알고 있었다. 이러한 지식은 수천 년 동안 토착 언어로 구전*되어 온 것인데, 토착 언어를 잃은 지금의 팔라우 젊은이들은 대부분 토종 어류를 ㉠식별하지 못한다고 한다. 우리나라 역시 일제 강점기에 일제가 민족 말살 정책을 시행하며 뒤따른 것이 한국어 즉, 모국어 사용을 금지하는 것이었는데, 이러한 모습을 보면 언어가 해당 민족이나 부족에게 얼마나 중요한 역할을 하는지 알 수 있다.

정보 통신 기술의 발달로 지역적인 국경이 사라져 가는 시대가 되면서 언어가 사실상 국경의 역할을 할 것이라는 주장도 나오고 있다. 그만큼 언어는 한 사회 집단을 다른 집단과 구별하는 중요한 기준이 된다. 소통의 편의성을 위해 보편적인 언어를 사용하는 것도 의미가 있지만, 언어의 소멸이 계속되어 몇 개의 주류 언어만 남게 된다면 세계는 인류의 역사적 문서를 소장한 도서관을 통째로 잃는 것과 같아질 것이다.

---

* 토착어: 다른 나라의 영향을 받지 않고, 그 지역에서 살던 원주민들끼리 사용해 온 언어.
* 문화적 다양성: 서로 다른 역사와 공간에 따라 문화가 여러 가지 모습으로 나타나면서 지니는 각각의 독특한 특성.
* 구전: 말로 전하여 내려옴. 또는 말로 전함.

0 다음은 이 글의 핵심 내용을 한 문장으로 요약한 것입니다. 빈칸에 들어갈 적절한 단어는 무엇인가요?

> 언어가 소멸된다는 것은 그 언어에 담긴 집단의 전통과 ☐☐☐을 잃게 되는 것과 같으므로, 문화적 다양성을 위해서라도 소멸 위기에 처한 언어를 지키려는 노력이 필요하다.

① 보편성
② 우월성
③ 독립성
④ 정체성
⑤ 개방성

> '요약 = 말이나 글의 요점을 잡아서 간추림.'
> 한 문장으로 요약할 때에는 먼저 핵심어가 무엇인지 파악하는 것이 중요해!

1 이 글의 내용 전개 방식으로 알맞은 것은 무엇인가요?

① 대상의 특성을 기준에 따라 분류하고 있다.

② 구체적인 사례를 들어 화제에 대한 이해를 돕고 있다.

③ 개념의 사전적 의미를 풀이하여 화제를 소개하고 있다.

④ 전문가의 견해를 통해 대상의 장단점을 평가하고 있다.

⑤ 다른 대상과의 차이점을 밝히며 대상의 특징을 설명하고 있다.

어려워? 잘 들어 봐~ 예를 들어 줄게!

어려운 내용을 설명하고 싶을 땐 사례를 들어 주면 쉽게 이해할 수 있어.

2 이 글에서 언급한 내용으로 알맞지 <u>않은</u> 것은 무엇인가요?

① 유엔도 소수 언어를 지키기 위한 노력을 기울이고 있다.

② 소수 언어의 존재는 국가 간 소통의 편의성에 기여한다.

③ 우리나라의 제주어도 아주 심각한 소멸 위기에 처해 있다.

④ 언어는 집단과 집단을 구별하는 중요한 기준이 되기도 한다.

⑤ 언어가 다양하다는 것은 그만큼 문화도 다양하다는 것을 의미한다.

3 이 글의 글쓴이가 〈보기〉의 주장에 대해 비판할 만한 내용으로 알맞은 것은 무엇인가요?

┤보 기├

　　언어는 사회적 소통을 위한 일종의 도구이다. 따라서 언어가 너무 다양하면 소통의 효율성이 떨어지고, 한 공동체 내에서 이질적인 언어가 사용되면 사람들 사이에 분열을 초래할 수도 있다. 따라서 주류 언어를 중심으로 한 언어의 통일이 필요하다.

① 정확한 의사소통을 위해서는 문법과 같은 언어의 구조를 체계화하는 일이 중요하다.
② 언어는 도구적 기능보다는 문학의 훌륭한 재료가 되는 미의 대상으로 생각해야 한다.
③ 언어도 생명체처럼 시간의 흐름에 따라 끊임없이 변하며, 어느 순간 소멸되는 과정을 겪는다.
④ 언어는 기호를 통해 의미를 드러내기 때문에 의미보다도 기호에 대한 사회적 합의가 선행되어야 한다.
⑤ 언어는 인간의 역사와 문화를 담고 있는 것이므로 언어의 다양성은 문화의 다양성과 밀접한 관계가 있다.

비판은 내용의 잘못된 점을 지적하는 거야. 이러한 비판 역시 반드시 글의 관점을 파악하는 것에서 시작해야 해!

4 ㉠과 바꾸어 쓸 수 있는 말로 가장 적절한 것은 무엇인가요?

① 혼동하지
② 예측하지
③ 구별하지
④ 유추하지
⑤ 분석하지

지금은 사라진 조선의 법 이야기

經國大典

법의 소멸

Q 법률이 시대에 따라 달라지는 이유는 무엇인가요?

(가) 법률은 국가에 의해 강제성을 갖는 사회 규범으로 사회 구성원들이 지켜야 하는 공동생활의 기준이 된다. 그런데 법률에는 각 사회의 특성이 반영되기 때문에 시대나 나라마다 매우 다양한 기준의 법률이 존재한다. 조선 시대에도 법률이 존재하였는데 양반과 상민, 남자와 여자의 구분이 엄격했던 사회의 특징이 반영되어 있었기 때문에 현대에는 없는 법률들도 있었다.

(나) 먼저 조선 시대에는 장수 노인에게 벼슬을 내리는 법이 있었다. 오늘날은 100세 시대라 할 만큼 수명이 길어졌지만 조선 시대의 사람들은 50세를 넘기기도 어려웠다. 그러한 상황에서 80세까지 산다는 것은 대단한 일이 아닐 수 없었을 것이다. 이에 노인직이라고 하여 80세가 넘는 노인에게는 벼슬을 내리고 왕실에서 이를 축하하는 연회도 열어 주었다. 노인직은 녹봉*이나 직책이 없는 명예직이지만 천민에게도 예외 없이 주는 벼슬이었다. 조선 시대 법전인 『경국대전』을 보면 "나이 80세 이상이 되면 양민이거나 천민이거나를 불문하고 1품계를 수여하고, 원래 품계가 있던 자는 또 1품계를 더하되 당상관*은 왕의 교지*가 있어야 임명한다."라고 하여 노인직에 대해 기록하고 있다.

(다) 또한 조선 시대에는 밤중에 돌아다니지 못하게 하는 통행금지법이 있었다. 물론 현대에 와서도 야간 통행금지법은 있었지만 조선 시대의 통행금지법에서 특이한 점은 여자는 돌아다닐 수 있었다는 것이다. 즉 남녀에 따라 통행금지 시간에 차이를 둔 법이었다. 조선 시대는 유교의 영향을 받아 남녀가 엄격하게 내외하였다*. 그래서 양반과 상인 계급의 여자는 낮 동안에 외출을 하지 못했고, 불가피한 용무가 있을 때만 부득이 야간에 외출을 하게 하였다. 따라서 오히려 날이 어두워지면 성내의 남자들은 집안으로 들어갔고, 대신 여자들이 외출하였던 것이다. 저녁 8시가 되면 종이 한두 번 울렸고, 이때부터는 여자 전용 통행 시간이자 남자들의 통행금지가 시작되었다. 이를 위반한 남자는 곤장으로 벌하였고, 밤 10시 이후에는 남녀를 불문하고 모든 사람들의 통행이 금지되었다.

(라) 세무 비리 공무원에 대한 재산 몰수 규정도 있었다. 백성들이 세금으로 내는 쌀이나 곡식 등을 받아 중간에 가로챈 자는 비록 본인이 죽더라도 그의 아내와 자식에게 상속된 재산이 있으면 강제로 받아 낼 수 있게 하였다. 이외에도 ㉠신분마다 의복에 사용된 색, 문양, 소재, 장신구 등에 차이를 두는 규정이 있었다. 만약 정해진 복식을 어길 경우 그에 해당하는 형벌을 두었는데, 특히 평민이 금과 은 같은 사치스러운 물품을 사용하거나 당상관 이하의 자녀가 혼인할 때 사라능단* 같은 수입 비단을 사용하면 장(杖)* 80대에 처한다고 규정하고 있다.

(마) 조선 시대의 법률은 시대가 발전하고 시대적 가치관과 중심 사상에 변화가 생기면서 이제는 사라지게 되었다. 현재 우리가 당연히 지켜야 한다고 생각하는 오늘날의 법률도 시간이 지나고 사회의 모습이 바뀌면 사라지거나 변화를 겪게 될 것이다.

---

* 녹봉: 벼슬아치에게 일 년 또는 계절 단위로 나누어 주던 금품을 통틀어 이르는 말.
* 당상관: 조선 시대에 정삼품 상(上) 이상의 품계에 있었던 벼슬아치.
* 교지: 승정원의 담당 승지를 통하여 전달되는 왕명서(王命書).
* 내외하다: 남의 남녀 사이에 서로 얼굴을 마주 대하지 않고 피하다.
* 사라능단: 온갖 비단을 통틀어 이르는 말.
* 장: 죄인의 볼기를 큰 형장으로 치던 형벌.

0 이 글의 내용을 바르게 구조화한 것은 무엇인가요?

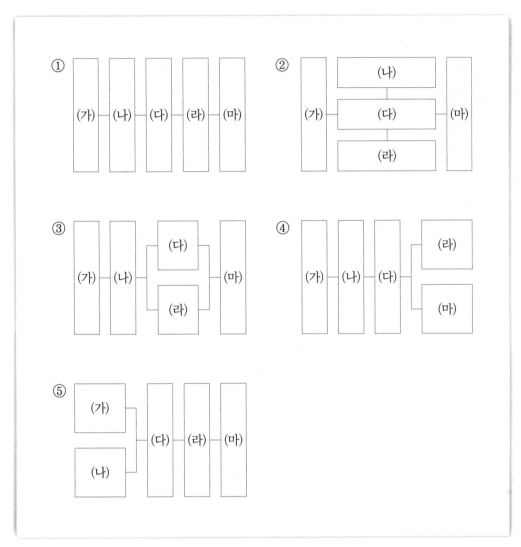

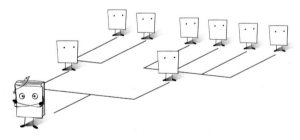

한 편의 글은 여러 문단으로 이루어져 있어.
이렇게 각 문단들 간의 관계를 **구조로 파악하는 것**을 구조화라고 해!

1 이 글에서 말하고자 하는 법률의 특징으로 알맞은 것은 무엇인가요?

① 법률은 어느 누구에게나 공정하게 적용되어야 한다.

② 법률은 시간이 지남에 따라 소멸되거나 바뀌기도 한다.

③ 법률은 어느 시대에나 지켜져야 할 절대적인 기준이다.

④ 법률은 상황에 따라 다양하게 적용될 수 있는 여지가 있다.

⑤ 법률은 모든 나라에 적용될 수 있는 공통 기준을 바탕으로 한다.

2 〈보기〉는 이 글을 읽고 나눈 대화 내용입니다. ㉮에 들어갈 내용으로 알맞은 것은 무엇인가요?

─────────┤보 기├─────────

다현: 조선 시대에 있었던 노인직에는 노인의 연륜과 지혜를 존중해 주는 유교적 가치관이
반영된 것 같아. 현대 사회에서도 배울 점이 있어 보여.

주원: 그런데 조선 시대 통행금지법은 잘못된 것 같지 않아?

다현: 현대의 관점에서는 남녀 차별이나 개인의 자유 침해로 보일 수 있지만, 조선 시대 사
람들은 남녀가 내외하는 걸 당연한 윤리로 받아들였기 때문에 잘못되었다고 말할 수는
없을 것 같아.

주원: 생각해 보니 네 말도 맞네. 법률은 _____㉮_____, 당시의 사회 모습을 고려해서
볼 필요가 있겠어.

① 평민들을 보호하기 위한 기준이니까

② 사회를 개혁하려는 목적이 있으니까

③ 시대상을 반영하여 정해지는 기준이니까

④ 문제 예방보다는 처벌에 목적이 있으니까

⑤ 지배층의 권력을 유지하기 위한 기준이니까

3 이 글에서 확인할 수 있는 내용으로 알맞지 <u>않은</u> 것은 무엇인가요?

① 조선 시대의 노인직은 나이를 기준으로 임명되었다.
② 조선 시대의 노인직은 천민에게는 적용되지 않았다.
③ 조선 시대에는 남녀의 통행금지 시간에 차이를 두었다.
④ 조선 시대에는 밤 10시 이후에 남녀 모두 통행이 금지되었다.
⑤ 조선 시대에는 공무원의 비리에 대해 매우 엄격하게 처벌하였다.

4 ㉠이 생겨난 이유를 추측한 내용으로 가장 적절한 것은 무엇인가요?

① 직업에 따른 구분을 쉽게 하기 위해서이다.
② 각 신분의 차이를 분명하게 해 두기 위해서이다.
③ 남녀의 성별 차이를 명확하게 하기 위해서이다.
④ 귀족들의 사치스러운 행태를 금지하기 위해서이다.
⑤ 의복에 따른 백성 간의 위화감을 없애기 위해서이다.

단토의 예술 종말론

예술의 종말

Q 단토의 예술 종말론은 어떻게 해석할 수 있을까요?

미국의 미학자 아서 단토는 1984년에 한 논문에서 예술의 종말을 선언하였다. 20년 전에 화랑에서 보았던 앤디 워홀의 「브릴로 상자」가 논문을 쓰게 된 계기였다. 그는 예술 작품으로서의 「브릴로 상자」가 슈퍼마켓에서 판매되는 일상적 사물로서의 브릴로 상자와 시각적 측면에서 차이가 없다는 점에 주목하였다. 그리고 이제는 눈으로 지각할 수 있는 특징만으로는 예술을 말할 수 없다고 생각한 단토는 예술의 본질을 찾는 데 몰두하기 시작하였다.

워홀의 「브릴로 상자」를 통해 그는 동일하거나 유사한 두 대상이 있을 때, 하나는 일상의 사물이고 다른 하나는 예술 작품인 이유를 탐색하였다. 그 결과 어떤 대상이 예술 작품이 되기 위해서는 그것이 어떤 것에 관한 주제를 가져야 하며, 항상 해석이 수반되어야 한다는 결론을 내렸다. 이는 예술 작품은 해석되어야 할 주제를 가질 수 있어야 한다는 의미로 일상적인 물건과 예술 작품으로서의 물건은 해석과 의미 부여 여부를 통해 구분될 수 있다는 것이다. 이후 단토는 워홀의 「브릴로 상자」가 1964년보다 훨씬 이른 시기에 등장했다면 예술 작품으로서의 지위를 부여받지 못했을 것이라고 주장하면서, '예술계'라는 개념을 도입하였다. '예술계'란 어떤 대상을 예술 작품으로 식별하기 위해 선행적으로 필요한 것으로, 당대 예술 상황을 주도하는 지식과 이론, 미술에 대한 믿음 체계 등을 포괄하는 체계를 가리킨다. 1964년의 「브릴로 상자」가 예술 작품으로서의 지위를 갖는 것은 일상의 사물과 유사하게 보이는 대상도 예술 작품으로 인정할 수 있다는 새로운 믿음 체계가 있었기에 가능했다는 것이다.

단토는 예술의 역사를 일종의 '내러티브', 즉 이야기의 역사로 파악해야 한다고 주장하였다. 역사가 그러하듯이 예술사도 무수한 예술적 사건들 중에서 중요하다고 여기는 사건들을 선택하고 그 연관성을 질서화하는 내러티브를 가진다는 것이다. 이른바 '바자리의 내러티브'가 대표적인 예이다. 모방론*을 중심 이론으로 삼았던 바자리는 생생한 시각적 경험을 가져다주는 정확한 재현이 예술의 목적이라고 보았는데, 이러한 바자리의 내러티브는 실재를 묘사하는 데 사진과 동영상이 회화보다 훨씬 더 낫다는 사실이 증명되면서 뿌리째 흔들리기 시작하였다. 이에 당대의 예술가들이 예술은 무엇을 할 수 있는가에 대한 질문을 던지게 되었고 예술은 예술의 정체성을 추구하는 철학적 내러티브로 변하게 되었다. 이러한 상황에서 단토는 워홀의 「브릴로 상자」를 통해 예술 작품이 어떠해야 한다는 특별한 방식이 더 이상 존재하지 않는다는 점을 깨달으며 예술의 종말을 발견하게 되었던 것이다.

단토의 예술 종말론은 모든 예술 생산의 종말이나 모든 예술가의 종말을 의미하는 것이 아니라, 그 이전의 내러티브가 종결되었음을 의미하는 것이다. 그런 점에서 그의 예술 종말론은 비극적 선언이 아닌 낙관적 전망으로 해석할 수 있다. 예술 종말론을 통해 진정한 예술이 무엇인가에 대한 철학적 질문에서 자유로워지게 되었으며, 이제 무엇이든지 예술이 될 수 있는 예술 해방기가 도래했음을 말하고 있기 때문이다.

---

* 모방론: 예술 창작의 기본이 되는 것을 모방이라 보는 주장이나 이론.

0 이 글의 논지를 반영한 표제와 **부제**를 정하려고 할 때, 빈칸에 들어갈 단어로 적절한 것은 무엇인가요?

> 단토의 예술 종말론
> – 예술의 종말이 아닌 예술의 _____

① 소멸
② 해방
③ 상실
④ 금지
⑤ 부재

NEWS

표제: 기사의 핵심 제목
부제: 표제를 보충하는 제목

부제는 표제를 보충하는 제목이야!
또 나왔네? 그만큼 중요해!

1 이 글에서 다루고 있는 내용이 <u>아닌</u> 것은 무엇인가요?

① 단토의 예술 종말론이 지닌 한계점
② 단토가 제시한 예술계의 개념과 필요성
③ 단토가 예술 종말론을 선언하게 된 계기
④ 단토가 제시한 예술 작품이 되기 위한 조건
⑤ 단토가 주장한 내러티브로서의 예술의 역사

2 이 글에 언급된 단토의 견해와 맞지 <u>않는</u> 설명은 무엇인가요?

① 과거에 비해 예술가의 표현 방식이 더 자유로워지게 되었다.
② 일상적 사물을 그대로 전시하는 것도 작품 창작 행위로 인정될 수 있다.
③ 예술을 정의하는 기준이 없어지면서 예술 작품 생산이 침체 상태에 이르렀다.
④ 예술 작품은 예술계에 의해 예술 작품으로 인정받는다는 점에서 실제 사물과 차이가 있다.
⑤ 한 시기에 예술 작품일 수 있는 것이 다른 시기에는 예술 작품으로 인정받지 못할 수도 있다.

3 이 글을 바탕으로 〈보기〉를 이해한 내용으로 적절하지 <u>않은</u> 것은 무엇인가요?

─┤보 기├─

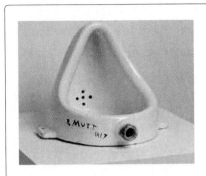

이 남자 소변기는 뒤샹의 「샘」이라는 작품이다. 이 작품은 초반에는 주최 측으로부터 예술 작품으로 인정받지 못해 전시를 거절당했다. 그러나 뒤샹은 원래 지니고 있는 실용적 가치를 제거하고 새로운 개념과 정체성을 창조해 냈다고 반박하였고, 오래지 않아 이 작품은 20세기 미술의 주요한 작품 중 하나가 되었다.

'이 글을 바탕으로
= 이 글의 관점에서'
결국 글의 주제와
관점에서 〈보기〉를
이해하는 문제야!

① 뒤샹의 「샘」은 시각적인 특징만으로는 예술을 말할 수 없다는 것을 보여 주는군.

② 기성 제품도 작가의 선택에 의해 주제와 의식을 불어넣으면 하나의 작품이 될 수 있겠군.

③ 당시 예술계에 따르면 뒤샹의 「샘」은 작품으로 인정할 수 없었기 때문에 전시에서 거부당한 것이군.

④ 뒤샹의 「샘」이 뒤늦게 작품으로 인정받게 된 것은 예술에 대한 새로운 믿음 체계가 생겨났기 때문이겠군.

⑤ 뒤샹의 「샘」은 사물에 부여되는 의미보다 작가의 예술적인 기교나 솜씨가 강조된 작품으로 볼 수 있군.

세포도 나이를 먹는다

세포는 생명체를 이루는 기본 단위로 생명 활동이 일어나는 가장 중요한 구성 단위이다. 대부분의 생물은 이러한 세포로 이루어져 있는데, 우리의 생명을 결정짓는 세포도 나이를 먹으며 노화 현상을 겪는다. 세포가 노화되어 더 이상 제 기능을 하지 못하면 우리 몸에도 질병이 생기고 죽음에까지 이르게 된다. 따라서 세포의 노화에 대해 많은 학자들이 다각도로 연구하며 세포 노화와 관련된 질병의 원인을 밝히고 그 치료법을 찾고자 노력하고 있다.

세포 노화의 원인에는 여러 가지가 있는데 최근 가장 주목을 받고 있는 것이 바로 '텔로미어'이다. 세포의 나이는 세포 분열 횟수에 의해 결정되는데 생물이나 장기마다 세포 분열의 횟수가 정해져 있다. 그리고 정해진 횟수 이상으로 세포가 분열하면 세포도 나이를 먹어 죽게 된다. 태아의 세포는 100회 정도 분열하고, 노인의 세포는 20~30회 정도 분열한 뒤에 노화되어 죽는 것으로 알려져 있다. 그렇다면 사람의 세포는 왜 일정 횟수 이상은 분열할 수 없을까? 텔로미어가 세포 분열 횟수에 대한 그 실마리를 제공한다.

세포의 소멸

Q 세대가 거듭되어도 유전 정보가 사라지지 않는 이유는 무엇인가요?

텔로미어는 '끝'을 의미하는 '텔로스'와 '부분'을 의미하는 '메로스'의 합성어로 세포 속의 염색체 양 끝에 존재하는 부분이다. 우리 몸은 세포 분열이 일어나는 동안 DNA가 복제되는데 이 과정에서 DNA의 끝부분은 복제되지 못하고 사라지게 된다. 따라서 세포 분열이 반복될수록 염색체가 조금씩 계속 짧아지게 된다. 여기서 염색체가 짧아진다는 것은 세대가 거듭될수록 유전 정보가 없어진다는 것을 의미한다. 하지만 실제로는 세대가 거듭된다고 해도 유전 정보가 사라지지는 않는다. 바로 텔로미어가 유전 정보가 담긴 염색체의 끝부분을 모자처럼 보호하고 있기 때문이다. 즉 세포가 분열할 때 복제되지 않고 사라지는 것은 DNA의 유전 정보를 담고 있는 부분이 아니라 DNA를 감싸고 있는 텔로미어인 것이다. 텔로미어는 세포 분열이 반복될수록 길이가 짧아지는데, 그 길이가 너무 짧아지면 세포는 더 이상 분열하지 못하게 되어 노화 상태가 되고 결국에는 세포가 죽게 되는 것이다.

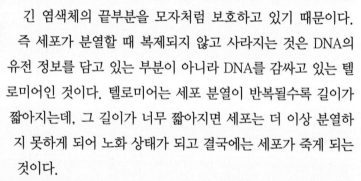

텔로미어 ——

이처럼 텔로미어의 길이는 세포의 노화와 깊은 연관이 있으므로 텔로미어의 길이가 짧아지는 것을 늦출 수 있는 방법을 찾는다면 세포의 노화도 막을 수 있을 것이다. 그런데 암세포는 세포 분열을 끊임없이 해도 텔로미어가 짧아지지 않는다. 즉 세포의 노화가 일어나지 않는 것인데 그 이유는 바로 텔로머레이스라는 효소 때문이다. 텔로머레이스는 세포가 분열할 때 DNA 말단 부분에서 일어나는 손상의 복구를 도와 체세포*의 텔로미어의 길이가 노화점* 아래로 짧아지는 것을 막는다. 따라서 암이 발생한 경우에는 암세포에 있는 텔로머레이스의 활성을 떨어뜨려야 암세포를 죽일 수 있지만, 필요한 경우엔 원하는 체세포에서 텔로머레이스가 작동하도록 할 수만 있다면 세포의 수명을 연장할 수도 있을 것이다.

---

* 체세포: 다세포 생물에서 생식 세포를 제외한 모든 세포.
* 노화점: 세포가 분열할 때마다 계속 짧아져 어느 시점에 가면 더 이상 짧아지지 않는데, 이를 '노화점'이라고 부르며 이때 세포 분열이 멈춘다.

0 **이 글에서 글쓴이가 말하려고 하는 핵심 화제가 무엇인지 고르세요.**

① 텔로미어와 DNA의 결합 과정 ☐

② 텔로미어와 텔로머레이스의 공통점 ☐

③ 세포의 노화를 일으키는 다양한 원인 ☐

④ 텔로미어에 의해 결정되는 세포의 노화 ☐

⑤ 텔로머레이스가 체세포에서 활성화되지 않는 원인 ☐

1 이 글을 통해서 알 수 있는 내용이 <u>아닌</u> 것은 무엇인가요?

① 세포의 분열 횟수는 연령대에 따라 차이가 있다.

② 정상적인 세포가 분열하는 횟수에는 제한이 없다.

③ DNA가 복제될 때마다 텔로미어의 길이는 점점 짧아지게 된다.

④ 텔로미어는 세포가 분열할 때 유전 정보를 보호하는 역할을 한다.

⑤ 체세포에는 텔로머레이스를 자체적으로 생산해 내는 기능이 없다.

2 이 글의 글쓴이가 사용한 **내용 전개 방식**으로만 묶인 것은 무엇인가요?

┤보 기├

ㄱ. 현상이 일어나는 원인을 밝히고 있다.

ㄴ. 대상의 어원을 밝혀 개념의 이해를 돕고 있다.

ㄷ. 다양한 주장을 절충하여 결론을 이끌어 내고 있다.

ㄹ. 전문가의 견해를 인용하여 내용의 신뢰도를 높이고 있다.

① ㄱ, ㄴ   ② ㄱ, ㄷ   ③ ㄴ, ㄷ   ④ ㄴ, ㄹ   ⑤ ㄷ, ㄹ

자, 이것들을 어떻게 배열해서 이야기할까?

글의 내용에 어울리는 방식은 따로 있어.

이렇게 글에 사용된 내용 배열 방식을 **내용 전개 방식**이라고 해!

3 이 글을 바탕으로 〈보기〉의 내용을 읽고 보일 수 있는 반응으로 알맞은 것은 무엇인가요?

┤보 기├

　암세포는 일반적인 세포와 달리 텔로머레이스가 활성화되어 있어서 계속적으로 세포 분열을 할 수 있다. 이에 과학자들은 텔로머레이스의 활성을 차단하는 약물이 암을 치료하는 데 도움이 되는지에 대한 연구를 진행하고 있다.

① 텔로머레이스가 활성화된 암세포도 노화의 과정을 겪게 되겠군.
② 암세포는 시간이 지날수록 텔로미어의 길이가 점점 길어지겠군.
③ 암세포의 분열이 반복될수록 세포에 포함된 유전 정보는 사라지겠군.
④ 암세포는 세포 분열 횟수에 관계없이 텔로미어 길이가 짧아지지 않겠군.
⑤ 암세포의 세포 분열은 텔로미어 길이에 한계점이 있다는 점을 보여 주는 사례가 되는군.

4 이 글의 뒤에 이어질 내용으로 알맞은 것은 무엇인가요?

① 텔로미어의 위치적 특징
② 세포 노화와 텔로미어의 관련성
③ 텔로미어가 세포에서 하는 역할
④ 텔로머레이스가 텔로미어의 길이에 미치는 영향
⑤ 체세포에서 텔로머레이스를 활성화할 수 있는 방법

Q 다음은 생각을 읽을 수 있는 지문 구조도를 퍼즐로 나타낸 것입니다. 앞에서 읽은 글의 내용을 떠올리며 생각읽기 1~6에 해당하는 퍼즐을 선으로 연결해 보세요.

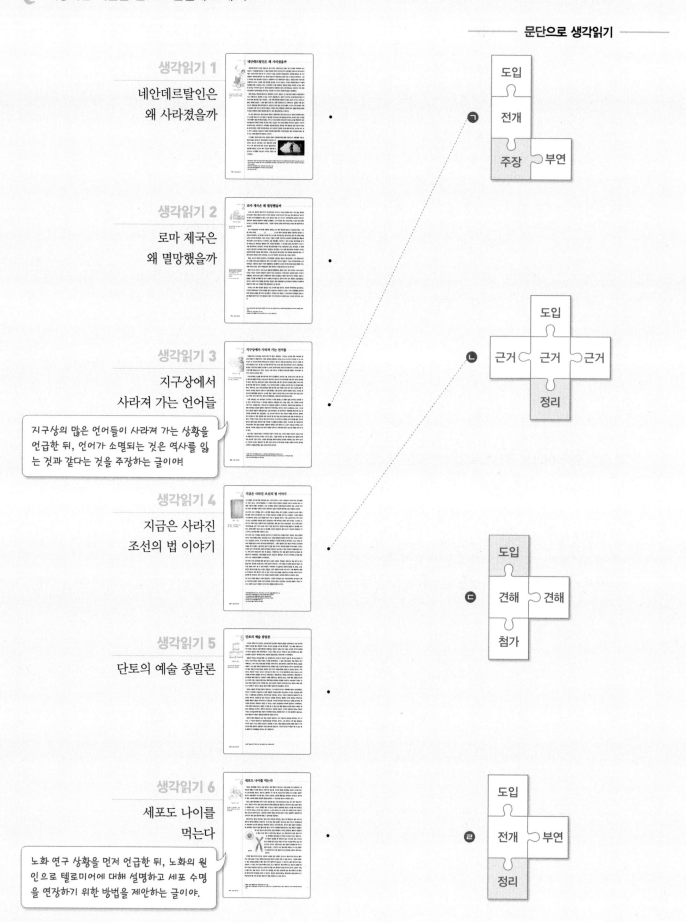

문단으로 생각읽기

생각읽기 1

네안데르탈인은 왜 사라졌을까

생각읽기 2

로마 제국은 왜 멸망했을까

생각읽기 3

지구상에서 사라져 가는 언어들

> 지구상의 많은 언어들이 사라져 가는 상황을 언급한 뒤, 언어가 소멸되는 것은 역사를 잃는 것과 같다는 것을 주장하는 글이야

생각읽기 4

지금은 사라진 조선의 법 이야기

생각읽기 5

단토의 예술 종말론

생각읽기 6

세포도 나이를 먹는다

> 노화 연구 상황을 먼저 언급한 뒤, 노화의 원인으로 텔로미어에 대해 설명하고 세포 수명을 연장하기 위한 방법을 제안하는 글이야.

㉠ 도입 / 전개 / 주장 - 부연

㉡ 도입 / 근거 - 근거 - 근거 / 정리

㉢ 도입 / 견해 - 견해 / 첨가

㉣ 도입 / 전개 - 부연 / 정리

1 〔　　　　　　〕의 멸종 원인으로는 짧은 유년기로 인해 현생 인류와의 경쟁에서 도태되었다는 설과 추운 곳으로 밀려난 상태에서 빙하기를 맞아 멸종하였다는 설 등 다양한 가설이 있다.

2 〔　　　　〕의 멸망은 이민족의 분노를 산 이주 정책, 지배층의 권력 투쟁, 종교로 인한 사회 부패 등의 문제가 쌓여 점진적으로 이루어졌다.

3 언어의 〔　　〕은 그 언어에 담긴 집단의 전통과 정체성을 잃게 되는 것을 뜻하므로, 문화적 다양성을 위해서라도 소멸 위기에 처한 언어를 지키려는 노력이 필요하다.

4 법률은 사회의 특성을 반영하기 때문에 시대적 가치관과 사상에 따라 소멸되거나 〔　　〕가 생길 수 있다.

5 워홀의 「브릴로 상자」를 계기로 〔　　〕가 선언한 '예술 종말론'은 예술의 종결이라는 비극적 선언이 아닌 예술의 해방을 의미하는 낙관적 전망으로 해석할 수 있다.

6 세포 노화의 원인 중 하나인 〔　　　　〕는 세포 분열이 반복될수록 길이가 짧아지는 특성이 있는데, 텔로머레이스라는 효소를 이용해 이를 막고 세포의 수명을 연장할 방법을 찾을 수 있다.

인간은 왜 소멸을 생각할까?

"끝은 시작과 다시 만난다"

자연은 끊임없이 생성, 소멸의 과정을 반복하며 순환합니다. 나무는 꽃을 피우는 생성에서 꽃이 지는 소멸의 과정을 거쳐 다시 열매를 맺는 생성으로 이어지는 과정을 끊임없이 반복합니다.

인간의 삶 또한 이러한 자연의 모습과 별반 다르지 않습니다. 사람들이 소멸을 생각하는 이유가 여기에 있습니다. 그것은 바로 소멸은 또 다른 생성의 원인을 알려 주기 때문입니다. 대상의 소멸에 대한 궁금증을 해결해 가다 보면, 그 과정에서 사람들은 오히려 대상의 기원을 발견하게 되는 것처럼요.

살아가는 법을 배우십시오. 그러면 죽는 법을 알게 됩니다.
죽는 법을 배우십시오. 그러면 살아가는 법을 알게 됩니다.
－ 모리 슈워츠 교수의 〈모리의 마지막 수업〉 중에서

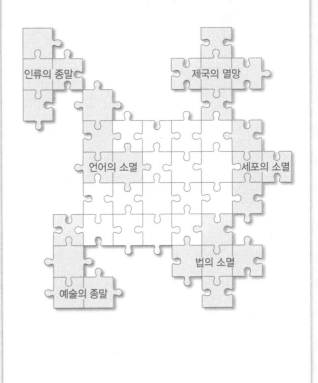

인류의 종말　제국의 멸망　언어의 소멸　세포의 소멸　법의 소멸　예술의 종말

정답과 해설 I

생각독해I
정답과
해설

생각읽기 **1 호기심이란 무엇인가**

0 ㉮ ③, ㉯ ②, ㉰ ④   **1** ④   **2** ③   **3** ⑤

Q 호기심이란 무엇이고, 호기심의 유형에는 어떤 것이 있을까요?

호기심은 새롭고 신기한 것을 좋아하거나 모르는 것을 알고 싶어 하는 마음을 의미하고, 그 유형으로는 지적 호기심과 감각적 호기심이 있습니다.

이 글은 호기심의 개념을 밝힌 후, 그동안 호기심에 대한 심리학적 연구가 어떻게 진행되어 왔는지를 소개한 글입니다. 초기에는 호기심이 타고나는 것인가, 길러지는 것인가에 대해 관심을 두었고, 그 이후에는 호기심의 유형에 어떤 것이 있는가에 대해, 최근에는 호기심이 충족되었을 때의 긍정적인 영향에 대해 연구가 이루어지고 있음을 설명하고 있습니다.

■ 문단으로 생각읽기

[도입 – 전개 – 전개 – 정리]의 생각 구조

— **화제 소개**
도입   호기심의 정의와 그 영향을 밝히고, 심리학 분야에서 이루어지는 호기심에 대한 연구를 소개함. (1문단)

— **대상 설명**
전개   전개   호기심의 유형을 지적 호기심과 감각적 호기심으로 나누어 설명함. (2, 3문단)

— **마무리**
정리   호기심이 충족되었을 때의 긍정적 영향을 제시하며 마무리함. (4문단)

0 1문단에서 호기심에 대한 연구 초기에는 호기심이 타고나는 것, 즉 본성인지에 관심을 가졌다고 설명했으므로, ㉮에 들어가기에 알맞은 질문은 '호기심은 선천적으로 타고나는 것인가?'입니다. 그리고 2, 3문단에서는 이후의 연구자들이 관심을 갖고 연구한 호기심의 유형으로 지적 호기심과 감각적 호기심에 대해 설명하고 있으므로, ㉯에 들어가기에 알맞은 질문은 '호기심의 유형에는 어떤 것들이 있는가?'입니다. 마지막으로 4문단에서는 호기심이 충족되었을 때의 긍정적인 영향에 대해 설명하고 있으므로, ㉰에 들어가기에 알맞은 질문은 '호기심이 충족되었을 때 어떤 결과가 생기는가?'입니다.

[출제 의도] 글에서 내용의 흐름을 파악하는 문제입니다. 이 글은 호기심에 대한 심리학적 연구가 어떻게 진행되었는지 그 과정에 따라 내용이 전개되고 있습니다.

1 1문단에서는 호기심이 선천적인 것이라고 보는 관점과 후천적인 것이라고 보는 관점이 대립하다가, ⓐ '어느 하나의 관점만이 옳은 것이 아니다.'라는 것이 밝혀졌다고 설명했습니다. 따라서 ⓐ는 두 가지 관점 모두 성립한다는 의미로, 호기심은 태어날 때 선천적으로 타고나는 것이기도 하지만, 크면서 학습을 통해 후천적으로 길러질 수 있다는 것입니다.

[오답 피하기] ① 호기심이 후천적인 것이라는 관점에만 해당합니다.
② ⓐ와 반대로 두 관점 모두 부정하고 있습니다.
③ 호기심이 학습을 통해 길러질 수 있다는 관점을 부정하고 있습니다.
⑤ 호기심으로 인한 영향을 언급하고 있으므로 적절하지 않습니다.

2 2문단에서 지적 호기심은 창의적 사고를 할 수 있게 만든다고 설명하였으므로, 창의적 사고는 ㉠을 일으키는 원인이 아니라 결과로 볼 수 있습니다. ㉠은 '대상에 대한 부족한 지식' 때문에 생긴다고 설명하고 있습니다. 한편, 감각적 자극은 ㉡을 일으키는 원인이 되는 것이 맞습니다.

[오답 피하기] ① 2문단에서는 호기심의 유형을 '무엇이 호기심을 불러일으키느냐'를 기준으로 하여 ㉠과 ㉡으로 나눈다고 설명했습니다.
② ㉠은 대상에 대한 새로운 지식을 알아내려고 하고, ㉡은 대상의 정체를 밝히기 위해 노력합니다.
④ 2문단에서 지적 호기심을 가지면 대상이 어떻게 작용하는지 알아내려 한다고 설명했습니다.
⑤ 3문단에서 대상이 공포감을 불러일으킬 경우, 어떤 사람들은 무섭지만 그 대상의 정체를 파악하려고 노력하기도 한다고 했는데, 이것은 감각적 호기심 때문입니다.

3 4문단에서 사람들은 '호기심이 충족되면, 별다른 보상이 주

어지지 않더라도 그 자체만으로도 큰 만족감을 가지게 된다.'라고 설명하였습니다. 따라서 ⓒ는 기계에 호기심을 가지고 그 작동 원리에 대한 호기심을 충족한 그 자체만으로도 만족감을 가지게 될 것이라고 보는 것이 적절합니다.

오답 피하기 ① 기계에 호기심을 보인 집단은 Ⓐ, Ⓑ, ⓒ입니다.
② ⓒ는 보상을 받지는 못했지만, 기계에 호기심을 보였습니다. 기계에 대해 호기심을 보인 것은 기계 자체에 관심을 보였다는 의미입니다.
③ Ⓐ는 기계를 작동하여 보상을 받은 것이지, 정보 탐색 과정을 통해 호기심을 해소하였기 때문에 보상을 받은 것이 아닙니다.
④ Ⓑ 역시 기계에 호기심을 보였는데, Ⓑ는 인간이 아니라 원숭이 집단입니다.

0 ② **1** ⑤ **2** ㉮ 에로스가 자기가 쏜 화살에 찔려 프시케를 사랑하게 됨. / ㉯ 에로스가 죽음의 잠을 상자에 도로 집어넣고 프시케를 되살림. **3** ③

Q 신화에 등장하는 '판도라'와 '프시케'의 공통점은 무엇인가요?
둘 다 호기심 때문에 절대로 상자를 열어서는 안 된다는 금기를 깨뜨리고 상자를 열어 보았습니다.

이 글은 금기의 개념이 무엇인지 밝힌 다음, 호기심으로 인해 금기를 깨뜨린 그리스·로마 신화 두 편을 소개한 글입니다. 호기심 때문에 상자를 열지 말라는 금기를 깨뜨린 판도라의 이야기와 프시케의 이야기를 자세하게 소개하고 있습니다.

■ **문단으로 생각읽기**

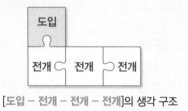

[도입 – 전개 – 전개 – 전개]의 생각 구조

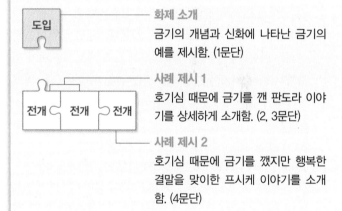

화제 소개
금기의 개념과 신화에 나타난 금기의 예를 제시함. (1문단)

사례 제시 1
호기심 때문에 금기를 깬 판도라 이야기를 상세하게 소개함. (2, 3문단)

사례 제시 2
호기심 때문에 금기를 깼지만 행복한 결말을 맞이한 프시케 이야기를 소개함. (4문단)

원리로 생각읽기

독해연습 1 **1** 독서 **2** 중요한 이유
독해연습 2 **1** 초기 르네상스 시기 그림의 성격과 기법
2 시간 흐름

0 제우스는 프로메테우스가 천상의 불을 훔친 것에 화가 나서 인간에게 벌을 주려고 판도라를 프로메테우스 형제에게 선물로 내려보냈고, 결과적으로 판도라가 상자를 열어 인간에게 재난, 육체적 고통, 정신적 고통이 생겼으므로 제우스가 의도한 대로 된 것입니다. ②는 이 글에서 그 답을 찾을 수 있으므로 심화 학습을 하기 위해 떠올린 질문으로 적절하지 않습니다.

출제 의도 글을 읽고 그 내용에 대해 좀 더 깊게 이해하는 것은 사고력을 기를 수 있는 좋은 독해 방법입니다. 이때 글에서 설명이 부족한 부분에 대해 의문을 가지거나, 비판적인 관점에서 질문하거나, 글 내용과 관련된 다른 사례를 찾아보는 활동을 하는 것이 좋습니다.

오답 피하기 ① 상자를 연 이후에 판도라에게 일어났을 일에 대한 의문은 내용상 부족한 부분이므로, 심화 학습의 질문으로 적절합니다.
③ 글 내용에서 다소 모순되는 점에 대해 질문하는 것은 심화 학습의 질문으로 적절합니다.
④ 비판적인 관점에서 이해하기 위해 글 내용에 대해 의문을 제기하는 것은 심화 학습의 질문으로 적절합니다.
⑤ 글 내용과 관련된 또 다른 사례를 찾아보는 질문이므로, 심화 학습의 질문으로 적절합니다.

1 2문단에서 아프로디테는 제우스의 명령으로 판도라에게 아름다움을 선물했다고 했습니다. 그런데 4문단에서 아프로디테는 아름다운 프시케에게 질투를 느껴 에로스를 시켜 괴물과 사랑에 빠지게 만들려고 했습니다. 따라서 ⑤는 아프로디테에 대한 설명으로 적절합니다.

오답 피하기 ① 에피메테우스가 프로메테우스를 도왔기 때문에 제우스의 미움을 샀다는 내용은 신화에 나오지 않습니다.
② 4문단에서 아프로디테는 에로스를 다시 만나게 해 달라는 프시케의 요청에 몇 가지 과제를 수행하면 소원을 들어주겠다고 했음을 알 수 있습니다. 페르세포네 역시 프시케의 부탁을 들어주어 상자를 주었다고 했습니다. 따라서 페르세포네와 아프로디테는 모두 프시케의 요청을 들어주었다고 볼 수 있습니다.
③ 헤파이스토스는 티탄 신이 아니라 올림포스의 신이며, 최초의 여성인 판도라를 만든 이유는 제우스가 명령했기 때문입니다.
④ 2문단에서 아프로디테는 아름다움을, 헤르메스는 설득력을, 아폴론은 음악을 각각 판도라에게 선물했음을 알 수 있습니다. 그런데 제우스는 이들 신들에게 선물을 주라고 명령만 했을 뿐, 판도라에게 선물을 준 것은 아닙니다.

2 4문단에서 알 수 있듯이 프시케의 아름다움을 질투한 아프로디테가 계략을 꾸미면서, 아들인 에로스에게 명해 프시케가 괴물과 사랑에 빠지게 만들라고 시킵니다. 그런데 에로스는 그만 실수로 자신의 화살에 찔려 프시케를 사랑하게 되므로 ㉮에는 이 내용이 들어가야 합니다. 다음으로, 상자를 열어

본 프시케가 죽음의 잠에 빠진 이후, 에로스가 다시 나타나 죽음의 잠을 상자에 도로 집어넣고 프시케를 되살리므로 ㉯에는 이 내용이 들어가야 합니다.

3 ⓒ'주관(主管)'은 '어떤 일을 책임을 지고 맡아 관리함.'이란 의미로 쓰였습니다. 그러나 ③에서 활용된 '주관(主觀)'은 '자기만의 견해나 관점.'을 뜻하는 말입니다.

오답 피하기 ① ⓐ'금기'는 '마음에 꺼려서 하지 않거나 피함.'이라는 의미입니다.
② ⓑ'곤경'은 '어려운 형편이나 처지.'라는 의미입니다.
④ ⓓ'신탁'은 '신이 사람을 매개자로 하여 그의 뜻을 나타내거나 인간의 물음에 대답하는 일.'이라는 의미입니다.
⑤ ⓔ'수행'은 '생각하거나 계획한 대로 일을 해냄.'이라는 의미입니다.

생각읽기 3 도대체 저 광고는 뭘까

0 ① ⓒ, ② ⓔ, ③ ⓒ　　　**1** ⑤　　　**2** ⓒ 신선, ⓛ 비밀,
ⓒ 흥미, ⓔ 시기　　　**3** ④

Q 티저 광고에서 광고하는 상품을 먼저 보여 주지 않는 이유는 무엇인 가요?
소비자의 호기심을 유발하여 광고 효과를 높이기 위해서입니다.

이 글은 호기심을 유발하여 소비자의 관심을 끄는 티저 광고에 대해 설명한 글입니다. 티저 광고가 등장하게 된 배경을 설명한 다음, 티저 광고의 구성 방식과 내용상 특성을 살펴본 뒤, 티저 광고의 장단점과 성공 요건에 대해 밝히고 있습니다.

▣ 문단으로 생각읽기

[도입 – 전개 – 전개 – 정리]의 생각 구조

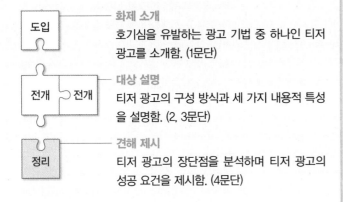

도입 — 화제 소개
호기심을 유발하는 광고 기법 중 하나인 티저 광고를 소개함. (1문단)

전개 전개 — 대상 설명
티저 광고의 구성 방식과 세 가지 내용적 특성을 설명함. (2, 3문단)

정리 — 견해 제시
티저 광고의 장단점을 분석하며 티저 광고의 성공 요건을 제시함. (4문단)

0 '화제성'은 '광고하는 대상의 모든 것을 다 보여 주지 않고 조금씩 보여 줌으로써 사람들의 관심을 끄는 특성'을, '연상성'은 '소비자가 광고를 보고 다음 광고는 어떠할지 연상하게 만드는 특성'을, '의외성'은 '광고의 내용이 상품과 관계가 없거나 상식에서 벗어나 있는 특성'을 각각 의미합니다.

출제 의도 글을 읽을 때에는 세부 내용을 정확하게 파악하는 것이 중요합니다. 특히 글에서 대상의 특징들을 나열하여 하나하나 설명할 때에는 각각의 내용을 정확하게 이해하고 기억해야 합니다.

1 이 글에서는 티저 광고가 무엇인지, 티저 광고가 많이 활용되는 이유가 무엇인지, 그리고 티저 광고는 어떻게 구성되며 특징은 무엇인지 등에 대해서 상세하게 설명하고 있습니다. 하지만 성공한 티저 광고의 사례를 통해 티저 광고가 필요하다고 강조하는 내용은 제시되어 있지 않습니다.

오답 피하기 ① 1문단에서는 티저 광고의 정의를 제시하면서 '티저'가 영어 단어 'tease'에서 나온 말이라는 것을 밝히고 있습니다.
② 3문단에서는 티저 광고의 내용적 특성을 세 가지로 제시하고, 각각의 정의를 밝히면서 그 기능까지 함께 설명하고 있습니다.
③ 4문단에서는 티저 광고의 장점을 설명한 다음, 단점을 세 가지로 나누어 상세하게 분석하고 있습니다.
④ 1문단에서 기업에 있어 광고가 중요하다고 밝힌 다음, 기업들이 자기 회사 제품 브랜드 또는 상품의 차별성을 강조해야 할 필요성이 커졌기 때문이라는 티저 광고의 도입 배경을 설명하고 있습니다.

2 2문단에서는 티저 광고가 성공하기 위해서는 티저 광고의 아이디어가 신선해야 한다고 설명했으므로 ⓒ에는 '신선'이 들어가야 합니다. 그리고 4문단에서 티저 광고가 나온 다음 본 광고가 나올 때까지 광고하는 상품에 대한 비밀을 지켜야 하는 문제가 있다고 했으므로 ⓛ에는 '비밀'이 들어가야 합니다. 3문단에서는 티저 광고가 지속적으로 흥미를 유지해야 하는 특성을 가진다고 하였으므로 ⓒ에는 '흥미'가 들어가야 합니다. 또한 광고하는 상품의 정체를 언제 밝혀야 하는지 그 시기를 정하는 데 어려움이 있다는 단점을 설명하였으므로 ⓔ에는 '시기'가 들어가는 것이 적절합니다.

3 티저 광고는 무엇을 광고하는지 알 수 없게 만들어, 소비자의 호기심을 자극해야 합니다. ④의 경우, 더운 여름 시원한 계곡의 모습을 보여 주며 광고 상품인 에어컨을 직접적으로 소개하고 있으므로, 티저 광고의 사례에 해당하지 않습니다.

오답 피하기 ① 광고의 문구가 광고 대상인 인터넷 포털 사이트와는 전혀 관련이 없으므로, 소비자의 호기심을 자극하는 티저 광고의 사례가 될 수 있습니다.
② 유명 스포츠 스타가 커피를 마시는 모습을 보여 줌으로써, 소비

자들은 커피 광고임을 알게 됩니다. 하지만 제품의 브랜드를 보여 주지 않아 소비자들은 '어느 회사 제품이야?'라는 호기심을 가지게 되는 티저 광고에 해당합니다.

③ 2문단에서 최근에는 영화나 뮤직비디오, 게임 광고의 경우 출시되기 전에 그 일부만 공개하는 티저 광고가 등장했다고 설명하고 있습니다.

⑤ 첫 광고는 자동차와는 전혀 관련이 없는 것이고, 그 이후에 신차를 보여 주고 있습니다. 이는 2문단에서 설명한 연속된 시리즈로 제작된 티저 광고의 사례에 해당합니다.

0 ③　　　**1** ④　　　**2** ①　　　**3** ②

Q 레이우엔훅이 현미경을 직접 제작하기 전에 가졌던 호기심은 무엇인가요?

직물 이외의 다른 사물들도 확대해서 보면 어떨까 하는 호기심

이 글은 상인이었던 레이우엔훅이 현미경을 발명한 과정과 현미경으로 발견한 과학적 성과를 설명한 글입니다. 레이우엔훅은 로버트 훅이라는 학자의 도움을 받아 영국 왕립 학회의 정식 회원이 되었으며, 그 이후 43년간 왕립 학회에 수많은 연구 결과를 제출하여 미생물학 발전에 큰 기여를 하였습니다.

■ **문단으로 생각읽기**

도입

전개 ─ 전개

정리

[도입 – 전개 – 전개 – 정리]의 생각 구조

도입 ── **일화 제시**
레이우엔훅이 현미경을 발명할 수 있었던 배경과 이유를 소개하며 독자의 흥미를 유발함. (1문단)

전개 ─ 전개 ── **대상 설명**
레이우엔훅이 현미경으로 관찰한 대상들을 제시하고, 비슷한 시기에 현미경을 만든 로버트 훅을 소개함. (2, 3문단)

정리 ── **마무리**
로버트 훅의 도움으로 연구 성과를 인정받으며 미생물학 발전에도 큰 기여를 한 레이우엔훅의 모습을 제시하며 글을 마무리함. (4문단)

0 4문단에서 로버트 훅이 레이우엔훅의 부족한 과학적 지식을 메워 주고, 직접 실험을 해 보임으로써 레이우엔훅의 연구 성과가 인정받는 데 도움을 주었다고 설명했습니다.

출제 의도 특정한 인물의 업적을 소개하는 글을 읽을 때에는 인물의 행적이나 다른 인물과의 관계를 파악하는 것이 중요합니다. 특히 이 글에서는 4문단에서 레이우엔훅의 과학적 성과가 인정받는 데 로버트 훅이 큰 역할을 했다는 점을 이해하도록 합니다.

오답 피하기 ① 1문단에서 레이우엔훅은 가난한 상인의 아들로 태어나 제대로 된 교육을 받지 못했다고 설명하고 있습니다.

② 1문단에서 레이우엔훅은 장사 수완을 발휘해 성공해서 생활에 여유가 생기자 현미경을 직접 제작하였음을 알 수 있으며, 이를 바탕으로 40년이 넘는 세월 동안 많은 연구 성과를 남겼다고 판단할 수 있습니다.

④ 3문단에서 영국의 학자 로버트 훅은 자기가 만든 현미경을 사용하여 세포를 처음 발견하고 이름을 붙였다고 설명하였습니다.

⑤ 로버트 훅은 세포를 처음 발견하고 이름을 붙였다는 점에서 후대 미생물학의 발전에 기여했다고 볼 수 있습니다. 그리고 레이우엔훅은 수많은 연구 결과를 남겨 후대 미생물학 발전에 크게 공헌했습니다.

1 3문단에서 로버트 훅이 코르크의 조직을 관찰하여 그 조직이 마치 벌집과 같은 작은 방으로 이루어졌음을 발견하였다고 설명했습니다. 따라서 코르크로 만든 병마개는 로버트 훅이 관찰한 대상은 될 수 있지만, 레이우엔훅이 관찰한 대상은 아니라는 것을 알 수 있습니다.

2 2문단에서 ㉠이 유리구슬을 작게 갈아서 두 개의 구리판 사이에 끼워 넣은 단순한 구조를 가지고 있었다고 설명하고 있습니다. 그리고 3문단에서는 ㉡이 원통형으로 되어 있었고, 원통 내부에 물이 든 둥근 플라스크와 그 아래에 볼록 렌즈가 있는 구조라고 설명했습니다. 따라서 ㉠에 비해 ㉡이 더 복잡한 구조를 가지고 있었다고 판단할 수 있습니다.

오답 피하기 ② 3문단에서는 ㉡이 레이우엔훅의 현미경(㉠)보다 성능이 떨어졌다고 설명하였는데, 현미경의 성능은 대상을 얼마나 더 확대할 수 있느냐에 따라 결정되므로 ㉡에 비해 ㉠이 대상을 더 크게 확대하여 볼 수 있었다는 것을 알 수 있습니다.

③ 2문단에서 ㉠의 크기가 엄지손가락보다 조금 큰 정도로 작다고 설명했습니다. 이에 비해 ㉡은 원통 구조로 그 내부에 플라스크도 있고, 볼록 렌즈도 있다고 설명했습니다. 이로 볼 때, ㉡에 비해 ㉠의 크기가 더 크다기보다는 오히려 그 반대일 가능성이 높습니다. 더군다나 단순하게 현미경의 크기가 더 크기 때문에 관찰 성능이 좋다고 볼 근거도 없습니다.

④ 3문단에서는 레이우엔훅과 비슷한 시기에 로버트 훅도 현미경으로 보이지 않는 세계를 탐구하고 있었다고 설명했습니다. 따라서 ㉡에 비해 ㉠이 훨씬 먼저 제작되었다고 보는 것은 적절하지 않습니다.

⑤ 3문단에서 로버트 훅은 현미경을 사용하여 보이지 않는 세계를 탐구했다고 설명했으므로, ㉡에 대해서는 적절한 진술입니다. 하지만 1문단에서 레이우엔훅이 처음에는 물체를 자세하게 보려고 관찰을 시작했다가 눈에 보이지 않는 많은 것들을 발견했다고 하였으므로 ㉠의 제작 목적을 보이지 않는 세계를 보기 위해서라고 판단하는 것은 적절하지 않습니다.

3 레이우엔훅은 처음에는 아르키메데스나 이븐 파르나스처럼 유리구슬로 된 확대경을 사용하였으나, 자신의 호기심을 해소하기 위해 유리구슬을 작게 갈아서 두 개의 구리판 사이에 끼워 넣은 구조의 현미경을 제작하였고 이를 개량하여 배율을 높였습니다. 이는 기존의 확대경을 나름의 창의적인 방식으로 개량한 것입니다.

오답 피하기 ① 〈보기〉에 따르면 레이우엔훅 이전에 다른 나라, 즉 그리스와 아랍에서 하나의 유리구슬로 된 확대경을 사용했다고 설명했습니다. 여러 개의 렌즈를 사용한 것은 레이우엔훅과 같은 나라 사람인 네덜란드의 얀센 부자가 발명한 최초의 현미경입니다.

③ 〈보기〉에서 얀센 부자가 호기심을 해소하기 위해 현미경을 제작했는지는 알 수 없으며, 그들이 만든 현미경은 관찰과 연구에 활용되지 못했으므로 많은 연구 성과를 남겼다고 볼 수 없습니다.

④ 〈보기〉에서 이븐 피르나스의 '독서용 돌'도 유리구슬 하나로 된 것이라고 설명했습니다.

⑤ 〈보기〉에서 아르키메데스는 유리구슬을 이용해 대상을 확대하여 볼 수 있다는 것을 알고 있었다고만 설명하고 있으므로 적절하지 않은 내용입니다.

5 경이로운 저장소, 박물관의 탄생

0 ㉠ 절대 왕정, ㉡ 문화유산, ㉢ 유물   **1** ④

2 ②   **3** ③

Q 오늘날 박물관의 기원이 된 것은 무엇인가요?

호기심의 방

이 글은 16세기 이후 유럽에 있었던 '호기심의 방'을 설명한 글로, 시대의 흐름에 따라 '호기심의 방'이 어떻게 변했는지 그 변화 과정을 자세하게 설명하고 있습니다. 특히 '호기심의 방'이 이후의 박물관의 기원이 되었다는 점을 중요하게 설명하고 있습니다.

📖 문단으로 생각읽기

[도입 – 전개 – 과정 – 정리]의 생각 구조

도입 ── 화제 소개
'호기심의 방'이라는 생소한 개념을 소개하며 흥미를 유발함. (1문단)

전개 · 과정 · 정리 ── 대상 설명
• 16~17세기 유럽 전역에 퍼진 '호기심의 방'의 특징과 그 사례로 루돌프 2세 궁전의 쿤스트캄머를 소개함. (2문단)
• 18세기 후반 '호기심의 방'은 박물관이라는 공공 기관으로 바뀌게 됨을 설명함. (3문단)
• 19세기 국립 박물관 건립 과정과 역할을 제시함. (4문단)

0 2문단을 보면 17세기에 들어와 왕이나 귀족이 개인적인 차원에서 수집품을 모았고, 절대 왕정 체제를 갖추게 되면서, '호기심의 방'은 개인적인 호기심을 채우는 것뿐만 아니라 왕가의 위상과 힘을 표현하는 성격을 가지게 되었다고 했으므로 ㉠에는 '절대 왕정'이 들어가야 합니다. 3문단에서는 18세기 프랑스에서 최초의 국민 박물관인 루브르 박물관이 건립되고, 프랑스 국민들은 박물관의 전시물들을 자신들의 공동체적 문화유산이라고 생각하게 되었다고 했으므로 ㉡에는 '문화유산'이 들어가야 합니다. 4문단에서는 19세기 제국주의가 팽창하면서 각국의 박물관에는 식민지에서 수탈해 온 유물들을 전시하였다고 설명했으므로 ㉢에는 '유물'이 들어가야 합니다.

출제 의도 글 전체가 시대의 흐름에 따라 대상이 변화하는 과정을 순차적으로 설명하고 있다면, 요약할 때에는 시기별 중요한 특징을 파악하는 것이 중요합니다.

1 2문단에서 17세기 유럽 궁전의 한쪽을 차지한 '호기심의 방'에는 유럽에서 보기 힘든 동·식물 또는 광물의 표본이나, 과학 실험 기구, 위대한 작가의 예술품, 희귀한 책, 신대륙에서 수집한 이국적인 물건 등이 전시되어 있었다고 설명하였습니다. ㄱ은 유럽에서 보기 힘든 동물의 표본, ㄴ은 위대한 작가의 예술품, ㄹ은 신대륙인 아메리카에서 수집한 이국적인 물건에 각각 해당하므로, 17세기 유럽 궁전의 '호기심의 방'에 전시되어 있었을 법한 전시물에 해당합니다.

오답 피하기 ㄷ은 왕과 귀족들이 호기심을 느낄 만한 대상이 아니므로 이에 해당하지 않습니다.

2 4문단에 따르면 글쓴이는 유럽의 국립 박물관에서 현재까지 소장하거나 전시하는 소장품들 중에는 과거 식민지에서 수탈해 온 유물들을 본국에 되돌려 주지 않아 최근 논쟁이 일어나고 있다고 설명했습니다. 원래 자신들의 것이 아니며 더군다나 강제로 빼앗아 온 유물들은 돌려주는 것이 합리적일 텐데, 유럽의 국립 박물관들은 그렇게 하지 않아서 문제가 되고 있는 것입니다. 따라서 이 점을 비판한 ②가 적절합니다.

오답 피하기 ① 3, 4문단에서 역사적인 맥락을 바탕으로 국립 박물관이 '호기심의 방'에서 기원했다고 충분히 설명하고 있으므로 그 근거의 타당성을 다시 질문하는 것은 적절하지 않습니다.
③ 4문단에서 과거의 왕이나 귀족들이 수집한 것 외에도 식민지에서 수탈해 온 유물들도 전시하고 있다고 설명했으므로 적절하지 않습니다.
④ '호기심의 방'은 과거에 있었던 박물관의 원형 정도로 볼 수 있지만, 누가 무엇을 수집하고 있었는지가 중요하지는 않습니다. 즉 원

래 '호기심의 방'에 있던 물건들을 따로 모아 전시할 필요성이나 역사적인 의의가 크지 않으므로, 비판의 내용으로 적절하지 않습니다.

⑤ 4문단에서 제국주의 시기에 국립 박물관들은 국민들의 호기심을 채워 주고, 자부심을 높여 주는 역할을 했다고 설명했습니다. 오늘날에도 박물관은 여전히 사람들의 호기심을 채워 주고, 그 나라 사람들의 자부심을 높여 주는 역할을 계속하고 있으므로, ⑤의 비판은 적절하지 않습니다.

3 2문단의 내용으로 볼 때, 루돌프 2세는 ㉮ 쿤스트캄머를 이용하여 절대적 지배자로서의 자신의 권위를 과시했음을 알 수 있습니다. 이와 달리 ㉯는 종교적 성격의 수집물들을 모아 둔 공간이며, ㉰는 도시 군주의 권력 과시보다는 개인적인 취미 생활을 즐기는 공간으로 볼 수 있습니다.

오답 피하기 ① ㉮는 유럽에서 만든 물건들 중에서 진귀한 것들만 전시한 것이 아니라, 신대륙에서 수집한 이색적인 수집품들도 있었음을 알 수 있습니다.

② 개인적인 공간에 마련해 서재를 겸하기도 한 것은 ㉰가 가진 특징입니다.

④ ㉯에는 ㉮, ㉰와 달리 종교적인 물건들이 있었다고 보는 것은 맞지만, 〈보기〉에서 값비싼 보석은 ㉰에도 수집되어 있었다고 설명했습니다.

⑤ 궁전 내부에 마련된 공간이라는 점은 ㉰뿐만 아니라 ㉮에도 해당합니다.

0 호기심과 두려움	**1** ④	**2** ⑤	**3** ②

Q 사람들이 UFO와 외계인에 호기심을 느끼는 이유는 무엇인가요?
UFO와 외계인이 그 존재조차 완전히 증명되지 않은 미지의 대상이기 때문입니다.

이 글은 최근에 화제가 되었던 미확인 비행 물체(UFO) 영상에 대한 소식을 전하며 독자의 관심을 끈 다음, UFO와 외계인의 존재에 대한 상반된 주장을 소개하고 있습니다. 그리고 외계인의 존재를 찾으려는 과학자들의 노력인 SETI 프로젝트에 대해 상세하게 설명하고 있습니다.

■ **문단으로 생각읽기**

[도입 – 견해 – 반론 – 정리]의 생각 구조

도입 ── 화제 소개
최근에 화제가 된 UFO 관련 소식을 소개하며 흥미를 유발하고, 외계인에 대한 사람들의 호기심과 두려움을 언급함. (1문단)

견해 | 반론 ── 상반된 견해 제시
외계인의 존재에 대한 상반된 주장을 근거를 들어 제시함. (2, 3문단)

정리 ── 마무리
외계 문명을 찾으려는 과학자들의 노력을 소개하며 글을 마무리함. (4문단)

0 영화 「이티(E.T.)」에서는 외계인에 대한 호기심의 감정이 잘 드러나 있는 데 비해 「맨 인 블랙」에서는 지구에 살고 있는 외계인들을 감시하고 불법 거주 외계인을 막아 지구의 평화를 지켜 낸다는 내용을 통해 외계인이 우리 인류에게 해를 끼칠지도 모른다는 두려움의 감정이 드러나 있습니다.

출제 의도 〈보기〉에서는 글과 밀접한 관련이 있는 구체적 사례로 두 편의 영화를 소개하고 있는데, 글 내용을 바탕으로 이를 정확하게 이해할 수 있는지 묻고 있습니다.

1 2문단에서 UFO와 외계인의 존재를 주장하는 사람들이 증거로 내놓은 사진이나 영상들은 대부분 착시이거나 조작으로 밝혀졌다고 설명했습니다. ④는 이와 반대로 조작된 것이 거의 없다고 서술했으므로 적절하지 않습니다.

2 3문단에서는 천문학이 발전하면서 우주 공간이 상상하기 어려울 정도로 넓다는 것이 밝혀지면서 외계인이 존재할 것이라는 주장이 설득력을 얻었고, 천문학자들도 이에 동의해서 외계인의 존재 자체를 부정할 수 없다고 보고 있다고 설명했습니다. 따라서 우주가 아주 커서 어딘가에는 지적인 생명체가 존재할 가능성이 높다고 보는 것은, 외계인이 존재한다는 주장에 힘을 실어 줄 합리적인 근거가 될 수 있습니다.

오답 피하기 ①, ③, ④ 외계인이 존재한다는 주장에는 부합하지만, 객관적이고 과학적인 근거로 보기 어렵습니다.
② 외계인이 존재하지 않는다는 주장의 근거입니다.

3 4문단에서 SETI 프로젝트는 우리 인류처럼 전파를 사용할 정도의 지적 수준을 가진 외계인이 사용하는 전파를 우리가 찾을 수 있다는 가능성에서 시작했다는 것을 알 수 있습니다. 그래서 전파를 다룰 줄 아는 외계 문명이 쏜 인공적인 전파를 찾으려 한다고 이해할 수 있습니다. 그리고 〈보기〉에서는 우주에서 날아오는 전파들이 매우 불규칙해서 분석에 어려움을 겪는다고 설명했습니다. 이것은 우주에서 오는 전파 자체의 문제점 때문에 그 분석이 어려워 프로젝트가 성과를 내기 어렵다는 것을 의미합니다.

오답 피하기 ① SETI 프로젝트가 성과를 내기 어려운 이유는 단순히 지원이 적어서라기보다는 전파를 분석하고 인공적인 전파를 가려내기가 어렵기 때문입니다.
③ SETI 프로젝트에서 분석하는 전파는 지구상이 아니라 지구 밖, 즉 외계에서 날아오는 전파입니다.
④ SETI 프로젝트의 분석 대상은 전파이며, 당연히 눈으로 관측하는 방법이 아니라, 전파 망원경으로 수집되는 전파 신호를 분석하는 것입니다.
⑤ 4문단에서는 한때 중단되었던 SETI 프로젝트가 지금은 민간의

후원을 받아 'SETI 연구소'가 설립되어 현재까지 이어지고 있다고 설명했습니다.

생각의 구조화 MIND MAP

생각읽기1 ㉠	생각읽기2 ㉡	생각읽기3 ㉠
생각읽기4 ㉠	생각읽기5 ㉣	생각읽기6 ㉢
1 심리학	2 금기	3 티저
4 현미경	5 박물관	6 외계인

생각읽기

1 사회에 정의가 꼭 필요할까

본문 40~43쪽

0 ①	1 ②	2 ④	3 ⑤	4 ①

Q 정의란 무엇인가요?

정의는 잘못된 행위를 바로잡는 것, 다른 사람에게 피해를 준 만큼 보상하는 것, 각자의 몫을 정당하게 분배하는 것 등을 의미합니다. 오늘날에는 공정한 절차에 따라 자유와 평등이 조화롭게 실현된 상태를 의미하기도 합니다.

이 글은 현대 사회의 윤리 문제를 바라보는 관점에 따라 그 원인과 해결 방안이 달라질 수 있음을 밝히고 있습니다. 특히 니부어의 주장을 근거로 들어 개인의 자유와 권리가 존중되고, 구성원 각자의 권리와 의무가 공정하게 분배되기 위해서는 사회 구조와 제도의 정의가 필요함을 강조하고 있습니다.

■ 문단으로 생각읽기

[견해 – 반론 – 주장 – 정리]의 생각 구조

견해 제시
윤리 문제는 관점에 따라 원인과 해결 방안이 달라질 수 있음을 설명하며 개인 윤리의 관점을 먼저 소개함. (1문단)

반론 제기
현대 사회의 윤리 문제에 있어서 사회 윤리의 관점이 중요함을 강조하기 위해 니부어의 주장을 근거로 듦. (2문단)

핵심 주장
정의롭지 못한 사회는 구성원의 기본권을 침해하고 갈등을 일으키는 원인이 되기 때문에 사회 구조와 제도가 정의의 원리를 충족해야 한다고 주장함. (3문단)

내용 강조
사회 정의를 실현하기 위한 사회의 역할을 강조하며 마무리함. (4문단)

---

0 이 글에서는 개인의 자유와 권리가 존중되고, 구성원 각자의 권리와 의무가 공정하게 분배되기 위해서는 사회 구조와 제도가 정의로워야 한다고 말하고 있습니다. 따라서 표제로는 '사회에 정의가 필요한 이유'가 오는 것이 적절합니다. 또한 현대 사회의 윤리 문제는 대부분 사회 구조나 제도와 깊은 관련이 있어 이를 바로잡는 것이 중요하다고 하였으므로 부제로는 '사회 윤리를 중심으로'가 오는 것이 적절합니다.

출제 의도 글의 핵심 내용을 파악할 수 있는가를 확인하기 위해 글의 제목인 표제와 부제목인 부제를 묻고 있습니다.

1 4문단에서 정의로운 사회로 나아가기 위해서는 공정한 원칙과 기준이 적용되어야 한다는 내용은 찾을 수 있지만, 누가 그 원칙과 기준을 정해야 하는지는 확인할 수 없습니다.

오답 피하기 ① 1문단과 2문단에서 윤리 문제의 해결 방안으로 개인 윤리는 개인의 도덕성 함양을, 사회 윤리는 사회 구조와 제도를 바로잡는 노력을 강조한다고 하였습니다.
③ 1문단과 2문단에서 현대 사회에서 발생하는 다양한 윤리 문제에 대해 개인 윤리는 그 원인을 개인의 잘못된 이기심과 비양심에서 찾고 도덕성 함양을 문제의 해결 방안으로 제시한 반면, 사회 윤리는 사회 구조와 제도의 부도덕함, 부조리에 주목하여 이를 바로잡는 노력을 강조한다고 하였습니다.
④ 3문단에서 사회 제도가 추구해야 할 제1 덕목으로 정의를 언급하고 있습니다.
⑤ 3문단에서 정의롭지 못한 사회 구조와 제도는 구성원의 기본권을 침해하고, 구성원 간의 갈등을 일으키는 원인이 된다고 하였습니다.

2 2문단에서 니부어는 개인의 도덕성과 집단의 도덕성을 구분하고, 집단이 개인에 비해 이기심을 조절하고 억제하는 힘이 현저히 떨어진다고 하였습니다. 그래서 도덕적인 개인이라도 집단으로는 이기적인 모습을 보여 줄 수 있고, 그러한 이기적인 행동이 사회적 갈등을 유발할 수 있다고 본 것입니다. 〈보기〉에서는 이러한 사회적 갈등이 사회 구조와 제도 차원에서 사회 정의의 실현을 통해 극복될 수 있다고 하였습니다. 이를 통해 사회 구조와 제도가 정의로울 때 개인의 도덕성이 올바르게 표현되어 도덕적인 사회로 나아갈 수 있다는 것이 니부어의 관점임을 짐작할 수 있습니다.

오답 피하기 ① 2문단에서 니부어는 집단이 개인에 비해 이기심을 조절하고 억제하는 힘이 현저히 떨어진다고 하였고, 〈보기〉에서도 개인들이 보여 주는 것보다 훨씬 심각한 이기주의가 모든 집단에서 나타난다는 것을 확인할 수 있습니다.
② 2문단과 〈보기〉에서 니부어는 개인의 도덕성과 개인이 모인 집단의 도덕성을 구분하여, 집단의 이기심을 사회의 갈등 요인으로 더 주목했음을 알 수 있습니다.
③ 2문단과 〈보기〉 모두 사회의 갈등은 도덕적 권고만으로 해결하는

데 한계가 있으며, 이를 극복하기 위해서는 사회 구조와 제도가 정의로워야 한다고 주장하였습니다.

⑤ 2문단에서 니부어는 개인의 도덕성 함양과 함께 사회의 도덕성을 고양시켜야 한다고 주장하였으며, 〈보기〉에서 사회의 갈등은 도덕적 권고만으로 해결하는 데 한계가 있으며, 사회 구조와 제도 차원에서 사회 정의의 실현을 통해 극복할 수 있다고 하였습니다.

3 2문단에 따르면, 사회 윤리(ⓒ) 관점에서는 사회 구조와 제도에 내재된 부조리에 관심을 가지고 개인의 도덕성 함양과 더불어 사회 구조와 제도를 바로잡는 노력을 강조한다고 하였습니다.

4 2문단에서 개인의 도덕성과 개인이 모인 집단의 도덕성을 구분해야 한다고 하였으므로, 〈보기〉에서 개인으로서의 교사의 행동과 집단으로서의 교사의 행동은 구분되어야 할 것입니다.

오답 피하기 ②, ③, ④ 공정한 경기가 이루어지지 못하고, 교사들이 경기 중 반칙을 한 것은 교사 개개인의 이기심과 비양심 때문이 아니라 집단으로서의 이기심이 발휘되었기 때문입니다.

⑤ 2문단에서 현대 사회의 윤리 문제는 개인의 양심이나 도덕성의 회복만으로 해결하기에는 한계가 있다고 보고, 개인의 도덕성 함양과 더불어 사회 구조와 제도를 바로잡는 노력을 강조하고 있습니다. 그러므로 〈보기〉에서 경기가 공정하게 이루어지기 위해서는 엄격한 규칙의 적용이 중요하다는 것을 짐작할 수 있습니다.

---

0 ② 　 **1** ④ 　 **2** ② 　 **3** ④ 　 **4** ⑤

Q '사실로서의 역사'와 '기록으로서의 역사'는 어떻게 다를까요?

'사실로서의 역사'는 과거에 일어난 객관적 사실이며, '기록으로서의 역사'는 역사가가 다양한 관점에서 과거 사실을 해석하고 평가하여 재구성한 것입니다.

이 글은 역사를 '사실로서의 역사'와 '기록으로서의 역사'로 구분하고, 우리가 배우는 역사는 '기록으로서의 역사'임을 밝히며, 우리가 역사를 공부하는 이유에 대해 서술하고 있습니다.

■ **문단으로 생각읽기**

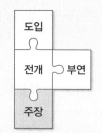

[도입 – 전개 – 부연 – 주장]의 생각 구조

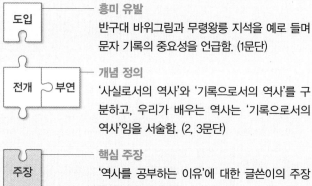

도입 — **흥미 유발**
반구대 바위그림과 무령왕릉 지석을 예로 들며 문자 기록의 중요성을 언급함. (1문단)

전개 부연 — **개념 정의**
'사실로서의 역사'와 '기록으로서의 역사'를 구분하고, 우리가 배우는 역사는 '기록으로서의 역사'임을 서술함. (2, 3문단)

주장 — **핵심 주장**
'역사를 공부하는 이유'에 대한 글쓴이의 주장을 제시함. (4문단)

원리로 생각읽기

독해연습 1 　 **1** 거짓말 　 **2** 중심 문장: (가), 뒷받침 문장: (나)

독해연습 2 　 **1** 한옥 　 **2** 자연환경

0 이 글에서는 역사를 배움으로써 현재는 물론 미래를 바라보는 역사적 통찰력을 가질 수 있음을 언급하고 있으며, 〈보기〉의 독일 '슈톨퍼슈타인'과 승전 기념탑 주위의 기념물들은 과거의 잘못을 반성하기 위한 것임을 알 수 있습니다. 이를 통해 역사를 배움으로써 과거를 기억하고 과거의 잘못을 되풀이하지 않을 수 있다는 것을 이해할 수 있습니다.

오답 피하기 ① 3문단에서 역사가는 검증된 기록 중 의미 있는 내용만을 추려내어 역사를 서술한다고 하였으므로 과거의 기록이 모두 역사가 되는 것은 아닙니다.
③ 〈보기〉의 기념물들은 역사적 사실을 왜곡하는 것이 아니라, 과거의 잘못을 반성하기 위한 것입니다.
④, ⑤ 〈보기〉의 기념물들은 유물이나 사료가 아니라 현대인들이 과거의 잘못을 기억하고 되풀이하지 않기 위해 만든 것입니다. 문장 자체로는 맞는 서술이지만 〈보기〉와 연결해 이해한 내용으로는 적절하지 않습니다.

1 3문단에 따르면, 수많은 기록들 가운데 필요한 것을 선택하여 역사를 서술하는 과정에는 필연적으로 역사가의 주관적 관점이 들어갈 수밖에 없다고 했습니다. 이는 역사가가 다양한 관점에서 사실을 해석하고 평가하여 재구성하기 때문입니다. 그러므로 ④의 '역사가는 문익점이 목화씨를 가져온 사실에 대해 객관적으로 기록할 의무가 있겠군.'은 반응으로 적절하지 않습니다.

오답 피하기 ①, ②, ③ 이 글에 따르면 문익점의 세세한 삶 모두는 '사실로서의 역사'로 볼 수 있습니다. 반면에 역사가는 '문익점이 목화씨를 가져온 사실'을 의미 있다고 판단해 기록으로 남겼으므로 문익점이 목화씨를 가져온 사실은 '기록으로서의 역사'로 볼 수 있습니다.
⑤ 3문단에서 역사는 서술하는 과정에서 역사가의 주관적 입장이 들어가게 되고, 다양한 관점으로 과거 사실을 해석하고 재평가할 수 있다고 하였습니다. 따라서 문익점이 목화씨를 가져온 사실에 대해 다른 나라의 역사가들은 다른 관점으로 평가할 수 있다는 것을 짐작할 수 있습니다. 목화씨를 몰래 숨겨 들여온 문익점의 행위는 우리 입장에서 보면 나라를 위한 행위일 수 있으나, 다른 나라의 입장에서 보면 자기 나라의 이익을 위해 범법을 저지른 인물로 판단할 수도 있는 것입니다.

2 '기록으로서의 역사(㉠)'는 역사가가 과거 사실을 해석하고 평가하여 재구성한 것입니다. ②는 '고려인들은 몽골의 침략에 저항하였다.'라는 사실에 '고려의 자주성을 보여 주었다.'라는 역사가의 평가가 들어가 있습니다.

3 3문단을 보면 역사를 서술하는 과정에서 역사가의 주관적 입장이 들어가게 된다고 하였고, 〈보기〉에서도 진의 시황제에 대해 두 나라의 역사가가 서로 다른 평가를 내리고 있는 것을 볼 수 있습니다. 따라서 '한나라와 송나라의 역사가들은 역사를 서술하는 데 있어 주관성을 완전히 배제하기 위해 노력했다'는 것은 적절하지 않습니다.

오답 피하기 ① 한나라와 송나라의 역사가가 같은 인물에 대해 다르게 서술하고 있는 것으로 보아, 역사는 역사가의 사관이나 시대가 지남에 따라 변할 수 있음을 알 수 있습니다.
② 시황제에 대해 한의 역사가는 중국의 기틀을 다졌다고 평가했고, 송나라의 역사가는 나라를 위태롭게 하였다고 다르게 해석하고 있습니다.
③ 한나라의 역사가는 시황제를 긍정적으로, 송나라의 역사가는 부정적으로 평가하고 있습니다.
⑤ 한나라의 역사가는 진의 시황제가 한 일 중에서 나라를 통일한 것과 흉노의 침입을 막아 내고 나라의 기틀을 다진 것을 기록하였고, 송나라의 역사가는 무리한 토목건축으로 재정을 낭비하여 나라를 위태롭게 한 것을 기록하였으므로, 기록해야 한다고 판단한 것이 서로 달랐음을 알 수 있습니다.

4 ⓐ의 '담겨 있다'는 '어떤 내용이나 사상이 그림, 글, 말, 표정 따위 속에 포함되거나 반영되다.'의 의미로 쓰였습니다. 이와 유사한 의미로 쓰인 것은 ⑤입니다.

오답 피하기 ①, ③, ④에서 '담겨 있다'는 '어떤 물건이 그릇 따위에 넣어지다.'의 의미로 쓰였고, ②에서 '담겨 있다'는 '김치·술·장·젓갈 따위를 만드는 재료가 버무려지거나 물이 부어져서, 익거나 삭도록 그릇에 보관되다'의 의미로 쓰였습니다.

생각읽기

3 나는 왜 나일까

0 ①　　**1** ①　　**2** ④　　**3** ②　　**4** ⑤

Q 개인 동일성을 판단하기 위한 이론에는 무엇이 있나요?

이 글에는 개인 동일성을 판단할 때 근거가 되는 세 가지의 이론을 소개하고 있습니다. '신체 이론', '영혼 이론', '심리 이론'이 그것입니다.

이 글은 '나는 왜 나일까'라는 의문에 대한 대답을 '개인 동일성의 문제'로 규정하고, 이를 설명하는 세 가지 이론인 신체 이론, 영혼 이론, 심리 이론을 소개하고 있습니다.

■ 문단으로 생각읽기

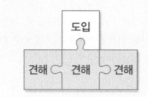

[도입 – 견해 – 견해 – 견해]의 생각 구조

도입　── **화제 소개**
과거의 '나'가 현재의 '나'와 같은 사람이라고 말할 수 있는 근거로 개인 동일성 개념을 소개함. (1문단)

견해　견해　견해　── **이론 제시 1**
사람의 신체를 근거로 동일성을 판단하는 신체 이론을 소개함. (2문단)

이론 제시 2
사람의 영혼을 근거로 동일성을 판단하는 영혼 이론을 소개함. (3문단)

이론 제시 3
기억, 버릇, 느낌 따위의 심리적인 특성으로 동일성을 판단하는 심리 이론을 소개함. (4문단)

0 이 글은 개인 동일성을 판단하는 근거에 따라 신체 이론, 영혼 이론, 심리 이론으로 나눌 수 있음을 소개하고 각 이론을 설명하고 있습니다.

> **출제 의도** 글의 핵심 내용을 파악할 수 있는가를 확인하기 위해 글의 제목인 표제와 부제목인 부제를 묻고 있습니다.

1 이 글은 가정과 예시의 방법을 통해 독자들에게 내용을 쉽게 설명해 흥미를 유발하고 있습니다. 먼저 2문단에서는 어떤 사람이 10년이라는 시간이 흘러 용모나 체격이 달라진 상황을 가정하고 있고, 3문단에서는 왕자와 거지가 기억과 감정은 그대로인 채 몸만 바뀐 상황을, 4문단에서는 신체는 그대로인데 뇌가 바뀌는 상황을 가정하고, 이러한 상황들을 예로 들어 독자의 흥미를 불러일으키고 있습니다.

2 개인 동일성 문제가 제기된 역사적 배경은 이 글에서 확인할 수 없습니다.

> **오답 피하기** 개인 동일성의 개념(①)은 1문단에서, 개인 동일성을 설명하는 이론(②)과 각 이론의 한계점(③)은 2, 3, 4문단에서 확인할 수 있습니다. 그리고 개인 동일성을 판단하는 심리적인 특성(⑤)은 4문단에서 확인할 수 있습니다.

3 심리 이론(㉠)은 개인 동일성을 보장해 주는 근거가 신체가 아닌 기억, 버릇, 느낌 따위의 심리적인 특성이라고 하였습니다. 그러므로 심리 이론에 따르면 기억을 잃은 수진은 동일성을 가지고 있지 않다고 판단할 것입니다.

> **오답 피하기** ① 심리 이론에서 다른 사람의 기억 여부는 그 사람의 동일성을 판단하는 근거가 되지 않으므로 이를 근거로 수진의 동일성을 판단할 수 없습니다.
> ③ 영혼을 근거로 동일성을 판단하는 것은 영혼 이론입니다. 영혼 이론은 기억에 상관없이 영혼의 존재를 확인할 수 없기 때문에 이를 근거로 동일성 여부를 판단하는 것이 불가능하다고 보는 이론입니다.
> ④ 수진이 기억을 잃은 것은 뇌가 점점 죽어 가기 때문이고, 이를 신체의 변화와 관련지어 동일성을 판단하는 것은 신체 이론입니다.
> ⑤ 수진의 신체가 연속되기 때문에 동일하다는 것은 신체 이론 관점에서 동일성을 판단한 것입니다.

4 〈보기〉에 따르면 많은 문화권에서 신체와 별도로 영혼이 존재한다고 믿었고, 신체와 다른 명칭으로 영혼을 불렀으며 플라톤과 아리스토텔레스는 둘에 대해 다른 관점을 보였다고 하였습니다. 이를 통해 사람들이 인간을 구성하는 기본 요소가 '신체'와 '영혼'이라고 생각한 것이 개인 동일성 문제에서 '신체 이론'과 '영혼 이론'이 등장하게 된 배경이 되었음을 추론할 수 있습니다.

생각읽기 4 행복이란 무엇일까

0 ①　　**1** ③　　**2** ④　　**3** ①　　**4** ①

Q 밀은 행복을 무엇이라고 생각했을까요?

밀은 행복이란 기쁨을 주는 것이고 고통이 없는 상태라고 정의하고, 인간의 타고난 능력을 최대한 발휘할 수 있는 상태를 의미한다고 생각하였습니다.

이 글은 철학자 밀이 생각하는 행복의 정의, 본질, 조건을 소개하고 있는 글입니다. 밀은 자긍심을 가지고 자기 발전을 이루어 나갈 때 인간이 행복해지며, 이를 위해 지성, 감성, 도덕성이라는 세 가지 차원의 능력을 종합적으로 발전시켜야 한다고 강조하고 있습니다.

■ 문단으로 생각읽기

[도입 – 전개 – 전개 – 전개 – 정리]의 생각 구조

도입 ── 개념 정의
철학자 밀이 정의한 행복의 개념을 소개하며 글을 시작함. (1문단)

── 조건 제시
행복을 정의하기 위해 필요한 행복의 본질과 조건을 제시함. (2문단)

전개　전개　전개 ── 이론 전개
행복의 개념과 행복을 추구하기 위해 발전시켜야 하는 능력 세 가지를 제시함. (3, 4문단)

정리 ── 개념 강조
밀이 생각하는 행복의 개념과 진정한 행복에 이르는 방법을 정리함. (5문단)

원리로 생각읽기

독해연습 1　**1** 객관적인 증거는 없지만
　　　　　　2 외계인 또는 외계의 문명이 존재할 가능성은 언제나 열려 있다.　**3** 긍정 진술
독해연습 2　**1** ❹　　**2** 의미와 음성 둘 중에서 어느 하나라도 없으면 언어라고 할 수 없다.

---

0 이 글에서는 철학자 밀이 생각하는 행복의 정의, 조건, 진정한 행복에 이르는 방법 등을 소개하고 있습니다.

　출제 의도 글쓴이가 글을 통해 독자에게 전달하고자 한 내용과 집필 의도를 묻는 문제입니다.

1 4문단에서 밀은 감성은 이성에 의해 적절하게 제어되어야 한다고 보았습니다. 하지만 인간의 내재된 감성과 본능적 요소를 자연스럽게 발전시키는 것은 모든 사람이 지니고 있는 각자의 개별적 자기의식을 발전시키는 데 필수적인 요소라고 하였습니다. 그러므로 밀이 인간의 내재된 본능적 요소를 최대한 제어해야 한다고 본 것은 이 글의 내용과 일치하지 않습니다.

　오답 피하기 ① 4문단에서 밀은 진보하는 존재인 인간에게 가장 중요한 것이 바로 지적인 능력이라고 생각하였음을 확인할 수 있습니다. ②, ⑤ 4문단에서 밀은 인간의 도덕적 성숙을 발전의 요소로 제안하고, 도덕적 발전의 지표로 이기심을 억제하고 타인의 복지에 관심을 기울일 것을 요청했음을 확인할 수 있습니다.
④ 5문단에서 밀은 지성, 감성, 도덕성이라는 세 가지 차원의 능력이 종합적으로 발전된 상태가 행복이라고 규정했음을 확인할 수 있습니다.

2 1문단에서 벤담은 물질적 만족감을 높이는 것이 가장 좋은 것이고 곧 행복이라고 하였으므로 ④는 적절하지 않습니다. 물질적 만족은 우리가 추구하는 본질적 가치의 달성에 도움이 될 때만 의미를 가진다고 본 사람은 밀입니다.

3 3문단에 나타나 있듯이, 밀이 생각하는 행복이란 인간의 타고난 능력을 최대한 발휘할 수 있는 상태를 의미합니다. 계속해서 자기 발전을 이루어 나갈 때 인간은 행복해진다는 것입니다. 그에 비해 〈보기〉의 에피쿠로스는 쾌락을 적극적으로 추구하기보다 욕망을 절제하고 욕심 없이 살아가는 것을 강조하고 있으므로 자기 발전을 강조했다고 볼 수 없습니다.

　오답 피하기 ② 〈보기〉에서 에피쿠로스기 신체에 어떠한 고통도 없으면서 동시에 정신에도 불안과 근심이 없는 상태를 이상적인 상태로 여겼다는 내용을 확인할 수 있습니다. 이로 보아 에피쿠로스도 밀과 같이 고통이 없는 상태를 행복이라고 판단했음을 알 수 있습니다.
③ 4문단에서 밀이 지적인 능력의 활용을 중시했다는 내용을 확인할 수 있지만, 지적인 능력에 대한 에피쿠로스의 견해는 〈보기〉에서 확인할 수 없습니다.
④ 〈보기〉에서 에피쿠로스는 쾌락을 적극적으로 추구한다고 해서 더 큰 행복을 가져오는 것이 아니라 욕망을 절제할 때 더 많이 얻을 수 있다고 하였으므로, 감성을 제어해야 한다고 생각했음을 판단할 수 있습니다.
⑤ 1문단에서 밀은 물질적 만족은 본질적 가치의 달성에 도움이 될

때만 의미가 있고, 자신의 능력을 발전시키기 위해 노력해야 한다고
했으며, 〈보기〉에서 에피쿠로스는 욕망을 절제할 때 행복을 더 많이
얻을 수 있다고 했기 때문에 둘 다 욕망을 적극적으로 추구했다고
볼 수 없습니다.

4 ⓐ의 '정의'는 '어떤 말이나 사물의 뜻을 명백히 밝혀 규정
함. 또는 그 뜻.'의 의미를 지니고 있습니다. 그런데 ①의
'우리 모두 힘을 합쳐 정의가 구현되는 사회를 만들자.'에
사용된 '정의'는 '진리에 맞는 올바른 도리.'라는 뜻이므로
적절하지 않습니다.

0 ②　　**1** ⑤　　**2** ①　　**3** ②　　**4** ②

Q 올베르스는 밤하늘이 왜 어둡다고 생각했나요?
올베르스는 밤하늘이 어두운 이유가 우주 공간에 빛을 흡수하는 물질,
성간 가스나 먼지 같은 것들이 존재하기 때문이라고 생각했습니다.

이 글은 어두운 밤하늘에 대해 의문을 가진 '올베르스의 역설'을
소개하고, 밤하늘이 어두운 이유를 규명하기 위한 여러 이론과
이론이 지닌 문제점을 설명한 뒤, 그 해답을 제시하고 있습니다.

🔲 문단으로 생각읽기

[문제 – 문제 – 해결 – 증명]의 생각 구조

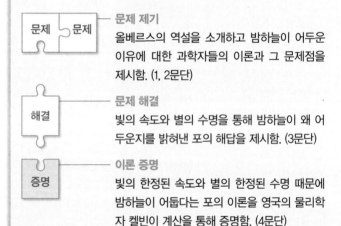

문제 제기
올베르스의 역설을 소개하고 밤하늘이 어두운
이유에 대한 과학자들의 이론과 그 문제점을
제시함. (1, 2문단)

문제 해결
빛의 속도와 별의 수명을 통해 밤하늘이 왜 어
두운지를 밝혀낸 포의 해답을 제시함. (3문단)

이론 증명
빛의 한정된 속도와 별의 한정된 수명 때문에
밤하늘이 어둡다는 포의 이론을 영국의 물리학
자 켈빈이 계산을 통해 증명함. (4문단)

0 1문단에서 제시된 올베르스의 역설은 우주가 무한하고 별들이 고르게 분포되어 있다면 밤하늘은 별들로 가득 메워져 밤에도 환해야 하는데, 실제로 우리가 보는 밤하늘은 어둡다는 것입니다. 그러므로 ㉠에 들어갈 내용은 '어두운 밤하늘의 역설'이 적절합니다.

출제 의도 글의 화제를 찾는 문제입니다. 글을 읽을 때에는 무엇에 대해 밝히고 있는 글인지 파악할 수 있어야 합니다.

1 이 글은 밤하늘이 어두운 이유에 대해 별빛을 차단하는 성간 가스나 먼지 같은 것들이 존재하기 때문이라고 설명한 올베르스의 이론과 먼 곳에서 온 별빛이 너무 희미하여 우리 눈으로 볼 수 없기 때문이라고 설명한 헬리의 이론을 소개하고, 각 이론의 문제점을 제시하고 있습니다. 그리고 빛의 속도는 한정되어 있고, 별이 처음부터 존재하지 않았기 때문에 밤하늘이 어두운 것이라는 포의 이론을 제시하고 있습니다.

2 3문단에서 포는 밤하늘이 왜 어두운지에 대해 설명하면서 빛의 속도와 별의 수명이라는 자료를 처음으로 도입했다고 하였습니다. 또한 4문단에서 일정 시간 동안 빛이 갈 수 있는 거리는 한정되어 있으며, 별이 처음부터 존재한 것은 아니기 때문에 밤하늘이 어둡다고 보았으므로 ⓐ에 들어갈 말은 '한정된 속도', ⓑ에 들어갈 말은 '한정된 수명'이 적절합니다.

3 〈보기〉에 따르면 지구에서 관측되는 모든 외계 천체들의 스펙트럼에서는 적색 편이가 공통적으로 나타난다고 하였으므로 ②는 적절하지 않습니다.

오답 피하기 ① 〈보기〉에서 우주의 모든 별들은 지구로부터 멀어지면서 적색 편이가 나타난다고 설명하고 있습니다. 이는 빛이 지구에 다다르는 속도보다 우주의 팽창으로 인해 지구로부터 멀어지는 속도가 더 빠르기 때문입니다.
③ 2문단에서 아무리 희미한 별빛이라도 모든 방향에서 빛이 온다면 모든 곳이 밝아진다고 하였습니다.
④ 〈보기〉에서 우주 팽창으로 우주의 모든 별들이 지구로부터 멀어지고 있다는 내용을 확인할 수 있습니다.
⑤ 이 글의 마지막 문단에서 밤하늘을 밝히는 별의 개수는 유한하다고 하였고, 〈보기〉에서 모든 별들이 지구로부터 멀어지고 있다는 내용을 확인할 수 있습니다.

4 마지막 문단에서 일정한 시간 동안 빛이 갈 수 있는 거리는 한정되어 있다고 하였고 우주 공간을 지나가려면 시간이 소요됩니다. 그렇다면 지금 우리가 보고 있는 별빛은 과거에 출발한 빛이 지금 우리 눈에 보이는 것이라고 추론할 수 있습니다(ㄱ). 또한 같은 이유로 시간이 지나면 새로운 빛이 도착해 지금의 밤하늘에 어둡게 보이던 부분에 별이 새롭게 나타날 수 있다는 내용을 추론할 수 있습니다(ㄹ).

오답 피하기 ㄴ. 3문단에서 빛의 속도는 한정되어 있다고 하였지만, 먼지와 가스층이 빛의 속도에 영향을 미친다고 추론할 수 없습니다.
ㄷ. 2문단에서 모든 방향에서 빛이 온다면 모든 곳이 밝아질 것이라고 하였으므로, 빛의 속도가 무한히 빠르다면 우주 공간에 있는 별들의 빛이 모두 전달되어 밤하늘의 별이 지금보다 밝게 빛나는 것이 아니라 밤하늘이 낮처럼 밝아져 별을 볼 수 없게 될 것이라고 추론할 수 있습니다.

6 이집트 벽화 속 사람들은 왜 독특할까

0 ④　　**1** ④　　**2** ①　　**3** ③　　**4** ③
5 ②

Q 고대 이집트 사람들은 왜 벽화에서 인물의 정면과 측면이 동시에 나타나도록 그렸을까요?
고대 이집트인의 그림은 기본적으로 시각 상이 아니라 촉각 상에 토대를 두었기 때문입니다.

이 글은 고대 이집트 벽화에서 인물의 정면과 측면의 모습이 신체 부위에 따라 편의적으로 봉합하는 방식으로 동시에 나타나는 이유를 시각 상과 촉각 상의 개념을 바탕으로 설명하고 있습니다. 더불어 우리의 인식과 사유를 표현하는 예술로서의 미술의 의의를 서술하고 있습니다.

▣ 문단으로 생각읽기

[도입 – 전개 – 부연 – 주장]의 생각 구조

 **도입** ── **흥미 유발**
시각 자료를 통해 이집트 벽화에 인물의 정면과 측면이 동시에 나타나는 이유에 대해 호기심을 유발함. (1문단)

 전개 **부연** ── **화제 설명**
이집트의 벽화는 촉각 상에 토대를 둔 것임을 설명하고 시각 상과 촉각 상의 개념과 특징에 대해 부연 설명함. (2, 3문단)

 주장 ── **핵심 주장**
미술은 우리의 인식과 사유를 표현하는 예술로서의 의의를 가진다는 점을 강조하며 마무리함. (4문단)

0 1문단에 따르면, 고대 이집트 벽화 대부분이 얼굴과 다리는 측면에서 본 모습으로, 가슴과 눈은 정면에서 본 모습으로 그려졌다고 하였으므로 ㉠의 특징이 잘 나타난 그림은 ④입니다.

　출제 의도 화제와 관련된 주요 정보를 바르게 이해하고 이를 시각적으로 표현할 수 있는지 확인하는 문제입니다.

1 인물화의 원근법적 기법에 대한 내용은 이 글에서 찾을 수 없습니다. 또한 고대 이집트 벽화에서는 원근법이 사용되지 않았습니다.

　오답 피하기 ① 4문단에서 미술의 보편적인 기능은 시각적 사실의 재현이 아니라 세계에 대한 앎과 이해, 느낌을 전달하는 것이라고 하였습니다.
② 3문단에서 시각 상은 주체가 본 그대로 상을 나타내는 것이고, 촉각 상은 사물의 객관적 형태나 모양에 대한 인식을 상으로 나타낸 것이라고 하였습니다.
③ 1문단에 따르면 동양에서는 인물을 그릴 때 정면 상이 대상의 인품과 특징을 압축적으로 보여 준다고 생각해 정면에서 본 모습을 주로 그렸다고 하였습니다. 그에 비해 서양에서는 해부학적 구조상 옆에서 얼굴 특징이 또렷이 살아나기 때문에 측면에서 본 모습을 적극적으로 그렸다고 하였습니다.
⑤ 2, 3문단에서 이집트 벽화는 시각 상보다 촉각 상을 더 중시한 그림이라고 하였습니다.

2 이 글은 고대 이집트 벽화에서 사람들의 모습이 정면과 측면이 혼합되어 나타나는 현상과 그 원인에 대해 심층적으로 분석하고 있습니다.

3 3문단에서 고대 이집트 벽화는 시각적으로 어떻게 보이느냐보다 실제 그 형태나 모양이 어떤가에 더 관심을 두었다고 하였습니다.

4 〈보기〉에서 신분이 낮은 존재를 그릴 때는 시각 상에 가깝게 그리고, 파라오나 귀족처럼 신분이 높은 존재를 그릴 때는 촉각 상에 가깝게 그렸다고 하였습니다. 3문단에 따르면 시각 상은 주체가 본 그대로 상을 나타낸 것이며, 촉각 상은 사물의 객관적 형태나 모양에 대한 인식을 상으로 나타낸 것이라고 하였으므로 ③이 적절합니다.

　오답 피하기 ① 〈보기〉는 신분이 낮은 악사와 무희가 그려진 그림에 대한 설명이므로 신분이 낮은 존재는 그려질 수 없었다는 것은 적절하지 않습니다.
② 1문단에서 이집트 벽화에서는 정면과 측면을 신체 부위에 따라 편의적으로 나타냈다는 것을 알 수 있지만, 〈보기〉에서는 부분 측면 상이 아니라 측면 상과 정면 상이 모두 나타나고 있음을 알 수 있습니다.

④ 사물의 객관적 형태나 모양에 대한 인식을 상으로 나타낸 것은 촉각 상입니다. 〈보기〉에서 신분이 낮은 존재는 촉각 상이 아니라 시각 상에 가깝게 그려졌음을 확인할 수 있습니다.

⑤ 2문단에서 무덤 속의 주인공은 내세에서도 이승에서와 같이 사냥하고 잔치를 벌이며 살 것이라고 하였습니다. 내세에 다른 존재로 태어날 수 있다는 것은 이집트인들의 현실 인식이 아니므로 적절하지 않습니다.

5 ⓑ에서 '봉합(縫合)'은 '꿰매어 붙임.'의 의미로 쓰였습니다. '이미 있는 것에 덧붙이거나 보탬.'은 '첨가'의 의미이므로 적절하지 않습니다.

생각의 구조화 MIND MAP

생각읽기1 ㉠	생각읽기2 ㉢	생각읽기3 ㉡
생각읽기4 ㉣	생각읽기5 ㉢	생각읽기6 ㉣
1 정의	2 기록	3 동일성
4 행복	5 속도, 수명	6 촉각

<small>생각읽기</small> **1 클레오파트라의 콧대**

0 ⑤	1 ③	2 ②	3 ③

Q 역사를 우연으로만 설명하는 것이 바람직하지 않은 이유는 무엇일까요?

역사적 사실에서 일어난 우연에만 주목하다 보면 역사가 주는 지혜와 교훈을 꿰뚫어 보는 통찰력을 얻을 수 없기 때문입니다.

이 글은 이미 일어난 역사적 사건에 '만약에'라는 질문을 던져 생각한 사례들을 제시하면서, 역사를 가정적으로 접근할 때 유의해야 할 점이 무엇인지 이야기하고 있습니다. 역사에 대한 통찰력은 우연과 필연의 인과 관계를 종합적으로 고려할 때 얻을 수 있음을 강조하고 있습니다.

■ **문단으로 생각읽기**

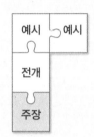

[예시 – 예시 – 전개 – 주장]의 생각 구조

사례와 문제 제기
역사적 사건에 '만약에'라는 질문을 던져 해석한 사례를 제시하고, 그러한 가정적 접근이 갖는 의의와 문제점을 제시함. (1, 2문단)

전개 — **견해 제시**
사후 가정으로 역사를 판단할 때 필요한 자세를 밝힘. (3문단)

주장 — **핵심 주장**
역사적 사실의 성격을 정리하고 역사를 바라볼 때 주목해야 할 점이 무엇인지 제시함. (4문단)

원리로 생각읽기

독해연습 1　**1** 유명인의 말 인용하기　**2** ⑤

독해연습 2　**1** ①

---

0 글쓴이는 역사적 사실에 우연을 가정해 보는 것은 그 사건의 의미를 이해하는 데 도움이 되기는 하지만, 우연에만 주목하다 보면 역사에 대한 통찰력을 얻을 수 없다고 말하고 있습니다. 따라서 글쓴이가 궁극적으로 말하고자 하는 바는 (라)에 나타나 있듯이 역사를 바라볼 때 우연적 사실 그 자체만이 아니라 거기에 담겨 있는 인간의 힘과 시대적 흐름을 파악해야 한다는 것입니다.

　출제 의도 글쓴이가 궁극적으로 말하고자 하는 바, 즉 글 전체의 주제를 파악할 수 있는지를 묻고 있습니다.

1 고조선이 건국되지 않았다면 한반도에 어떤 나라가 세워졌을까를 가정하는 것은 역사적 사건에 대해 '만약에'로 시작되는 질문을 던진 것은 맞지만, 그러한 가정이 선조들이 먼저 겪은 경험과 삶의 지혜를 바탕으로 지금을 살아가고 미래를 생각해 보게 하는 것과 거리가 멀다는 점에서 〈보기〉와 유사한 의미를 갖는다고 보기 어렵습니다.

2 (라)에 나타나 있듯이, 글쓴이는 역사적 사실에 숨겨진 저변을 보지 못하고 겉으로 드러나는 우연에만 주목하는 것은 역사에 대한 혜안을 갖지 못하게 하므로 이를 부정적으로 보고 있습니다.

3 (다)에서는 클레오파트라에 대한 다른 연구 결과를 제시하며, 사실 클레오파트라는 그녀의 미모가 아닌 지성과 언변으로 남자들을 사로잡았을 것이라고 하였습니다. 이러한 사실을 바탕으로 할 때 클레오파트라가 미인이 아니었더라도 자신의 탁월한 지성과 언변으로 안토니우스를 사로잡았을 것이므로 결국 세계 역사는 크게 달라지지 않았을 것이라고 해석할 수 있습니다.

　오답 피하기 ① (다)에 따르면 클레오파트라는 대단한 미인이 아니었을 가능성이 높고, 프톨레마이오스 13세는 클레오파트라와 정치적으로 대립적인 관계에 있었으므로 이와 같은 해석은 적절하지 않습니다.
②, ④ (다)에서는 클레오파트라의 미모가 아니라 그녀가 처한 정치적 상황과 탁월한 지성, 화려한 언변 등에 초점을 두고 있으므로 이와 같은 해석은 적절하지 않습니다.
⑤ (다)를 통해 클레오파트라는 자신의 정치적 입지를 강화하기 위해 안토니우스의 힘이 필요했다는 것을 알 수 있으므로 이와 같은 해석은 적절하지 않습니다.

생각읽기 2 고무의 재발견

0 ⑤   **1** ④   **2** ①   **3** ③

Q 천연 고무의 장점과 단점은 무엇인가요?

천연 고무는 신축성이 좋고 방수 기능이 있지만, 온도에 따라 상태가 크게 변하는 단점이 있습니다.

이 글은 일상에서 우연히 발생하는 사건을 대부분의 사람들은 무심코 지나치지만, 과학자들은 뛰어난 관찰력으로 우연한 사건에서 새로운 발견을 한다는 것을 두 과학자의 에피소드를 예로 들어 제시하였습니다. 프리스틀리는 아무 생각 없이 했던 행동에서 고무가 지우개로 이용될 수 있다는 새로운 특성을 발견하고, 굿이어는 실험 도중 우연히 일어난 실수로 인해 합성 고무를 만드는 방법을 고안해 낸 과정을 소개하고 있습니다.

■ 문단으로 생각읽기

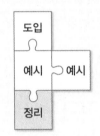

[도입 – 예시 – 예시 – 정리]의 생각 구조

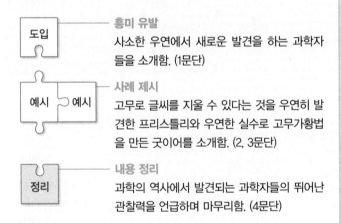

도입 ── **흥미 유발**
사소한 우연에서 새로운 발견을 하는 과학자들을 소개함. (1문단)

예시 예시 ── **사례 제시**
고무로 글씨를 지울 수 있다는 것을 우연히 발견한 프리스틀리와 우연한 실수로 고무가황법을 만든 굿이어를 소개함. (2, 3문단)

정리 ── **내용 정리**
과학의 역사에서 발견되는 과학자들의 뛰어난 관찰력을 언급하며 마무리함. (4문단)

0 '프리스틀리(㉠)'는 어떠한 의도를 가지지 않은 채, 그저 손에 고무를 쥐고 있다가 고무가 연필로 쓴 글씨를 지울 수 있다는 새로운 사실을 우연히 발견했습니다. '굿이어(㉡)' 역시 우연한 실수로 일어난 사건이 계기가 되어, 자신이 생각했던 방법이 옳았음을 발견하게 되었습니다. 고무에 유황을 섞으면 온도 변화에도 큰 영향을 받지 않을 것이라는 그의 생각은 실험이 아니라, 우연히 일어난 실수 덕분에 증명이 된 것이므로 이 역시 우연한 사건을 통해 고무의 새로운 특성을 발견한 것에 해당합니다.

출제 의도 핵심적인 정보를 파악하는 것은 곧 글의 주제를 찾는 것과 밀접한 관련이 있습니다. 이 글에는 두 가지 에피소드가 소개되어 있는데, 그 공통점을 파악하는 것이 주제를 파악하는 데 아주 중요합니다. 즉 이 문제는 바로 두 가지 에피소드의 공통점을 파악할 수 있느냐를 묻고 있습니다.

오답 피하기 ① ㉠은 손에 천연 고무를 쥐고 있었지만, 실험을 하던 것은 아니므로 적절하지 않습니다.
② ㉡은 천연 고무에 유황을 섞어 실험을 하다가 합성 고무를 만드는 새로운 발견을 한 것입니다.
③ ㉠과 ㉡ 모두 자신이 의도하지 않은 우연한 일로 인해 새로운 발견을 했습니다.
④ ㉠은 전혀 관련 없는 일을 하다 생긴 우연한 일에서 새로운 발견을 한 것이고, ㉡은 관찰이 아니라 실험을 하다 생긴 실수에서 새로운 발견을 한 것입니다.

1 굿이어는 고무가황법을 완성하기 이전에 이미 고무에 유황을 섞으면 온도 변화에도 큰 영향을 받지 않는 고무를 만들 수 있을 것이라고 생각했습니다. '고무가황법'은 이러한 아이디어를 처음으로 떠올리게 만든 방법이 아니라, 우연한 발견을 통해 천연 고무의 문제점을 개선하게 된 것입니다.

오답 피하기 ① 고무가황법은 온도에 따라 상태가 크게 변하는 천연 고무의 문제를 해결할 수 있는 방법입니다.
② 천연 고무는 더우면 액체처럼 끈적거리게 되는 문제점이 있었는데, 고무가황법은 이를 해결할 수 있는 방법입니다.
③ 고무가황법이 만들어진 이후, 고무는 여러 분야의 제품 원료로 활용될 수 있었습니다.
⑤ 고무가황법은 굿이어가 실험 도중 유황을 묻힌 고무를 난로 위에 떨어뜨리는 실수로 인해 검증된 방법입니다.

2 ⓐ의 '사람들의 관심을 받던 고무'는 천연 고무로, 날씨가 더우면 액체처럼 끈적거리게 되고, 서로 달라붙어 버리는 성질을 가지고 있었습니다. 그래서 굿이어를 포함한 연구자들은 온도 변화에 영향을 받지 않는 고무를 만들기 위해 연구를 한 것입니다. 이에 비해 ⓑ~ⓔ는 모두 온도 변화에도 상태가 변하지 않는, 즉 어느 정도 기온이 올라가거나 내려

가더라도 상태가 변하지 않는 합성 고무를 의미합니다.

3 〈보기〉의 웰스는 웃음 가스 파티에 참석했다가 우연히 보게 된 남자의 모습에서 아산화 질소를 마취제로 사용할 수 있을 것이라는 아이디어를 얻었습니다. 이는 4문단의 '다른 사람의 모습에서 무언가 새로운 것을 발견'한 것에 해당하며, 웰스가 그 남자의 모습을 예사로 보아 넘기지 않고 유심히 관찰했기 때문에 새로운 것을 발견할 수 있었던 사례에 해당합니다.

오답피하기 ① 웰스가 프리스틀리처럼 아무 생각 없이 어떤 행동을 하다가 새로운 것을 발견한 것이 아닙니다.
② 웰스가 굿이어처럼 연구를 하고 있었던 것이 아니고, 파티에 참석했다가 우연히 어떤 남자의 모습을 보고 아이디어를 얻은 것입니다.
④ 웃음 가스는 사람들의 기분을 좋게 만들어 줄 뿐, 관찰력을 높여 주는 것은 아닙니다.
⑤ 1문단에서 보통 사람들과 과학자의 차이를 설명했는데, 웰스는 과학자의 예리한 관찰력으로 새로운 발견을 한 것에 해당합니다.

0 ③   **1** ③, ④   **2** ㉴, ㉣, ㉯, ㉮, ㉵
3 ②   **4** ④

Q 방송을 보던 독일인들이 베를린 장벽으로 모여든 이유는 무엇인가요?

독일이 통일이 되었다는 이탈리아 기자의 오보가 미국을 거쳐 서독 뉴스로 방송되자 이를 확인하고 싶었기 때문입니다.

이 글은 독일의 베를린 장벽이 어떤 과정에 의해 붕괴되었는지를 우연히 일어났던 사건에 초점을 맞추어 설명하고 있습니다. 베를린 장벽의 붕괴는 정책을 잘 모르고 기자 회견을 한 동독 고위 간부의 말실수와 독일어 실력이 부족했던 한 기자의 오보로 시작되었습니다. 독일 통일의 결정적인 계기를 마련한 베를린 장벽 붕괴가 전혀 예상치 못했던 해프닝에서 시작되었음을 소개한 글입니다.

■ **문단으로 생각읽기**

[도입 – 전개 – 과정 – 정리]의 생각 구조

도입 ── **화제 소개**
전혀 예상치 못한 우연에 의해 무너진 베를린 장벽을 소개함. (1문단)

전개 과정 ── **전개 과정**
독일의 베를린 장벽이 어떤 과정에 의해 붕괴되었는지를 우연히 일어난 사건에 초점을 맞추어 설명함. (2, 3문단)

정리 ── **내용 정리**
독일 분단의 상징이었던 베를린 장벽 붕괴가 새로운 시대를 열고 역사를 되새기는 장으로 활용됨을 언급하며 마무리함. (4문단)

0 이탈리아 기자 에르만은 샤보프스키의 발표 내용을 잘못 이해하여 '동독과 서독 사람들이 마음대로 오갈 수 있으며, 독일은 통일이 되었다'고 오보를 냈습니다. 따라서 밑줄 친 부분에 들어갈 내용으로는 '동독과 서독 지역 간의 자유로운 왕래가'가 오는 것이 적절합니다.

오답 피하기 ① 1문단에 따르면 베를린 장벽은 1961년에 이미 세워져 있었고, 이것은 독일 분단의 상징이 되었다고 하였으므로 부제로 적절하지 않습니다.

②, ④ 샤보프스키가 발표를 하기 이전에도 이미 동독 지역에서 시위가 일어났고, 동베를린 사람들은 서독 방송을 자유롭게 시청하고 있었습니다.

⑤ 동독에서 자유롭게 정부를 비판하는 것은 언론의 자유가 보장된다는 의미로 해석할 수 있습니다. 이것은 독일의 통일 이후에 일어날 수 있는 일이기는 하지만, 에르만의 기사 내용으로는 적절하지 않습니다.

1 샤보프스키는 발표 다음 날부터 실시하기로 결정된 정책을 제대로 알지 못한 채 즉흥적으로 '즉시, 지체 없이 시행된다'고 말했는데, 이것이 뜻하지 않게 독일어 실력이 부족했던 이탈리아 기자 에르만이 오보를 낸 계기가 되었습니다. 또한 에르만의 오보 역시 뜻하지 않게 독일의 통일이라는 엄청난 정치적 사건을 불러일으켰습니다. 이렇게 두 사건 모두 뜻하지 않은 사건을 일으킨 해프닝에 해당합니다.

출제 의도 글에 제시된 특정 부분의 의미를 생각하는 것이 때로는 그 글 전체의 핵심 화제 또는 주제 파악과 밀접하게 관련되기도 합니다.

2 동독 정부는 동독 사람들의 불만을 잠재우기 위해 '여행 규제 완화 법안'을 만들었고(㉱), 이에 대한 보충 설명을 위해 기자 회견을 하였습니다(㉴). 기자 회견장에서 샤보프스키가 실수로 잘못된 사실을 말하고 이를 오해한 이탈리아 기자의 오보가 전 세계로 퍼져 나감으로써(㉵) 많은 사람들이 베를린 장벽으로 몰려들게 됩니다(㉮). 그리고 베를린 장벽에 사람들이 몰려듦에도 상부에서는 검문소에 명확한 지시를 내리지 못하다가(㉲) 결국 국경 수비대가 물러서며 동·서베를린 사람들에 의해 베를린 장벽이 무너지게 된 것입니다.

3 글쓴이가 샤보프스키의 기자 회견과 이탈리아 기자의 오보 등을 소개한 것은 베를린 장벽이 무너질 수 있었던 이유가 독일의 통일을 바라던 독일 시민들의 힘과 함께 전혀 예상치 못한 우연들이 있었기 때문이라는 것을 말하기 위해서입니다.

오답 피하기 ① 독일 시민들의 노력만이 원인이라고 생각했다면 글쓴이는 굳이 관련된 해프닝을 이야기하지 않았을 것입니다.

③ 샤보프스키의 무능과 무책임함만을 베를린 장벽 붕괴의 원인으로 볼 수는 없습니다.

④ 국경 수비대의 행동만으로 베를린 장벽이 무너진 것은 아닙니다.

⑤ 이탈리아 기자의 무모함만을 베를린 장벽 붕괴의 원인으로 볼 수는 없습니다.

4 마지막 문단에서 베를린 장벽은 거의 대부분 철거되었지만, 극히 일부를 남겨 두어 역사를 되새기는 장으로 활용하고 있다고 하였습니다.

오답 피하기 ① 1문단을 통해 1961년 동독에서 베를린 장벽을 일방적으로 세웠음을 알 수 있고, 4문단을 통해 장벽 중간 곳곳에 검문소들이 있었음을 알 수 있습니다.

생각읽기 4 말발굽 논쟁에서 시작된 영화

0 ④   **1** ㄱ-ㄷ-ㅁ-ㄹ-ㄴ   **2** ②   **3** ③
4 ④

Q 영사기의 원형이라 부를 만한 위대한 발명품이 탄생할 수 있었던 것은 어떤 우연에서 시작되었나요?

1872년 어느 날, 사람들 사이에서 우연히 벌어진 말발굽 논쟁에서 시작되었습니다.

이 글은 사람들 사이에서 우연히 벌어진 말발굽 논쟁으로 인해 영화가 탄생하기 위해 필요한 중요한 발명들이 나오게 된 과정을 설명하고 있습니다. 마이브리지가 새로운 촬영법을 개발한 이후 '주프락시스코프'라는 발명품을 개발하였고, 에티엔 쥘 마레와 만나 연속 촬영 분야의 획기적인 발전을 이끌고, 이후 조지 이스트먼이 롤 형태의 필름을 개발하게 되면서 영화의 탄생으로 이어지게 되었음을 설명하고 있습니다.

■ 문단으로 생각읽기

[도입 – 전개 – 과정 – 정리]의 생각 구조

— **논쟁 제시**
사람들 사이에서 우연히 시작된 말발굽에 관한 논쟁을 소개함. (1문단)

전개 — **논쟁 해결**
마이브리지의 아이디어로 말발굽에 대한 논쟁이 해결됨. (2문단)

— **전개 과정**
영화가 탄생하게 된 중요한 발명품들이 나오게 되는 과정을 제시함. (3문단)

— **결과 제시**
우연한 논쟁에서 시작된 사진 기술의 발전은 영화의 탄생으로 이어지게 되었음을 제시함. (4문단)

0 이 글은 영화가 탄생하는 데 기여한 기술들의 개발 및 변화 과정을 시간의 흐름에 따라 설명하고 있습니다.

출제 의도 글 전체의 내용을 모두 담아 내는 제목이 가장 좋은 제목이라고 할 수 있습니다. 제목을 붙이기 위해서는 글의 내용을 전체적으로 파악하고 그것을 일반화할 수 있어야 합니다.

오답 피하기 ① 말발굽 논쟁이 해결된 과정은 글의 앞부분에만 해당합니다.
② 말발굽 논쟁이 일어나게 된 원인은 1문단에만 제시되어 있습니다.
③ 이 글에 나오는 사람들은 영화 산업을 발전시키기 위해 처음부터 노력한 사람들이 아니라 각기 다른 목적이었으나 결과적으로 영화가 탄생하는 데 기여한 기술을 개발한 사람들입니다.
⑤ 두 기술의 탄생 과정은 구체적으로 나오지 않으며 이것 역시 3문단에서만 언급되고 있습니다.

1 사람들 사이에 말발굽 논쟁이 일어나자(ㄱ) 이를 해결하기 위해 마이브리지는 새로운 촬영법을 개발하는 데 성공하였고(ㄷ), 이후 움직임을 생생하게 보여 주는 '주프락스시코프'라는 장치를 개발합니다(ㅁ). 그리고 마이브리지와 마레의 공동 작업으로 동영상 기술의 시대가 열리게 되었고(ㄹ), 결정적으로 이스트먼이 롤 형태의 필름을 개발함으로써(ㄴ) 영화의 탄생으로 이어지게 됩니다.

2 마이브리지가 12대의 사진기를 일정한 간격으로 늘어놓아 말의 움직임을 완벽하게 포착하는 새로운 촬영법을 개발함으로써 말발굽에 대한 논쟁은 말끔히 해결되었습니다. '주프락시스코프'는 이 논쟁이 해결된 후에 개발되었으므로 ②는 적절하지 않습니다.

3 ㉡의 '말리다'는 '넓적한 물건이 돌돌 감겨 원통형으로 겹치게 되다.'라는 뜻입니다.

오답 피하기 ① '사람이 어떤 일에 깊이 빠지거나 휩쓸리다.'라는 뜻입니다.
② '사람이 사물의 물이나 물기가 다 날아가 없어지게 하다.'라는 뜻입니다.
④ '어떤 사람이 다른 사람의 행동을 못하도록 막다.'라는 뜻입니다.
⑤ '무엇이 사물을 모조리 없애다.'라는 뜻입니다.

4 이 글에서는 스탠퍼드와 마이브리지의 이야기를 비중 있게 다루고 있습니다. 이에 대해 '수근'은 비판적 관점에서 글에서 다루고 있는 내용에 대한 아쉬움을 말하고 있습니다.

오답 피하기 ① 2문단에서 알 수 있듯이 12대의 사진기를 늘어놓고 촬영하는 마이브리지의 방식은 말이 뛰는 순간을 완벽하게 포착하여 말발굽 논쟁을 깨끗하게 매듭 지은 효율적인 촬영법이었으므로, 비효율적인 촬영법이었다는 '나희'의 평가는 적절하지 않습니다.

② 마레는 생태학자로서 동물의 움직임을 좀 더 정확하게 포착하기 위해 총 모양의 사진기를 개발하였습니다. 사진기의 모양이 단지 총을 닮았다고 해서 마레가 생태학자라는 본분을 잊었다고 보는 것은 적절하지 않습니다.

③ 릴런드 스탠퍼드의 투자가 없었다면 마이브리지의 새로운 촬영법은 개발되지 못했을 것입니다. 이렇게 볼 때 스탠퍼드를 어리석다고 평가하는 것은 적절하지 않습니다.

⑤ 모든 기술이 그러하듯 아무것도 없이 갑자기 무언가가 개발되지는 않습니다. 마이브리지가 주프락시스코프를 개발했기에 그것을 바탕으로 새로운 기술들이 계속 개발될 수 있었던 것입니다. 따라서 '재희'의 이러한 평가는 기술의 발전 과정을 고려하지 않은 것이므로 적절하지 않습니다.

0 ①   **1** ①   **2** ①   **3** ⑤

Q 바실리 칸딘스키는 어떻게 추상 회화의 가능성을 발견하게 되었나요?

칸딘스키는 옆으로 누인 그림에서 아름다움을 느낀 우연한 계기로 색채와 선, 면 등의 조형 요소만으로도 진리를 드러낼 수 있음을 깨닫고, 추상 회화의 가능성을 발견하게 되었습니다.

추상 회화의 가능성과 필요성을 최초로 인식한 화가인 바실리 칸딘스키의 일화를 소개하며 추상 회화의 개념과 특징을 설명한 글입니다. 추상 회화 이전의 서양 미술을 문학적인 미술로, 추상 회화 이후를 음악적인 미술로 보기도 한다고 말하며, 추상 회화의 등장 시기와 관련하여 그 의의를 밝히고 있습니다.

■ **문단으로 생각읽기**

[도입 – 전개 – 부연 – 정리]의 생각 구조

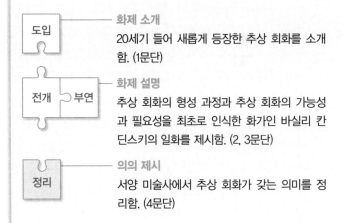

도입 —— 화제 소개
20세기 들어 새롭게 등장한 추상 회화를 소개함. (1문단)

전개 부연 —— 화제 설명
추상 회화의 형성 과정과 추상 회화의 가능성과 필요성을 최초로 인식한 화가인 바실리 칸딘스키의 일화를 제시함. (2, 3문단)

정리 —— 의의 제시
서양 미술사에서 추상 회화가 갖는 의미를 정리함. (4문단)

0 〈보기〉는 추상 회화의 특성이 전형적으로 드러나는 작품으로, 일상에서 접한 다양한 대상을 시각적으로 재현한 그림이 아닙니다. 추상 회화는 외부의 형상을 모방하는 그림이 아니라 작가의 내면세계를 드러내는 그림이기 때문입니다. 이러한 그림을 감상할 때는 화면 속에서 구체적 대상을 찾으려 하지 말고 색채나 선의 구성에 초점을 맞춰야 합니다.

출제 의도 글에 나타난 정보를 바탕으로 구체적 상황에 적용할 수 있는가를 묻는 문제입니다.

1 (가)에서는 이 글의 핵심 화제인 추상 회화의 개념을 소개하고, (나)와 (다)에서 추상 회화가 출현하게 된 배경과 그 특성을 설명하고 있습니다. 마지막 (라)에서는 서양 미술사에서 추상 회화가 갖는 의미를 밝히며 글을 마무리하고 있으므로 이 글의 구조도로 가장 알맞은 것은 ①입니다.

2 이 글은 20세기 들어 새롭게 등장한 추상 회화의 특성에 대한 설명이 주를 이루고 있습니다. 이 글에 따르면 추상 회화는 대상의 사실적 표현보다는 회화의 조형 요소를 강조한 그림이며, 이러한 조형 요소를 통해 화가의 내면에서 일어나는 느낌을 표현한 그림입니다.

3 ㉠은 주제와 형상을 알아볼 수 없는 '추상 회화'를 말하며, ㉡은 구체적 대상이 담겨 있는 '추상 회화 이전의 그림'을 의미합니다. '추상 회화'가 조형 요소를 통해 작가의 내면에서 일어나는 '울림(ⓔ)'을 담아낸 그림이라면, '추상 회화 이전의 그림'은 구체적인 '형상(ⓓ)'을 담은 그림입니다. 이 둘을 음악에 비유하자면, ㉠은 '가락, 리듬, 박자'에 의해 구성된 음악이며, ㉡은 '가사(ⓐ)'가 있는 노래라 할 수 있습니다. 그리고 이 글에서 추상 회화는 '음악적인 미술(ⓒ)'로, 추상 회화 이전의 그림은 '문학적인 미술(ⓑ)'로 나눌 수 있다는 내용이 나와 있으므로 가장 적절한 것은 ⑤입니다.

예술의 새로운 모험, 해프닝

0 ①	**1** ⑤	**2** ⑤	**3** ①

Q 예술의 '해프닝'이란 장르는 우리 삶과 어떤 관계를 맺고 있나요?

우리의 삶은 일회적이고, 일관된 논리에 의해 통제되지 않으므로 이러한 삶 자체가 해프닝과 밀접한 관계가 있음을 보여 줍니다.

이 글은 친숙한 것을 낯선 것으로, 낯선 것을 친숙한 것으로 보여 주는 예술 행위의 본질인 해프닝을 소개한 글입니다. 인간의 삶과 예술의 관계를 새롭게 모색하는 예술적 모험인 해프닝의 발상은 좀 더 다양한 모습으로 예술의 지평을 넓혀 갈 것이라고 말하고 있습니다.

■ 문단으로 생각읽기

[도입 - 전개 - 부연 - 정리]의 생각 구조

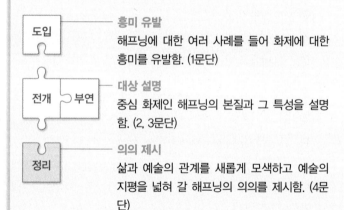

도입 —— **흥미 유발**
해프닝에 대한 여러 사례를 들어 화제에 대한 흥미를 유발함. (1문단)

전개 부연 —— **대상 설명**
중심 화제인 해프닝의 본질과 그 특성을 설명함. (2, 3문단)

정리 —— **의의 제시**
삶과 예술의 관계를 새롭게 모색하고 예술의 지평을 넓혀 갈 해프닝의 의의를 제시함. (4문단)

0 〈보기〉의 시를 보면 기존의 시와는 다르게 무엇을 의미하는지 알 수 없고 이해가 잘 되지도 않습니다. 이 시는 이렇게 일상적 관습에서 벗어나 고정 관념을 깨뜨리고 있으므로 해프닝의 특성을 반영하고 있다고 할 수 있습니다. ①에서는 〈보기〉의 시가 당시 현대시의 주된 흐름을 반영하고 있다고 했습니다. 하지만 이 시는 당시 현대시의 주류와 거리가 멀 뿐더러, 당대의 주류라는 것이 해프닝의 특성도 아니므로 적절하지 않습니다.

1 2문단을 보면, '해프닝은 우리 삶의 고통이나 희망 등을 논리적인 말로는 더 이상 전달할 수 없다는 것을 내세운다.'라고 했습니다. 또, '우리의 삶 자체가 일회적이고, 일관된 논리에 의해 통제되지 않는다는 사실이야말로 해프닝과 삶 자체의 밀접한 관계를 보여 주는 것'이라고 했습니다. 이를 종합해 보면 '해프닝은 논리적으로 설명하기 어렵고 반복되지 않는다는 점에서 삶에 가깝다.'는 것을 알 수 있습니다.

2 〈보기〉의 괄호 안에는 해프닝의 특징에 대해 비판하는 내용이 들어가야 합니다. ⑤의 '자의식이 강하고 우발적이므로 관객 사이의 합의를 얻지 못'한다는 것은 〈보기〉의 앞부분에서 이야기한 기존 예술의 관습과 대조되는 해프닝의 특징입니다. 즉 ⑤는 이와 관련해 해프닝에 대해 비판적인 입장을 드러내고 있으므로 비판의 내용으로 적절합니다.

3 이 글에 따르면 해프닝 예술은 새로운 것을 시도하는 실험 정신, 즉 기존의 고정된 예술의 개념을 무너뜨리는 것입니다. 〈보기〉에 제시된 해프닝 예술 작품은 이러한 해프닝 예술의 모험 정신을 잘 보여 주는 작품이고, 또 〈보기〉에서 이 작품은 일상적인 사물이 거대하고 우스꽝스러운 모습으로 관객의 앞을 가로막고 관객들에게 불쾌감마저 일으킨다고 했으므로 사물의 의미를 뒤집었다고 할 수 있습니다. 따라서 '고정된 정체성을 변화시키는 예술'을 표제로 삼고, '사물의 확대를 통한 의미의 전복'을 부제로 붙이는 것이 어울립니다.

생각의 구조화 MIND MAP

생각읽기1 ⓒ 생각읽기2 ㉠ 생각읽기3 ⓛ
생각읽기4 ⓛ 생각읽기5 ㉣ 생각읽기6 ㉣

1 역사 2 고무 3 우연
4 말발굽 5 추상 회화 6 해프닝

생각읽기 **1**

합리적 사고가 왜 필요할까

0 ②   **1** ②   **2** ⑤   **3** ④

Q 합리적으로 사고하는 것이 어려운 이유는 무엇인가요?

사람들은 대체로 과학적이고 객관적인 것보다는 감성적인 것에 의해 판단이 좌우되는 경향이 있기 때문입니다.

이 글은 합리적으로 사고하는 것이 왜 어려운지, 그럼에도 왜 합리적 사고가 필요하며 이를 위해서는 어떻게 해야 하는지에 대해 설명하고 있습니다.

▣ 문단으로 생각읽기

[도입 – 부연 – 전개 – 주장]의 생각 구조

 사례 분석
한강의 길이를 묻는 상황을 예로 들어 합리적 사고에 대한 논의를 시작하고 합리적 사고가 이루어지지 못하는 이유를 분석함. (1, 2문단)

전개 **방법 제시**
합리적 사고의 개념을 설명하고 합리적으로 사고하는 방법을 크게 두 가지로 나누어 제시함. (3문단)

주장 **핵심 주장**
앞 문단의 내용을 요약하며 합리적 사고의 필요성을 강조함. (4문단)

원리로 생각읽기

독해연습 1   **1** 정의   **2** 표준어

독해연습 2   **1** 높은 건물과 뾰족한 첨탑을 주요한 특징으로 하며 수직적이고 직선적인 느낌을 주는 건축 양식을 고딕 양식이라 한다.   **2** 채권

---

0 이 글은 합리적으로 사고하기 위한 방법을 크게 두 가지로 제시하고 있습니다. 그렇기에 이 글을 바탕으로 한 강연의 제목으로는 '합리적으로 사고하는 방법'이 가장 적절합니다.

〔출제 의도〕 제목을 묻는 문제는 글의 핵심 내용을 정확히 파악하여 이를 압축적으로 나타낼 수 있는지를 확인하는 문제입니다.

1 이 글은 합리적인 사고가 이루어지지 못한 사례를 제시한 뒤, 합리적 사고의 개념을 정의하고, 합리적 사고를 하기 위한 방법을 두 가지로 나누어 제시하고 있습니다. 또한 앞의 내용을 요약정리하며 합리적 사고의 필요성을 강조하는 것으로 글을 마무리하고 있습니다. 그러나 대조의 방식은 이 글에 나타나 있지 않습니다.

〔오답 피하기〕 ① '우리나라 한강의 길이는 얼마나 될까?'라는 질문으로 글을 시작함으로써 독자의 흥미를 이끌어 내고 있습니다.
③ 1문단에서 합리적 사고가 이루어지지 않고 있는 사례로 '한강의 길이'와 관련한 내용을 제시하고 있습니다.
④ 3문단에서 독자가 보다 명료하게 이해할 수 있도록 '합리적 사고'의 개념을 정의하고 있습니다.
⑤ 마지막 문단에서는 앞에서 다룬 내용을 다시 한 번 요약하여 제시함으로써 합리적 사고의 필요성을 강조하며 글을 마무리하고 있습니다.

2 ⑤는 이 글의 마지막 문단에서 확인할 수 있습니다. 글쓴이는 합리적 사고를 하기 위해서는 객관적으로 상황을 바라보려는 노력이 필요하며, 합리적 사고는 현명한 판단을 내리는 데에 매우 중요하다고 말하고 있습니다.

3 A~E 중에서 자기 과신의 오류를 범하고 있는 사람을 찾는 문제입니다. 자기 과신의 오류가 무엇이며, 언제 발생할 수 있는지를 정확히 알아야 합니다. D는 자신의 견해와는 반대되는 전문가들의 예측을 무시하고 근거 없는 자기 주장만 하고 있습니다. 그러한 면에서 자기 과신의 오류를 범하고 있다고 볼 수 있습니다.

〔오답 피하기〕 ①, ②, ⑤ 앞으로 더 하락할 것이라는 전문가의 견해를 수용하고 있으므로 자기 과신에 빠졌다고 보기 어렵습니다.
③ 현재 상황과 전문가들의 견해를 바탕으로 앞으로의 방향을 판단해 볼 필요가 있다고 말하고 있는 점에서 상황을 객관적으로 바라보기 위해 노력하고 있다고 볼 수 있습니다.

생각읽기 **2** 많은 사람들의 의견을 잘 반영하려면

0 ③   **1** ③   **2** ①   **3** ⑤

Q 다수결 투표 제도가 국민의 뜻을 제대로 반영하지 못하는 경우가 생기는 이유는 무엇인가요?

후보가 셋 이상일 때 가장 많은 표를 받아 당선된 사람이, 국민의 절반 이상이 지지하지 않은 후보일 수 있기 때문입니다.

이 글은 현재 주로 시행되고 있는 다수결 투표 제도의 특징과 한계를 밝히고, 국민의 뜻을 보다 잘 반영할 수 있는 다른 유형의 투표 제도들을 소개하고 있습니다.

■ **문단으로 생각읽기**

[도입 - 문제 - 해결 - 해결 - 해결]의 생각 구조

도입 ── 화제 소개
가장 공정한 선거 방법에 대한 논의는 경제학 분야에서도 이루어지고 있음을 소개함. (1문단)

문제 ── 문제 상황
다수결 투표 제도를 소개하고, 다수결 투표 제도의 문제점을 보완하는 제도들을 안내함. (2문단)

해결 해결 해결 ── 대안 제시
다수결 투표 제도의 한계점을 보완할 수 있는 세 가지 투표 제도를 제시함. (3~5문단)

0 (다)에서는 다수결 투표 제도의 문제점을 보완할 수 있는 대안으로 제시된 '조합 비교 투표 제도'의 방법과 특징을 설명하고 있습니다. 그러나 조합 비교 투표 제도의 단점에 대해서는 제시하고 있지 않습니다.

출제 의도 각 문단의 주제를 파악하는 것은 글 전체를 정확히 이해하기 위한 첫 걸음입니다. 각 문단이 글의 화제와 관련해서 무엇에 대해 이야기하고 있는지 잘 찾아보도록 합니다.

1 ㉠은 조합 비교 투표 제도, ㉡은 점수 투표 제도입니다. 두 방법 모두 후보가 셋 이상일 때 다수결 투표 제도의 한계를 보완할 수 있는 방법이므로 ③의 내용은 적절합니다.

오답 피하기 ① ㉠은 후보 옆에 좋아하는 순서대로 등수를 적어 넣으면 컴퓨터가 알아서 비교한다고 했으므로 투표를 여러 번 해야 한다는 설명은 적절하지 않습니다.
② 좋아하는 순서대로 후보의 이름 옆에 등수를 표시하여 투표하는 방법은 ㉡이 아니라 ㉠입니다.
④ ㉠은 순위를 적는 것이기 때문에 가장 좋아하는 후보일수록 크기가 작은 숫자를 적게 됩니다.
⑤ ㉡은 합한 점수가 가장 높은 후보를 당선시키는 방법이므로, 숫자의 합이 가장 큰 후보가 당선되게 됩니다.

2 ⓐ의 '이용하다'는 '대상을 필요에 따라 이롭게 쓰다.'라는 의미로 사용되었습니다.

3 다수결 투표 제도의 문제점을 잘 이해하고 있는지를 확인하는 문제입니다. 사전 여론 조사 결과에 따르면 국민의 60%가 A당을 지지하지 않음에도, B당에서 두 명의 후보가 나온 탓에 A당의 김○○ 후보가 당선된 것은 국민의 뜻을 잘 반영했다고 보기 어려우며, 이는 (나)의 두 번째 문장과 사례를 통해서도 확인할 수 있습니다.

오답 피하기 ①, ③ 〈보기〉의 사례는 후보가 셋 이상일 때 다수결 투표 방식이 국민의 뜻을 제대로 반영하지 못하는 경우가 생길 수 있다는 한계를 보여 주는 사례로 볼 수 있습니다.
② 결선 투표 제도는 과반수 득표자가 없는 경우 가장 많은 표를 받은 두 명의 후보에 대해 결선 투표를 진행하는 방식을 말합니다. 이 제도를 적용할 경우 김○○ 후보와 박△△ 후보에 대한 결선 투표가 벌어질 것으로 예상할 수 있습니다. 그리고 결선 투표를 진행할 경우 사전 여론 조사에 따르면 김○○ 후보가 속한 A당을 지지하지 않는 국민이 60%이므로 투표 결과가 〈보기〉와 달라질 수 있음을 예측할 수 있습니다.
④ 이 글에서는 '세 명 이상의 후보를 놓고 투표할 때 국민의 뜻을 올바로 반영할 수 있는 선거 제도는 없을까?'라는 질문을 던진 뒤, 다수결 투표 제도의 문제점을 보완하기 위한 방법으로 조합 비교 투표 제도, 점수 투표 제도, 결선 투표 제도를 소개하고 있습니다.

생각읽기 3 산대, 중국 전통 수학의 원동력

| 0 ③ | 1 ④ | 2 ④ | 3 ③ | 4 ⑤ |

Q 중국 수학사에서 산대는 어떤 의미를 지니고 있나요?

중국에서 산대는 수학 연구를 가능하게 한 원동력이었으며, 13세기 중국 수학자들의 세계적 위상을 끌어올리는 역할을 했다고 볼 수 있습니다.

이 글은 중국 수학사에서 '산대'가 어떻게 활용되었는지, 산대를 활용해서 숫자를 어떻게 표시했는지를 설명하고 있습니다. 나아가 중국 수학사에서 산대가 가지는 의의에 대해 언급하며 글을 마무리하고 있습니다.

🧩 문단으로 생각읽기

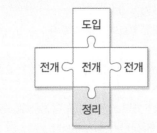

[도입 – 전개 – 전개 – 전개 – 정리]의 생각 구조

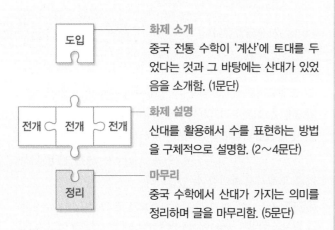

도입 ─ 화제 소개
중국 전통 수학이 '계산'에 토대를 두었다는 것과 그 바탕에는 산대가 있었음을 소개함. (1문단)

전개 ─ 화제 설명
산대를 활용해서 수를 표현하는 방법을 구체적으로 설명함. (2~4문단)

정리 ─ 마무리
중국 수학에서 산대가 가지는 의미를 정리하며 글을 마무리함. (5문단)

0 이 글은 산대로 수를 나타내는 방법을 소개하면서 중국 수학사에서 산대가 가지는 의미를 설명하고 있습니다. 그러므로 이 글의 제목으로는 ③이 가장 적절합니다.

1 (라)에서는 산대를 활용해서 양수와 음수를 표시하는 방법에 대해서만 설명하고 있습니다. 산대를 활용해서 계산을 하는 방법은 이 글에 나와 있지 않습니다.

2 (나)의 내용을 보면 색으로 음수와 양수를 구별했던 시대는 수나라가 아니라 한나라 때였음을 확인할 수 있습니다. 한나라 때에는 적색 막대로 양수를, 흑색 막대로 음수를 표현하였습니다. 반면에 수나라 때에는 산대 단면의 모양이 세모인지 네모인지에 따라 음수와 양수를 구분하여 나타냈다고 했으므로 ④는 적절하지 않습니다.

오답 피하기 ① (나)에서 산대 단면의 모양은 시대에 따라 차이가 있었는데, 예를 들어 한나라 때는 원형 단면이었다가 이후 세모 단면으로 바뀌었고, 수나라 때는 단면이 세모인지 네모인지에 따라 양수와 음수를 구분해 나타냈다고 하였습니다.
② (다)에서 자릿값의 배열에 대해서는 오늘날과 마찬가지로 큰 자리의 수부터 왼쪽에서 시작하여 오른쪽으로 배열한다고 하였습니다.
③ (마)에서 명나라 때 산대를 대신한 주판은 계산의 편리함이나 속도 면에서 뛰어났다고 하였습니다.
⑤ (가)에서 고대 중국에서는 산대를 보자기에 싸 가지고 다니면서 계산이 필요할 때마다 사용했다고 하였습니다.

3 (라)의 내용을 통해 산대 그림에서 음수를 나타낼 때에는 가장 아랫자리 숫자인 일의 자리에 사선을 그었음을 알 수 있습니다. 그러므로 ③의 음수를 나타내기 위해 십의 자리에 사선을 긋는다는 반응은 적절하지 않습니다.

오답 피하기 ① 이 글에 제시된 표에 따라 자릿수를 고려하여 64221을 나타내면 〈보기〉와 같이 표현할 수 있습니다.
② (다)에서 십, 천, 십만… 자리의 수는 뉘어 놓음으로써 표시한다고 말하고 있습니다. 실제로 〈보기〉에서 십, 천의 자리에는 뉘어 놓은 형태의 표기가 사용되었으므로 ②의 설명은 적절합니다.
④ (다)에서 12세기 이전에는 숫자 0이 나오면 빈칸으로 두었기 때문에 표기의 정확성에 한계가 있어 다르게 읽힐 가능성이 있었다고 하였습니다.
⑤ ⊥는 십, 천, 십만…자리에 사용되는 기호이므로 ⊤ 대신 ⊥가 사용됐다면, ⊥와 ≡ 사이에 0이 생략되어 있다고 짐작할 수 있습니다.

4 ⓔ의 '따르다'는 '관례, 유행이나 명령, 의견 따위를 그대로 실행하다.'라는 의미로 사용되고 있습니다. '순종하다' 역시 '순순히 따르다.'라는 의미를 가지고 있으나, '특정 법칙을 순종하다.'라는 형태로는 쓰이지 않습니다. 그러므로 '순종하다'는 ⓔ의 '따르다'와 바꾸어 쓰기에 적절하지 않습니다.

생각읽기

4 나폴레옹은 정말 키가 작았을까

0 ② **1** ⑤ **2** ③ **3** ③

Q 나폴레옹의 키에 대한 오해가 생겨난 이유는 무엇인가요?

나라마다 길이를 나타내는 단위에 차이가 있지만, 이를 통일하는 단위가 없었기 때문입니다.

이 글은 국가 간에 길이 단위가 통일되지 않아 단신으로 오해받았던 나폴레옹의 키와 관련한 이야기를 바탕으로 측정의 '단위'에 대해 이야기하고 있습니다.

📝 문단으로 생각읽기

[도입 – 주장 – 근거 – 부연]의 생각 구조

— **의문 제기**
도입 '나폴레옹은 정말 키가 작았을까?'라는 의문을 제기하며 글을 시작함. (1문단)

— **의문 해결**
주장 나폴레옹의 키가 실제로는 작지 않았음에도 국가 간 단위의 차이 때문에 잘못 알려졌을 거라는 주장을 밝힘. (2문단)

— **근거 설명**
나폴레옹의 키가 작다는 오해가 생긴 것은 국가 간 단위의 차이 때문이었음을 설명함. (3문단)
근거 **부연**
— **부연 설명**
국가 간 교류의 증대로 통일된 단위의 필요성에 대한 목소리가 커졌으며, 이후 미터법이 제정되었음을 소개하며 글을 마무리함. (4문단)

0 이 글은 나폴레옹의 키에 대한 구체적인 수치를 활용하여 단위의 차이와 그로 인해 생길 수 있는 상황들에 대해 설명하고 있습니다. 그러므로 구체적인 수치를 활용하여 독자의 이해를 돕고 있다는 ②의 내용은 적절합니다.

출제 의도 글에서 사용된 글쓰기 전략을 묻는 문제는 내용 전개 방식과 서술 방식을 파악하였는지를 확인하는 것입니다.

오답 피하기 ① 단위의 차이로 인한 오해, 혹은 나폴레옹의 키가 실제로는 작지 않다는 하나의 주제(사건)에 대해 서로 다른 두 가지의 관점에서 설명하고 있는 부분은 이 글에서 확인할 수 없습니다.
③ 이 글에서는 전문가의 견해를 활용하는 부분을 찾을 수 없습니다.
④ 이 글은 단위라는 개념이 시간의 흐름에 따라 어떻게 변화되어 왔는지를 서술하고 있지 않습니다.
⑤ 이 글은 개념을 정의한 후 사례로 설명하고 있다기보다는, 나폴레옹의 키에 대한 역사적 사례를 들어 '단위'라는 핵심 개념에 대한 논의를 이어 나가고 있다고 볼 수 있습니다.

1 나폴레옹의 키가 작다는 소문을 듣고 당시 많은 사람들이 그에 대해 반응한 내용은 글에 드러나 있지 않습니다. ⑤와 관련한 내용은 이 글에서 확인할 수 없습니다.

오답 피하기 ① 4문단을 통해 미터법이 파리 과학 아카데미의 제안을 바탕으로 제정되었음을 알 수 있습니다.
② 나폴레옹의 키에 대해 오해가 생긴 이유는 2문단의 마지막 문장에서 확인할 수 있습니다.
③ 4문단에서 미터법이 국제적으로 확산된 계기는 1875년 미터 조약임을 알 수 있습니다.
④ 3문단의 내용을 통해 피에와 피트는 각각 나타내는 길이가 다름을 알 수 있습니다.

2 ㉠의 '와전되다'는 '사실과 다르게 전해지다.'라는 의미의 단어입니다. 그러므로 ㉠과 바꿔 쓰기에는 '잘못 전해진'이 가장 적절합니다.

3 4문단에서 '국가 간 교류가 활발해지면서 단위를 통일하자는 목소리가 높아지기 시작'했음을 알 수 있습니다. 이 점으로 미루어 보아 국가 간에 교역이 활발한 오늘날 국가마다 사용하는 단위가 다르다면 몹시 불편할 것임을 짐작할 수 있습니다. 그러므로 ㉢의 내용은 적절하지 않습니다.

5 오브제, 예술이 되다

| 0 ④ | 1 ③ | 2 ⑤ | 3 ② | 4 ⑤ |

Q 오브제의 주요한 특징은 무엇인가요?

오브제는 어떤 사물을 그 사물이 가지는 본래의 용도와 기능에서 떨어뜨려 놓는다는 점에서 큰 특징을 가집니다.

이 글은 현대 미술의 표현 방법 중 하나인 오브제를 소개하고 있습니다. 입체파에서 시작된 오브제가 시간이 흐름에 따라 어떻게 나타나는지를 구체적인 예를 들어 설명하고 이를 통해 예술의 범주가 확장되는 과정을 보여 주고 있습니다.

■ 문단으로 생각읽기

[도입 – 전개 – 전개 – 전개 – 정리]의 생각 구조

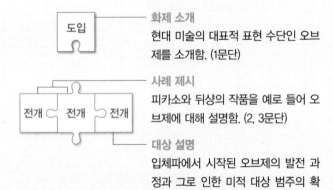

도입 — 화제 소개
현대 미술의 대표적 표현 수단인 오브제를 소개함. (1문단)

전개 — 사례 제시
피카소와 뒤샹의 작품을 예로 들어 오브제에 대해 설명함. (2, 3문단)

— 대상 설명
입체파에서 시작된 오브제의 발전 과정과 그로 인한 미적 대상 범주의 확장에 대해 설명함. (4문단)

정리 — 마무리
오브제의 범위가 무제한적으로 확대되고 있음을 언급하며 마무리함. (5문단)

0 이 글은 오브제를 통해, 예술에서 바라보는 미적 대상의 범주가 이전과 다르게 매우 넓은 범위로 확대되고 있음을 전달하고 있습니다. 그러므로 4회차 강연의 주제와 맞닿아 있다고 볼 수 있습니다.

출제 의도 강연의 주제를 주고 주어진 글과 연결 짓는 문제로 이 글의 주제를 명확히 파악하고 있는지를 확인하는 것입니다.

1 (다)에서는 뒤샹의 「샘」을 통해 오브제가 널리 알려지기 시작했으며, 소변기를 활용한 뒤샹의 표현 방식이 근대 예술에 대한 도전이었음을 설명하고 있습니다. 그러나 뒤샹의 작품, 그리고 오브제라는 방식에 대해 당시 예술계에서 혹평을 한다거나, 반대의 목소리를 내었다는 내용은 나와 있지 않습니다. 그러므로 ③의 내용은 (다)의 중심 내용으로 보기 어렵습니다.

2 이 글의 핵심어인 '오브제'에 대해 바르게 이해하고 있는지를 확인하는 문제입니다. (라)에서 초버닝의 작품은 플래카드라는 본연의 기능을 수행하면서 예술 작품으로 선언된 것임을 확인할 수 있습니다. 그러므로 ⑤의 일상적 사물이 본래의 용도를 버려야만 예술로 인정받을 수 있다는 내용은 적절하지 않습니다.

3 〈보기〉에서는 일상적 사물인 '머그잔'을 예술 작품에 활용하는 상황을 가정하고 있습니다. 실제로 이 작업이 이루어진다면 일상적 사물이 예술의 범주 안에 들어올 수 있음을 보여 주는 예가 될 수 있을 것입니다.

오답 피하기 ① 이 글에 따르면 뒤샹의 「샘」이 그러했듯이 〈보기〉 또한 그 자체로 예술이 될 수 있습니다. 그러므로 오브제 자체가 예술이 될 수 없다는 것은 적절하지 않습니다.
③ 일상적 사물인 〈보기〉가 예술 작품에 활용된다면 일상적 사물 또한 미적 대상이 될 수 있음을 보여 주는 예라고 할 수 있습니다. 그러므로 예술 작품과 일상적 사물의 분명한 경계를 보여 주고 있다고 보는 것은 적절하지 않습니다.
④ 뒤샹의 「샘」은 물건의 쓰임과는 관련이 없는 엉뚱한 곳에 갖다 놓음으로써 미적 감상의 대상으로 변화시킨 것으로, 일상적 사물을 본래의 용도에서 분리시킨 작품입니다.
⑤ 〈보기〉가 '목욕탕'으로 활용될 경우, 음료를 따라 마시는 데 쓰이는 본래의 기능을 그대로 유지하고 있지 않으므로 초버닝의 현수막과 비슷한 특징을 가지고 있다고 본 것은 적절하지 않습니다.

4 ⓐ의 '벗어나다'는 기존에 주로 사용되던 기법, 방법에서 벗어난다는 의미이므로 주된 무언가와 맞지 않는다는 의미인 ⑤의 뜻으로 쓰였음을 알 수 있습니다.

6 문자의 필요성과 논의들

| 0 ⑤ | 1 ④ | 2 ② | 3 ④ | 4 ③ |

Q 향찰이 등장하게 된 이유는 무엇인가요?

우리말을 기록하는 방법을 마련해야 한다는 인식이 있었기 때문입니다.

이 글은 향찰이 왜 만들어졌으며, 어떤 원리로 이루어졌는지를 간략하게 소개하고 있습니다. 이어서 향찰이 왜 오래도록 쓰이지 못하고 사라졌는지 그 이유를 설명하고 있습니다.

■ 문단으로 생각읽기

[도입 – 전개 – 전개 – 정리]의 생각 구조

문제 상황
우리말을 기록하는 방법이 필요하다는 인식이 오래전부터 있어 왔음을 소개함. (1문단)

대상 설명
향찰이 등장한 배경과 향찰 표기법이 어떤 원리로 우리말을 기록했는지를 구체적인 예를 들어 설명함. (2문단)

원인 제시
향찰 표기법이 사라진 원인을 두 가지로 나누어 제시함. (3문단)

마무리
우리말의 특성이 향찰 소멸의 원인 중 하나임을 다시 언급하고, 우리말 표기 방법에 대한 연구가 지속되었음을 제시함. (4문단)

0 (라)에서 향찰이 소멸된 이후에도 우리말을 우리의 방식대로 적으려는 시도가 꾸준히 이어졌다는 내용이 나오지만, 그러한 시도가 무엇이었는지는 구체적으로 언급하지 않았습니다.

출제 의도 글에서 다루고 있는 내용이 무엇인지를 질문의 형태로 묻는 문제입니다. 글의 화제와 관련해서 각 문단에서 무엇에 대해 이야기하고 있는지를 파악할 수 있어야 합니다.

1 (라)에서 아무리 향찰의 표기 체계가 정교했다고 하더라도 우리말의 다양한 소리를 제대로 표현할 수 없었다고 하였으므로 ④의 내용은 적절하지 않습니다.

2 (가)에서는 우리말 표기 방법의 필요성에 대한 인식을 소개하고 있고, (나)에서는 이어서 향찰의 등장과 향찰의 표기 체계에 대해 설명하고 있습니다. 이후 (다)에서는 향찰의 소멸과 그 원인에 대해 설명하고 마지막 (라)에서는 향찰 소멸의 원인에는 우리말의 특성 또한 있을 수 있음을 다시 언급하며 글을 마무리하고 있습니다. 그러므로 이 글의 구조를 가장 잘 나타내는 것은 ②라고 할 수 있습니다.

3 (다)에서 향찰이 고려 시대를 넘기지 못하고 사라졌다고 하였으므로 ④의 향가가 조선 시대에 이르기까지 창작되었을 것이라는 내용은 적절하지 않습니다.

오답 피하기 ① 향가는 향찰로 기록된 노래이므로 한자를 빌려 기록한 노래라고 할 수 있습니다.
② 현대어 풀이를 보면 '은(隱)'은 조사로 한자의 음(소리)을 빌려 적었음을 알 수 있으므로 '은'은 문법적 부분에 해당한다고 볼 수 있습니다.
③ (나)에서 향찰은 우리말의 어순대로 문장을 표기할 수 있었음을 언급하고 있습니다.
⑤ '주(主)'가 해독본에서 '님'으로 읽히고 있는 것으로 보아 한자의 뜻을 빌려 적은 부분임을 알 수 있습니다.

4 ㉢의 '갖추다'는 '있어야 할 것을 가지거나 차리다.'라는 의미로 사용되었습니다. 그러므로 ③은 적절하지 않습니다.

생각의 구조화 MIND MAP

생각읽기1 ㉤　　생각읽기2 ㉠　　생각읽기3 ㉡
생각읽기4 ㉣　　생각읽기5 ㉢　　생각읽기6 ㉢

1 사고　　2 다수결　　3 산대
4 단위　　5 오브제　　6 향찰

밀이 제안한 일치법과 차이법

0 ①	1 ④	2 ②	3 ①

Q 일치법과 차이법을 구분하는 기준은 무엇일까요?

어떤 일에 원인을 찾을 때에 선행하는 요소들의 공통점을 찾을 것인가 아니면 차이점을 찾을 것인가를 기준으로 구분할 수 있습니다.

영국의 철학자 존 스튜어트 밀이 어떤 현상에 대한 원인을 찾아내기 위한 방법으로 제안했던 일치법과 차이법을 소개한 글입니다. 구체적인 예를 활용하여 일치법은 어떤 결과가 발생한 여러 경우에 공통적으로 선행하는 요소를 찾아 이를 원인으로 추론하는 방법임을, 차이법은 어떤 결과가 나타난 사례와 나타나지 않은 사례를 비교하여 그 차이를 찾아 원인을 추론하는 방법임을 설명하고 있습니다.

■ 문단으로 생각읽기

[도입 – 전개 – 전개 – 정리]의 생각 구조

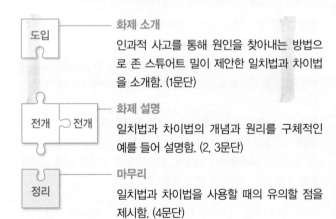

도입 — 화제 소개
인과적 사고를 통해 원인을 찾아내는 방법으로 존 스튜어트 밀이 제안한 일치법과 차이법을 소개함. (1문단)

전개 전개 — 화제 설명
일치법과 차이법의 개념과 원리를 구체적인 예를 들어 설명함. (2, 3문단)

정리 — 마무리
일치법과 차이법을 사용할 때의 유의할 점을 제시함. (4문단)

0 차이법은 결과가 나타난 사례 'X'와 나타나지 않은 사례 '–X'를 비교하여 선행하는 요소들 간의 유일한 차이를 원인으로 보는 방법입니다. 따라서 결과가 나타난 사례와 결과가 나타나지 않은 사례를 비교하고, 선행하는 요소들 a, b, c, d 중 유일한 차이인 a를 원인으로 본 ①이 가장 적절합니다.

출제 의도 글을 읽으며 핵심 정보를 꼼꼼히 확인하여 이를 적용할 수 있는지를 묻는 문제입니다.

오답 피하기 ② 'X'와 '–X'의 차이는 a, c, d, e, f이므로 a를 원인으로 보기 어렵습니다.
③ 결과가 나타나지 않은 사례(–X)가 제시되지 않았으므로 차이법에 의해 원인을 찾을 수 없습니다.
④ 두 번째로 결과가 나타난 선행 요소에 a가 포함되지 않았으므로, 결과의 원인을 a로 볼 수 없습니다.
⑤ 첫 번째 'X'와 '–X'의 선행 요소의 차이는 a가 아니라 c입니다. 또한 두 번째 'X'와 '–X'의 선행 요소의 차이는 a와 f 두 가지입니다.

1 일치법은 어떤 결과가 발생한 여러 경우들에 공통적으로 선행하는 요소를 찾아 그것을 원인으로 보는 방법을 말합니다. ④에서 신장 결석이라는 동일한 증상을 보이는 20명의 아기들이 공통적으로 먹은 음식이 A사의 분유라는 사실을 바탕으로 신장 결석의 원인을 추론하고 있으므로, 일치법에 따라 원인을 찾아낸 사례에 해당합니다.

오답 피하기 ① 두꺼비 울음과 장대비는 연관성이 부족하므로, 우연히 일어난 현상을 인과 관계로 오해한 경우입니다.
② 열이 난 후 붉은 반점이 생긴 경우는 한 번이므로, 여러 경우들을 살펴 원인을 찾는 일치법의 사례로 보기 어렵습니다.
③ 저녁에 커피를 마시지 않은 날과 마신 날의 차이를 바탕으로 잠을 이루지 못한 원인을 찾았으므로 차이법에 해당합니다.
⑤ 학력 하락의 원인으로 컴퓨터 게임 시간의 증가 이외의 다른 요소가 드러나지 않으므로 여러 경우(요소)를 살펴 공통된 요소를 찾는 일치법에는 해당하지 않습니다.

2 학생들이 먹은 음식 가운데 가장 좋아하는 음식이 무엇인지 알아보는 조사는 음식 선호도에 대한 조사이기 때문에 장염의 선행 요소와 직접적인 연관이 없습니다.

오답 피하기 ① 선행하는 요소에 대한 검토에 해당합니다.
③ 인식하지 못해 누락시킨 요소에 대한 검토에 해당합니다.
④ 밝혀진 요소 외에 드러나지 않은 요소에 대한 검토에 해당합니다.
⑤ 누락된 요소에 대한 검토에 해당합니다.

3 ⓐ의 '토대'는 '어떤 사물이나 사업의 밑바탕이 되는 기초와 밑천을 비유적으로 이르는 말.'이므로 '기본이 되는 표준.'이라는 뜻의 '기준'은 유의어로 적절하지 않습니다.

생각읽기 2 세대 차이는 왜 일어날까

0 ⑤   **1** ④   **2** ②   **3** ⑤   **4** ③

Q 세대 차이가 발생하는 원인에는 어떤 것들이 있나요?

세대 차이가 발생하는 원인은 다양하며, 이 글에서는 연령의 차이, 디지털 격차, 인구의 감소를 그 원인으로 들고 있습니다.

이 글은 세대 차이의 원인과 영향 그리고 이를 해결하기 위한 방안 등에 대해 다루고 있습니다. 세대 차이가 발생하는 원인으로 연령 차이, 디지털 격차, 인구의 감소 등 세 가지를 제시하며 세대 차이를 극복하기 위한 노력을 해야 함을 강조하고 있습니다.

■ 문단으로 생각읽기

[도입 – 전개 – 주장 – 정리]의 생각 구조

도입 — 사례 소개
구체적인 예를 들어 세대 차이의 개념을 설명하며 글을 시작함. (1문단)

전개 / 주장 — 원인 분석
세대 차이가 발생하는 원인을 세 가지로 나누어 제시함. (2문단)

— 견해 제시
세대 차이로 인한 영향과 이를 해결하기 위한 노력을 주장함. (3문단)

정리 — 마무리
세대 간 이해의 필요성을 강조함. (4문단)

원리로 생각읽기

독해연습 1   **1** 본성   **2** 특징

독해연습 2   **1** 단점(한계)   **2** 다면적, 이론적

0 이 글은 세대 차이를 이야기하면서 세대 간의 격차가 벌어지는 원인을 주로 다루고 있습니다. 그리고 세대 차이로 인해 발생할 수 있는 대립과 갈등의 문제를 해결하기 위해 세대 간에 서로 존중하고 인정하는 자세가 필요함을 주장하고 있습니다.

출제 의도 글에서 다루고 있는 주요 재료인 화제를 파악할 수 있는지 묻는 문제입니다. 중심 화제는 글의 주제와 직결된다고 생각하면 됩니다.

1 3문단에서 4차 산업 혁명으로 인해 디지털 격차가 더 벌어질 것이고 그로 인해 세대 차이는 더 커질 것이라고 말하고 있습니다.

2 할아버지와 손녀가 '문상'에 대해서 다른 반응을 보인 것은 두 세대 간의 언어와 문화가 다르고 서로 간의 소통이나 공유된 경험이 부족하기 때문입니다. 그런데 이는 세대 간의 차이를 보여 주고 있을 뿐, 여기에 세대 간의 갈등은 나타나 있지 않습니다.

3 현대식 기기(디지털 기기) 사용에 익숙한 젊은 세대는 음식점에서 무인 자동 주문 기기를 사용해 음식 주문을 쉽게 할 수 있지만, 이러한 기계에 익숙하지 못한 노인들이 음식 주문에 곤란을 겪는 모습은 세대 간의 디지털 격차를 보여 주는 사례로 볼 수 있습니다.

오답 피하기 ① 노년층이 유튜브로 동영상을 시청하는 예이므로 디지털 격차를 보여 주는 사례로 적합하지 않습니다.
② 젊은 세대에 비해 노년층의 텔레비전 시청 시간이 길다고 한 것은 디지털 격차를 보여 주는 사례로 볼 수 없습니다.
③ 노년층이 청년층보다 컴퓨터 구매율이 낮다는 것만으로 디지털 격차를 판단하기는 어렵습니다. 단순히 컴퓨터를 사고 싶은 마음이 적기 때문으로 볼 수도 있으므로 디지털 기기를 자유자재로 다룰 수 있느냐 없느냐의 디지털 격차를 설명하는 사례로 보기는 어렵습니다.
④ 교통 카드의 사용 여부와 디지털 격차와는 관련이 없습니다.

4 2문단에서 세대 차이가 벌어지는 원인을 나열하면서 그것을 뒷받침하는 통계 자료를 제시하여 내용에 대한 객관성과 신뢰성을 확보하고 있습니다.

생각읽기 3 서로 다르게 읽히는 문화

0 ⑤	**1** ⑤	**2** ⑤	**3** ④

Q 서로 다른 문화 간의 오해나 갈등을 해결하기 위해 필요한 자세는 무엇인가요?

서로 다른 문화 간의 오해나 갈등을 해결하기 위해서는 상대방의 문화를 인정하고 존중하는 자세가 필요합니다.

이 글은 문화의 차이로 인해 발생하는 문제를 다루고 있습니다. 문화의 차이로 오해와 갈등이 생기는 사례를 제시하면서 인류의 번영과 평화를 위해서는 상대방의 문화를 인정하고 존중하는 자세가 필요함을 강조하고 있습니다.

■ 문단으로 생각읽기

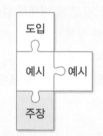

[도입 – 예시 – 예시 – 주장]의 생각 구조

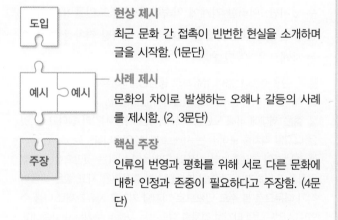

— **현상 제시**
도입 최근 문화 간 접촉이 빈번한 현실을 소개하며 글을 시작함. (1문단)

— **사례 제시**
예시 예시 문화의 차이로 발생하는 오해나 갈등의 사례를 제시함. (2, 3문단)

— **핵심 주장**
주장 인류의 번영과 평화를 위해 서로 다른 문화에 대한 인정과 존중이 필요하다고 주장함. (4문단)

0 마지막 문단에서 서로 다른 문화를 인정하고 존중해야 인류가 번영하고 평화를 누릴 수 있음을 강조하고 있습니다. 그러므로 글쓴이가 문화 간 충돌을 줄여야 인류의 앞날이 밝을 것임을 생각하며 글을 썼다고 볼 수 있습니다.

출제 의도 글쓰기 전략은 글의 핵심적인 내용을 효과적으로 전달하기 위해 글의 구조나 전개 방식을 어떻게 할 것인지 계획을 세우는 것이라고 생각하면 됩니다.

1 미국은 집에서 신발을 신고 생활하는 문화이므로 집 안에 들어갈 때 굳이 신발을 벗을 필요가 없습니다. 미국에서 친구의 집을 방문했을 때 신발을 신고 들어가는 것은 미국의 문화를 이해하고 따르는 것이므로 문화 간 차이로 인한 오해와 갈등의 사례로 볼 수 없습니다.

2 글쓴이는 문화 간 충돌을 피하기 위해 상대방의 문화를 인정하고 존중해야 한다는 관점을 가지고 있습니다. 히잡을 쓰는 문화가 오늘날의 현실에 맞지 않으므로 금지해야 한다고 주장하는 것은 다른 문화를 인정하거나 존중하는 태도와는 거리가 있으므로 글쓴이의 관점과 다릅니다.

3 글쓴이는 서로 다르게 읽히는 문화의 사례들을 제시하면서 문화 간의 대립이나 충돌을 피하기 위해서는 상대방 문화를 인정하고 존중하는 자세가 필요하다고 주장하고 있습니다.

오답 피하기 ① 1문단에서 문화 간의 접촉과 교류가 인류의 문화 발전을 이끈다는 내용은 확인할 수 있지만, 갈등과 대립이 인류의 문화 발전을 이끈다는 내용은 이 글에서 확인할 수 없습니다.
② 문화를 둘러싼 오해와 갈등을 피하기 위해서 문화 간의 접촉을 줄여야 한다고 언급한 내용은 없습니다.
③ 글쓴이는 상대방 문화를 존중하고 인정하는 자세가 필요하다고 했을 뿐, 무조건적으로 수용해야 한다고 주장하고 있지는 않습니다.
⑤ 자국의 문화에 대한 자부심이나 사대주의적 태도 등은 이 글의 내용과 관련이 없습니다.

생각읽기 4 지역과 민족마다 다른 수의 체계

0 ⑤	1 ③	2 ③	3 ④	4 ⑤

Q 우리의 일상생활에서 활용되고 있는 기수법의 종류에는 어떤 것들이 있나요?

우리의 일상생활에서 활용되고 있는 기수법에는 2진법, 10진법, 12진법, 60진법 등이 있습니다.

이 글은 수를 사용하여 적는 방법인 기수법으로 2진법, 10진법, 12진법, 60진법 등을 소개하고 있습니다. 이러한 수의 체계에는 그것을 만든 사람이나 나라, 민족의 사고방식, 문화, 전통 등이 깃들어 있으므로 이를 수용하는 자세가 필요함을 말하고 있습니다.

■ 문단으로 생각읽기

[도입 – 예시 – 예시 – 주장]의 생각 구조

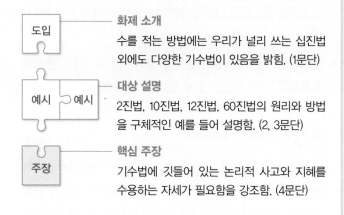

도입 — 화제 소개
수를 적는 방법에는 우리가 널리 쓰는 십진법 외에도 다양한 기수법이 있음을 밝힘. (1문단)

예시 예시 — 대상 설명
2진법, 10진법, 12진법, 60진법의 원리와 방법을 구체적인 예를 들어 설명함. (2, 3문단)

주장 — 핵심 주장
기수법에 깃들어 있는 논리적 사고와 지혜를 수용하는 자세가 필요함을 강조함. (4문단)

0 숫자를 사용하여 수를 적는 기수법에는 2진법, 10진법, 12진법, 60진법 등이 있는데, 이러한 기수법에는 그것을 만든 사람이나 나라와 민족의 사고방식, 전통, 문화 등이 들어 있음을 이야기하고 있습니다.

출제 의도 글에서 가장 중요하게 다뤄지는 핵심 화제에 대해 묻는 문제로, 내용을 잘 파악했는지 묻고 있습니다.

1 2진법은 0과 1로 자연수를 나타내는 기수법입니다. $2 = \underline{1} \times 2^1 + \underline{0}$이므로 2진법으로 나타나면 10이 되고, $6 = \underline{1} \times 2^2 + \underline{1} \times 2^1 + \underline{0}$이므로 2진법으로 나타나면 110이 됩니다. 따라서 $10 = \underline{1} \times 2^3 + \underline{0} \times 2^2 + \underline{1} \times 2^1 + \underline{0}$이므로 2진법으로 나타내면 1010이 됩니다.

2 2진법에서 올라가는 자릿값 수는 2, 10진법의 자릿값 수는 10, 12진법의 자릿값 수는 12이므로 올라가는 자릿값의 수가 모두 다릅니다.

오답 피하기 ① 바빌로니아인들은 지구의 공전 주기가 대략 360일이라는 것을 파악하고 있었으므로 1년 주기를 약 360일 정도로 생각했음을 알 수 있습니다.
② 한 다스는 12이므로 반 다스는 6이 됩니다. 따라서 6시간은 12진법에서 반 다스의 시간으로 표시할 수 있습니다.
④ 1문단에서 2진법은 라이프니츠가 동양의 음양 사상에 영향을 받아 만들었다고 했습니다.
⑤ 10진법이 지금처럼 널리 쓰이는 것은 손가락이 10개인 것에서, 8진법은 손가락과 손가락 사이를 센 것에서 나온 것이라고 하였으므로, 8진법과 10진법이 인간의 신체적 특징과 관련됨을 알 수 있습니다.

3 수를 적는 방법에는 2진법, 10진법, 12진법, 60진법 등이 있습니다. 이 중에서 일반적으로는 10진법이 쓰이지만, 컴퓨터의 연산에는 2진법이, 시계를 읽을 때는 12진법과 60진법이 효율적이라고 하였으므로 ④와 같이 반응하는 것이 적절합니다.

4 '조합하다'는 '여럿을 한데 모아 한 덩어리로 짜다.'라는 뜻이므로 '여러 번의 셈을 하여'는 적절하지 않습니다.

생각읽기 5 동물들의 눈동자 모양은 왜 다를까

0 ①	**1** ①	**2** ④	**3** ①	**4** ②

Q 매복형 육식 동물과 초식 동물의 눈동자 모양은 어떻게 다른가요?

매복형 육식 동물의 눈동자는 세로로 길쭉한 반면, 초식 동물은 가로로 길쭉합니다.

이 글은 매복형 육식 동물과 초식 동물의 눈동자 모양이 다른 이유를 과학적으로 설명하고 있습니다. 매복형 육식 동물은 사냥감을 뚜렷하게 보기 위해 눈동자가 세로로 길쭉하고, 초식 동물은 초점이 맞는 범위의 물체를 모두 뚜렷하게 보기 위해 가로로 길쭉하다는 점을 그들의 생존 방식과 관련지어 설명하고 있습니다.

■ 문단으로 생각읽기

도입

전개 ┤├ 전개

정리

[도입 – 전개 – 전개 – 정리]의 생각 구조

도입 ── **의문 제기**
동물의 눈동자 모양이 다른 이유에 대해 의문을 제기함. (1문단)

전개 ┤├ 전개 ── **의문 해결(원리 설명)**
매복형 육식 동물과 초식 동물의 눈동자 모양과 관련된 과학적 원리와 그 차이를 설명함. (2, 3문단)

정리 ── **마무리**
동물의 눈동자 모양은 생존을 위해 진화한 것임을 밝히며 마무리함. (4문단)

0 이 글은 매복형 육식 동물과 초식 동물의 눈동자 모양이 다른 이유를 그들의 생존 방식과 연결하여 설명하고 있습니다.

출제 의도 제목은 글의 내용을 압축적으로 포괄하는 중심 생각이 담겨야 합니다. 따라서 중심 내용을 잘 파악하고 있는지를 확인하는 문제입니다.

1 이 글은 매복형 육식 동물과 초식 동물의 눈동자 모양이 왜 다른지 의문을 제기한 후에 생존을 위해 눈동자의 크기가 조절되고 이로 인해 심도가 달라지는 과학적 원리를 설명하며 그 해답을 제시하고 있습니다.

2 2문단에서 눈동자의 크기가 커져 빛이 많이 들어오게 되면, 커지기 전보다 초점이 맞는 범위가 좁아진다고 하였습니다. 따라서 이와 반대로 눈동자의 크기가 작아져 빛이 적게 들어오게 되면, 작아지기 전보다 초점이 맞는 범위가 넓어진다고 볼 수 있습니다.

오답 피하기 ① 양안 시차로 물체와의 거리감을 파악하는 것은 초식 동물이 아니라 육식 동물입니다.
② 초식 동물은 뒤만 빼고 거의 전 영역을 볼 수 있지만, 단안시여서 입체 영상을 볼 수 있는 것은 정면뿐입니다.
③ 육식 동물이 아니라 초식 동물의 눈이 포식자의 출현을 미리 알기 위해 좌우로 많이 벌어져 있습니다.
⑤ 초점이 맞는 공간의 범위인 심도는 눈동자의 크기에 따라 결정됩니다.

3 '매복(埋伏)'은 '상대편의 동태를 살피거나 상대편을 불시에 습격하기 위해 적당한 곳에 몰래 숨어 있음.'이라는 뜻이므로 '매복형'은 '상대를 불시에 습격하기 위해 몰래 숨어 있는 유형'이라고 할 수 있습니다.

4 늑대와 같은 매복형 육식 동물은 눈동자가 세로로 길쭉한데, 이로 인해 가로로는 심도가 깊고 세로로는 심도가 얕은 영상을 보게 됩니다. 그래서 초점이 맞는 양은 뚜렷해 보이지만 초점이 맞지 않는 바위와 나무는 양에 비해 흐릿해 보이는 것입니다.

생각읽기 6 동서양의 그림, 어떻게 다를까

0 ⑤ 　**1** ④ 　**2** ② 　**3** ④

Q 서양화에 비해 동양의 옛 그림이 이상하게 느껴지는 이유는 동양화의 어떤 형식 때문일까요?

동양화는 보이는 것을 화면에 그대로 묘사하는 형식이 아니라, 화가의 관념을 그리는 형식이기 때문입니다.

이 글은 동양의 산수화와 서양의 풍경화의 차이를 설명하고 있습니다. 동양의 산수화는 시점이 여러 개 존재하며, 원근과 명암을 표현하지 않는 등 서양의 풍경화에 비해 과학적이지 않은 것처럼 보이지만 이는 자연을 있는 그대로 그리지 않고 화가의 관념 속 자연을 표현하기 때문임을 밝히고 있습니다.

■ 문단으로 생각읽기

[도입 – 부연 – 전개 – 주장]의 생각 구조

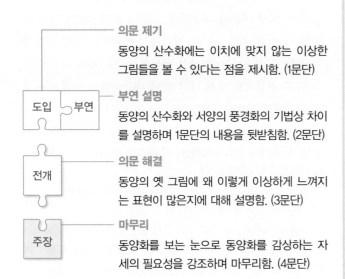

의문 제기
동양의 산수화에는 이치에 맞지 않는 이상한 그림들을 볼 수 있다는 점을 제시함. (1문단)

부연 설명
동양의 산수화와 서양의 풍경화의 기법상 차이를 설명하며 1문단의 내용을 뒷받침함. (2문단)

의문 해결
동양의 옛 그림에 왜 이렇게 이상하게 느껴지는 표현이 많은지에 대해 설명함. (3문단)

마무리
동양화를 보는 눈으로 동양화를 감상하는 자세의 필요성을 강조하며 마무리함. (4문단)

0 이 글은 동양의 산수화와 서양의 풍경화에서 자연 풍경을 어떤 방식으로 표현하고 있는지 그 차이점에 대해 설명하고 있습니다.

> **출제 의도** 글의 핵심 정보를 파악하는 문제입니다. 글을 읽을 때 글쓴이가 중점적으로 다루고 있는 화제를 우선적으로 파악해야 글의 주제에 한층 더 쉽게 접근할 수 있습니다.

1 서양의 그림이 형체, 명암, 빛깔 등 눈에 보이는 바를 화면에 그대로 묘사하는 형식이라면, 동양의 그림은 화가가 생각한 것이나 아는 것, 즉 관념을 그리는 형식입니다. ④는 동서양의 그림에 대해 반대로 설명하고 있습니다.

2 〈보기〉는 추사 김정희의 「세한도」로, 〈보기〉에서 소나무에 가려진 벽은 오히려 뒤로 갈수록 넓어지고 있으므로 역원근법(㉠)이 사용된 것을 알 수 있습니다. 또한 삼각형의 지붕은 정면에서 본 각도로, 창문은 왼쪽에서 본 각도로, 직사각형의 지붕은 오른쪽의 각도에서 본 모습이므로 세 개의 시점이 존재하고 있습니다(㉡). 마지막으로 소나무와 집은 '세상의 차가운 인정, 선비로서의 절개와 지조'라는 화가의 관념, 즉 화가가 생각한 것을 나타내고 있습니다(㉢).

3 ⓐ의 '깔려'는 문맥상 '(무엇이) 다른 주된 것의 전제나 기본 바탕으로 제시되다.'라는 뜻으로 쓰였습니다. ④의 '깔려'도 그러한 뜻으로 사용되었습니다.

> **오답 피하기** ① '(무엇이) 널리 또는 많이 퍼져 있다.'라는 뜻입니다.
> ② '(무엇이) 밑에 놓이게 되다.'라는 뜻입니다.
> ③ '(현상이) 사방에 퍼지다.'라는 뜻입니다.
> ⑤ '(어떤 사람이 다른 사람이나 그 힘에) 꼼짝 못 하고 억눌리다.'라는 뜻입니다.

생각의 구조화 MIND MAP

생각읽기1 ㉣　　생각읽기2 ㉡　　생각읽기3 ㉢
생각읽기4 ㉢　　생각읽기5 ㉣　　생각읽기6 ㉠
1 차이법　　**2** 세대　　**3** 문화
4 기수법　　**5** 눈동자　　**6** 산수화

본문 162~165쪽

생각읽기 1 과학자들이 바라본 우주

| 0 ② | 1 ⑤ | 2 ③ | 3 ① |

Q 우주의 기원을 설명할 때 빅뱅 이론을 뒷받침하는 과학적 증거 두 가지는 무엇인가요?

빅뱅 이론은 허블의 법칙과 우주 배경 복사 등의 과학적 증거를 토대로 우주의 기원을 설명합니다.

이 글은 우주의 기원과 관련하여 여러 과학자들이 주장한 이론의 전개 과정을 소개하고 있습니다. 특히 빅뱅 이론에 대해 구체적으로 소개하며 '우주는 어떻게 시작되었을까?'라는 질문에 대한 논의를 전개하고 있습니다.

■ 문단으로 생각읽기

[도입 - 전개 - 부연 - 정리]의 생각 구조

도입 — 화제 제시
창조 신화에서 찾아볼 수 있는 우주의 기원에 대한 관심을 소개함. (1문단)

전개 부연 — 이론 소개
우주의 기원을 설명하는 빅뱅 이론을 소개하고, 이로 인한 우주관의 변화를 제시함. (2, 3문단)

정리 — 전망 제시
우주의 기원을 설명하기 위한 다양한 시도와 변화를 제시함. (4문단)

원리로 생각읽기

독해연습 1 **1** 그래서 → 그러나   **2** 그러나 → 그리고

독해연습 2 **1** 하지만, 서로 일치하지 않거나 상반되는 사실의 내용을 이어줌.   **2** 따라서

0 이 글은 여러 가지 과학적 증거들을 토대로 우주의 기원을 밝히려고 했던 연구들을 소개하고 있습니다. 특히 허블의 법칙을 근거로 주장을 펼친 빅뱅 이론이 우주 배경 복사의 발견으로 증명되는 과정을 설명하고, 이러한 연구들이 우주관의 변화를 가져왔다는 의의가 있음을 밝히고 있습니다. 따라서 '우주 기원에 관한 연구와 그 의의'를 제목으로 삼을 수 있습니다.

출제 의도 적절한 제목을 찾기 위해서는 글 전체 내용을 압축하여 표현할 수 있어야 합니다.

오답 피하기 ① 2문단에서 우주 배경 복사에 대한 내용을 다루고 있으나 그것이 발견된 계기를 언급하지 않았고, 전체 글의 제목으로도 적절하지 않습니다.
③ 창조 신화 속에서 찾아볼 수 있는 우주의 기원은 1문단에만 해당하는 내용이므로 전체를 포괄할 수 있는 제목으로는 적절하지 않습니다.
④ 빅뱅 이론의 한계점이나 그 한계를 보완하기 위한 시도에 대해 언급하지 않았습니다.
⑤ 우주가 팽창하고 있다는 주장이 등장하게 된 배경에 대해서는 2문단에서 언급하고 있지만 글 전체 내용을 포괄하는 제목으로는 적절하지 않습니다.

1 〈보기〉에서 풍선의 바람을 빼면 점들이 가까워진다고 하였습니다. 빅뱅 이론에 적용하면, 이는 우주가 축소한다고 가정할 때 여러 은하 사이의 거리가 가까워지는 것에 대응한다고 할 수 있습니다. 따라서 풍선의 바람이 빠져 나가는 것을 '우주 공간으로 퍼져 나간 빛'에 대응한다고 이해하는 것은 적절하지 않습니다.

오답 피하기 ① 풍선 위에 찍은 작은 점은 풍선을 불수록 거리가 멀어진다는 점에서 우주가 팽창할수록 거리가 멀어지는 '여러 은하들'에 대응함을 알 수 있습니다.
② 풍선에 바람을 넣어 풍선이 커지는 것은 빅뱅 이론과 관련지을 때 '팽창하는 우주'에 대응된다고 할 수 있습니다.
③ 빅뱅 이론에서는 한 점에 모여 있던 질량과 에너지가 팽창하다가 어느 시점에 폭발하여 우주가 탄생했다고 보고 있습니다. 이를 고려하면 풍선이 어느 순간 터지는 것은 '한 점에 모여 있던 질량과 에너지의 폭발'에 대응된다고 할 수 있습니다.
④ 빅뱅 이론의 근거가 되는 허블의 법칙에 따르면 은하들 사이의 거리가 멀어지면서 은하들이 바깥쪽으로 이동한다는 것을 알 수 있습니다. 이로 볼 때, 풍선을 불면 점들이 멀어지는 것은 '은하들 간의 거리가 멀어지는 것'에 대응된다고 할 수 있습니다.

2 허블의 법칙에 따르면, 은하들이 지구로부터 멀어지는 속도가 지구와 은하 사이의 거리에 정비례합니다. 이를 고려하면 은하들이 지구로부터 멀어지는 속도가 두 배 빨라지면, 지구와 은하 사이의 거리는 두 배 멀어질 것임을 알 수 있습니다.

① 빅뱅 이론은 과학적 발견을 근거로 우주의 기원을 설명하는 이론이라 할 수 있습니다. 하지만 4문단에서 새로운 과학적 증거들이 발견된다면 빅뱅 이론에서 주장하고 있는 내용 역시 수정되어야 한다고 하였으므로, 빅뱅 이론이 우주 기원에 대한 절대적인 설명은 아님을 알 수 있습니다.

② 2문단에서 빅뱅 이론을 주장하는 과학자들은 150억 년 전에서 200억 년 전 사이의 어느 시점에 한 점에 모여 있던 질량과 에너지가 팽창하여 폭발하면서 우주가 탄생하였다고 생각한다고 설명하였습니다.

④ 1문단에서 중국 신화에서는 '반고'라는 특정 대상이 하늘과 땅을 만들고 그 대상이 죽은 후 태양, 달, 별이 만들어졌다고 설명하였는데, 그리스 신화에서는 모든 것이 뒤섞여 있던 상태에서 땅과 어둠이 나타났고 이후 여러 명의 신들이 등장했다고 설명하고 있음을 확인할 수 있습니다.

⑤ 2문단에서 우주 배경 복사는 우주 탄생 후 매우 뜨거웠던 초기 우주의 온도가 점차 낮아지면서 우주 공간으로 퍼져 나간 빛의 파장을 일컫는 말임을 설명하였습니다.

3 2문단에서 '에드윈 허블'(ⓒ)이 발견한 허블의 법칙을 근거로 '가모브와 앨퍼'(㉠)가 우주의 기원을 설명하는 빅뱅 이론을 주장하였음을 알 수 있습니다. 그리고 이 빅뱅 이론은 '펜지어스와 윌슨'에 의해 우주 배경 복사의 발견으로 증명되었습니다.

② 혼돈의 상태에서 무엇인가가 나타나 우주를 형성했다는 것은 그리스 신화와 관련된 것으로, '가모브와 앨퍼', '에드윈 허블', '펜지어스와 윌슨' 모두와 관련이 없습니다.

③ '에드윈 허블'(ⓒ)이 발표한 법칙을 바탕으로 은하들이 바깥쪽으로 이동하고 있다는 주장이 타당성을 얻었습니다. 하지만 '펜지어스와 윌슨'(ⓒ)이 이러한 사실을 밝혀내지는 않았습니다.

④ 한 점에 모여 있던 질량과 에너지가 폭발하면서 우주가 탄생했다고 본 사람은 '가모브와 앨퍼'(㉠)입니다. '에드윈 허블'(ⓒ)은 이러한 주장을 한 것이 아니라 이러한 주장의 근거를 마련하는 역할을 하였습니다.

⑤ '가모브와 앨퍼', '에드윈 허블', '펜지어스와 윌슨' 모두 창조 신화들이 우주의 기원에 대한 적합한 설명이 아니라고 비판했는지 여부는 이 글에서는 알 수 없습니다.

생각읽기 **2** 비금속으로 금을 만들자

| 0 ⑤ | 1 ② | 2 ⑤ | 3 ④ | 4 ③ |

Q 사람들이 연금술에 관심을 가졌던 이유는 무엇인가요?

값싼 물질을 재료로 삼아 가장 완벽한 물질이라고 여겨지던 금을 얻을 수 있다고 생각했기 때문입니다.

이 글은 비금속을 재료로 하여 금, 은 등의 귀금속을 만들고자 했던 연금술이 어떻게 발전하게 되었으며, 비록 연금술이 성공하지는 못했지만 근대 화학에 어떠한 영향을 미쳤는지에 대해 설명하고 있습니다.

■ 문단으로 생각읽기

[도입 – 전개 – 부연 – 정리]의 생각 구조

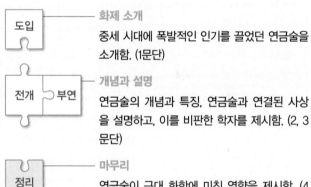

화제 소개
중세 시대에 폭발적인 인기를 끌었던 연금술을 소개함. (1문단)

개념과 설명
연금술의 개념과 특징, 연금술과 연결된 사상을 설명하고, 이를 비판한 학자를 제시함. (2, 3문단)

마무리
연금술이 근대 화학에 미친 영향을 제시함. (4문단)

0 연금술이 다양한 사상들과 결합한 것으로 보아 예술 분야에도 영향을 미쳤을 가능성은 있으나, 이 글에서 연금술과 예술의 관계에 대한 내용은 언급하고 있지 않습니다.

출제 의도 글에 언급된 내용을 문단별로 정리할 수 있는지 확인하기 위한 문제입니다.

1 2문단의 '연금술이란 일반적으로 화학적 수단을 활용해 구리, 납, 주석 같은 비금속 물질을 금, 은과 같은 귀금속으로 정련하려는 시도를 의미한다.'에서 핵심 개념을 설명하여 독자의 이해를 돕고 있습니다(ㄱ). 그리고 1문단의 '값싼 물질을 재료로 삼아 금, 은 등의 귀금속을 만들 수 있는 기술이 발명된다면 세상은 어떻게 바뀌게 될까?'에서 질문을 던짐으로써 독자의 관심을 유도하고 있습니다(ㄷ).

오답 피하기 가상적 상황을 예로 들어 현상을 설명하고 있는 부분은 제시되어 있지 않습니다(ㄴ). 그리고 권위자로 볼 수 있는 여러 학자들의 이름이 언급되어 있지만, 그들의 견해를 들어 현상의 원인을 설명하고 있지는 않습니다(ㄹ). 통념의 문제점을 지적하거나 새로운 이론을 주장하고 있지도 않습니다(ㅁ).

2 〈보기〉에 제시된 '인간이 바로 신이다.'라는 구절은 납을 금으로 변화시키듯이 인간의 내부에 있는 잠재력을 끌어내어 신성화된 존재로 탈바꿈시키는 것을 의미함을 언급하고 있습니다. 이를 활용한다면 인간이 내적인 직관에 따라 신을 직접 체험하려는 신비주의 사상과 연금술이 결합된 구체적 사례로 제시할 수 있습니다.

오답 피하기 ① 〈보기〉는 염산, 황산과 같은 물질이 연금술을 연구하는 과정에서 만들어진 물질이라는 내용과는 관련이 없습니다.
② 〈보기〉에 '현자의 돌'이 원소의 변환을 도와 금을 비롯한 모든 귀금속을 만들어 내는 물질임을 뒷받침하는 근거로 제시할 수 있는 내용은 없습니다.
③ 〈보기〉의 내용을 바탕으로 별의 빛이나 위치, 운행 따위를 보고 개인과 국가의 길흉을 점치는 것과 연금술과의 관계를 설명하는 것은 적절하지 않습니다.
④ 〈보기〉를 근거로 화학 실험을 통해 금을 구성하는 원소를 일정 비율로 섞으면 금을 만들어 낼 수 있다는 내용을 뒷받침하는 근거로 〈보기〉를 활용하는 것은 적절하지 않습니다.

3 과학 기술이 발전하면서 금은 다른 물질을 섞는다고 해도 만들 수 없는 원소임이 밝혀졌기 때문에 연금술의 명맥이 유지되지 못한 것이라고 할 수 있습니다.

오답 피하기 ① 구리, 납, 주석 따위의 비금속 가격이 금보다 비싸졌다는 내용은 이 글에 나타나 있지 않습니다.
② 과학자인 로버트 보일이 연금술을 비판하였다는 내용은 제시되었으나, 연금술의 개념을 새로이 만들었다는 설명은 제시되어 있지 않습니다.

③ 여과나 증류에 관한 화학적 실험 방법은 연금술이 근대 화학의 실험 방법에 영향을 주었으므로, 이것은 연금술의 명맥이 유지되지 못한 것과는 관련이 없습니다.
⑤ 신비주의나 점성술에 대한 사람들의 인식이 부정적으로 바뀌었다는 설명은 이 글에 제시되어 있지 않습니다.

4 '추정'의 사전적 의미는 '미루어 생각하여 판정함.'입니다. '옳고 그름이나 좋고 나쁨을 판단하여 구별함.'이라는 의미를 가진 말은 '판별'입니다.

생각읽기 3 화폐의 등장, 그 이후

0 ④　　**1** ⑤　　**2** ⑤　　**3** ③　　**4** ④

Q 중세 군주들이 화폐의 귀금속 함유량을 감소시켜 화폐의 소재 가치가 액면 가치보다 낮은 주화를 발행한 이유는 무엇일까요?

군주들이 화폐 제조에서 이익을 얻으려고 했기 때문입니다.

이 글은 화폐가 어떻게 사용되기 시작하였는지와 화폐의 발전 과정을 설명하고 화폐의 기본 요건에 대해 구체적으로 밝히며 글을 전개하고 있습니다.

◼ 문단으로 생각읽기

[도입 – 전개 – 주장 – 부연]의 생각 구조

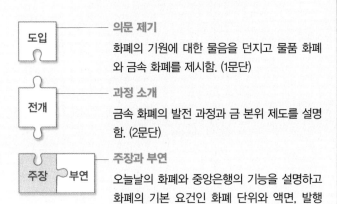

도입 — 의문 제기
화폐의 기원에 대한 물음을 던지고 물품 화폐와 금속 화폐를 제시함. (1문단)

전개 — 과정 소개
금속 화폐의 발전 과정과 금 본위 제도를 설명함. (2문단)

주장과 부연
오늘날의 화폐와 중앙은행의 기능을 설명하고 화폐의 기본 요건인 화폐 단위와 액면, 발행 기관에 대해 자세히 설명함. (3, 4문단)

---

0 2문단에서 금의 일정량의 가치를 기준으로 단위 화폐의 가치를 재는 화폐 제도인 금 본위 제도에 대해 언급하고 있습니다. 하지만 이 글에서 우리나라가 금 본위 제도를 채택하였다는 내용은 언급하지 않았으므로 그것을 채택하게 된 이유도 설명하지 않았습니다.

출제 의도 이 문제는 글에서 다루고 있는 내용을 정확하게 파악할 수 있는지를 묻고 있습니다.

오답 피하기 ① 2문단에서 화폐 액면이 등장하게 된 계기에 대해 설명하고 있습니다.
② 1문단에서 고대에 화폐로 사용된 물품의 예로 쌀, 소금, 조개 등을 제시하고 있습니다.
③ 4문단에서 우리나라의 화폐 단위를 규정하고 있는 법인 긴급 통화 조치법에 대해 언급하고 있습니다.
⑤ 4문단에서 제2차 세계 대전 이후에 현대적 중앙은행을 설립한 국가로 우리나라, 중국, 필리핀, 헝가리 등을 제시하고 있습니다.

1 3문단의 내용에 따르면 중앙은행은 화폐의 독점적 발행 권한을 가지고 있으며, 화폐 가치의 안정을 위한 책임과 의무에 힘쓴다는 것을 알 수 있습니다. 또한 〈보기〉에서 중앙은행이 화폐를 공급하는 것에 따른 경제적 영향에 대해 설명하고 있는데, 이 두 가지 정보를 통해 중앙은행은 화폐 가치가 안정화되도록 화폐의 공급을 조절한다는 것을 알 수 있습니다.

오답 피하기 ① 물가를 안정시키기 위해 노력한다고 볼 수 있지만 화폐의 소재 가치가 액면 가치보다 낮아지게 만든다는 것은 적절하지 않습니다.
② 금융 통화 위원회는 화폐를 만드는 기관이 아니라 화폐의 액면을 결정하는 의결 기관입니다. 따라서 화폐를 마음대로 만들어 시장에 공급하는 것을 견제한다는 설명은 적절하지 않습니다.
③ 화폐의 가치가 떨어지지 않게 화폐의 공급을 조절한다고 볼 수는 있지만 중앙은행이 금 본위 제도를 시행하는 기관이라고 보기는 어렵습니다.
④ 기업에서 실업 문제가 발생하지 않도록 유도하는 기능도 하지만, 〈보기〉에 따르면 시장에 화폐를 적게 공급하면 실업 문제가 발생하게 되므로 적절하지 않은 설명입니다.

2 4문단의 내용을 통해 볼 때, 우리나라의 경우 은행권과 주화 모두를 중앙은행이 발행하고 있는 것을 알 수 있습니다. 중앙은행이 은행권을 발행하고 정부가 주화를 발행하는 국가는 미국, 영국, 일본, 캐나다 등입니다.

오답 피하기 ① 3문단에서 화폐의 기본 요건은 화폐 단위와 액면 및 발행 기관임을 확인할 수 있습니다.
② 4문단에서 우리나라의 화폐 단위는 1962년 제정된 긴급 통화 조치법에서 '원'으로 규정한 것을 확인할 수 있습니다.
③ 화폐 액면은 화폐 발행 기관이 화폐 관련법 등에 정해진 절차에

정답과 해설 **43**

따라 자율적으로 결정하고 있으나 발행 가능한 화폐 액면 종류를 법으로 정한 나라도 있음을 4문단에서 확인할 수 있습니다.

④ 4문단에서 우리나라의 화폐 액면은 한국은행이 정부의 승인과 금융 통화 위원회의 의결을 거쳐 결정함을 확인할 수 있습니다.

3 화폐에 그 소재 가치와 무관한 액면이 정해지게 된 것은 3문단에서 다루고 있습니다. 그런데 이는 제1차 세계 대전이 끝난 것과 관련이 있지만 세계 경제가 안정되었기 때문인지는 이 글을 통해 확인하기 어렵습니다.

오답 피하기 ① 금과 지폐의 가치가 1대 1의 관계에서 벗어나면서 ㉠의 결과가 나타났다고 언급하고 있습니다.

② 제1차 세계 대전 등의 전쟁을 겪으면서 많은 국가들이 금이 없이도 지폐를 발행하게 되면서 ㉠의 결과를 낳게 되었다고 언급하고 있습니다.

④ 3문단에서 명목 화폐 발행 조건인 금의 공급에 한계가 있어 ㉠의 필요성이 생기게 되었음을 언급하고 있습니다.

⑤ 국가 간의 교역 규모가 이전에 비해 더욱 확대되면서 금의 공급에 한계가 생기고 금과 지폐의 가치가 일대일의 관계에서 벗어나게 되어 ㉠의 결과가 나타났다고 언급하고 있습니다.

4 '설립하다'는 '기관이나 조직체 따위를 만들어 일으키다.'라는 의미로, 문맥상 ⓐ의 '만들다'와 바꾸어 쓸 수 있는 말에 해당합니다.

오답 피하기 ① '결정하다'는 '행동이나 태도를 분명하게 정하다.'라는 의미를 가진 말입니다.

② '정립하다'는 '바로 서다. 또는 바로 세우다.'라는 의미를 가진 말입니다.

③ '발생하다'는 '어떤 일이나 사물이 생겨나다.'라는 의미를 가진 말입니다.

⑤ '발견하다'는 '미처 찾아내지 못하였거나 아직 알려지지 않은 사물이나 현상, 사실 따위를 찾아내다.'라는 의미를 가진 말입니다.

0 ①   **1** ④   **2** ②   **3** ②   **4** ③

Q 아프리카에서 화석으로 발견된 최초 인류의 명칭은 무엇인가요?

최초의 인류는 아프리카에서 화석이 발견된 오스트랄로피테쿠스였습니다.

이 글은 선사 시대 인류의 삶에 대해 살펴보고 있는 글입니다. 구석기 시대와 신석기 시대 인류의 삶을 다루며 인류가 어디에서부터 시작되었는지를 설명하고 있습니다.

□ 문단으로 생각읽기

[과정 – 부연 – 과정 – 부연 – 정리]의 생각 구조

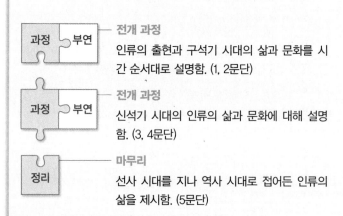

전개 과정
인류의 출현과 구석기 시대의 삶과 문화를 시간 순서대로 설명함. (1, 2문단)

전개 과정
신석기 시대의 인류의 삶과 문화에 대해 설명함. (3, 4문단)

마무리
선사 시대를 지나 역사 시대로 접어든 인류의 삶을 제시함. (5문단)

0 이 글은 내용상 크게 구석기 시대와 신석기 시대, 문명의 형성과 역사 시대의 시작으로 전개되고 있습니다. 구석기 시대를 다룬 (가)와 (나), 신석기 시대를 다룬 (다)와 (라), 문명의 형성과 역사 시대의 시작을 다룬 (마)로 글이 전개되고 있음을 확인할 수 있습니다.

출제 의도 이 문제는 글의 구조가 어떻게 이루어져 있는지를 정확하게 파악할 수 있는지를 묻고 있습니다.

1 〈그림 1〉은 사냥하는 장면, 〈그림 2〉는 농사를 짓는 장면을 담고 있는 벽화입니다. 둘 다 당시 사람들이 식량을 조달하였던 방식을 표현한 자료로 볼 수 있습니다.

오답 피하기 ① 〈그림 1〉은 구석기 시대의 생활 모습을 그린 것입니다. 목축은 신석기 시대 사람들의 생활상과 관련된 것입니다.
② 관개 농업은 청동기 시대 사람들의 삶에서 확인할 수 있는 내용입니다. 신석기 시대의 벽화에서 관개 농업이 발달하였음을 확인할 수 있다는 것은 적절하지 않습니다.
③ 〈그림 2〉는 농사를 짓는 모습을 담고 있을 뿐, 당시 사람들이 믿었던 샤머니즘이 반영되어 있다고 보기 어렵습니다.
⑤ 〈그림 1〉과 〈그림 2〉 모두에서 당시 태양과 물을 숭배하는 풍습이 있었음을 확인하기는 어렵습니다.

2 (나)에서 구석기 시대의 인류가 시체를 매장하는 풍습을 가졌음을 언급하였으나, 그 풍습을 가졌던 이유에 대해서는 이 글에서 다루지 않았습니다.

오답 피하기 ① (나)의 '인류는 사냥과 채집을 통해 식량을 조달하고'에서 답을 얻을 수 있습니다.
③ (라)의 '부족은 혈연을 바탕으로 한 씨족을 기본 구성단위로 하였다.'에서 답을 얻을 수 있습니다.
④ (라)의 '여기에는 풍요로운 생산을 기원하는 의미가 담겨 있다.'에서 답을 얻을 수 있습니다.
⑤ (마)의 '메소포타미아의 티그리스강과 유프라테스강, 이집트의 나일강, 인도의 인더스강, 중국의 황허강 유역에서 문명이 형성되었다.'에서 답을 얻을 수 있습니다.

3 〈보기〉는 구석기 시대에서 신석기 시대로 넘어가는 전환기에 대해 설명하고 있습니다. 따라서 구석기 시대를 설명하고 있는 문난인 (나)와 신석기 시대를 설명하고 있는 (다) 사이, 즉 (나) 뒤에 〈보기〉를 넣는 것이 문맥상 적절합니다.

4 '출현'의 사전적 의미는 '나타나거나 또는 나타나서 보임.'입니다.

오답 피하기 ① '창고에서 물품을 꺼냄.'이라는 말은 '출고'입니다.
② '어떤 자리에 나아가 참석함.'이라는 말은 '출석'입니다.
④ '부대 따위가 일정한 목적을 실행하기 위하여 떠남.'이라는 말은 '출동'입니다.
⑤ '연기, 공연, 연설 따위를 하기 위하여 무대나 연단에 나감.'이라는 말은 '출연'입니다.

생각읽기 **5** 생명의 기원에 대한 논의들

0 ⑤   **1** ④   **2** ③   **3** ③   **4** ④

Q 지구 생명의 기원이 외계에 있다는 주장에는 어떤 것들이 있나요?
지구 생명의 기원이 외계에 있다는 주장에는 범종설과 정향 범종설 등이 있습니다.

이 글은 생명의 기원에 대해 여러 학자들이 주장한 바를 소개하고 있습니다. 지구 생명의 기원이 지구에 있다고 보는 '오파린 가설'과 이를 증명한 밀러의 실험, 그리고 기원이 외계에 있다고 보는 '범종설'과 '정향 범종설'의 내용을 구체적으로 설명하고 있습니다.

■ **문단으로 생각읽기**

[도입 – 전개 – 주장 – 부연]의 생각 구조

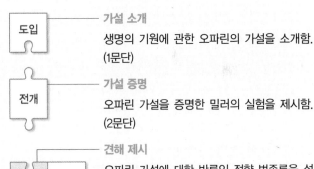

도입 —— 가설 소개
생명의 기원에 관한 오파린의 가설을 소개함. (1문단)

전개 —— 가설 증명
오파린 가설을 증명한 밀러의 실험을 제시함. (2문단)

주장 · 부연 —— 견해 제시
오파린 가설에 대한 반론인 정향 범종론을 설명함. (3문단)

—— 부연 설명
정향 범종설의 반론에 대한 반박 내용을 제시함. (4문단)

0 생명의 기원에 대한 다양한 관점을 소개하고 있지만 이 관점들을 절충하기 위한 방안을 찾고 있지는 않습니다.

출제 의도 이 문제는 글쓴이가 글의 내용을 어떻게 전개하였는지를 파악할 수 있어야 합니다.

오답 피하기 ① 1문단에서 '지구에 생명은 어떻게 생겨났을까?'란 질문을 던지며 글을 시작해 독자의 관심을 유도하고 있습니다.

② 1문단의 '오파린 가설은 그 20년 전인 1903년 스웨덴 물리학자 스반테 아레니우스가 주장한 '범종설'에 대한 이론적 반격이었다.'에서 특정 이론에 대한 반론을 제시하고 있습니다. 또한 4문단에서도 정향 범종설에 대한 반론 중 하나를 함께 제시하며 내용을 전개하고 있습니다.

③ 1문단의 '범종은 '모든 씨앗', '두루 존재하는 씨앗'이란 뜻인데'와 같이 독자가 어렵게 느낄 수 있는 단어의 개념을 밝혀 주고 있습니다.

④ 3문단의 '원시 지구의 생명도 없고 썩지도 않는 바다, 곧 묽은 닭고기 육수 같은 상태의 '원시 국물'에 도달하여'에서 유사한 대상에 빗대는 방식을 활용해 독자의 이해를 돕고 있습니다.

1 〈보기〉의 선생님의 말을 통해 무지에 호소하는 오류란 어떤 주장이 증명되지 않았으므로, 즉 주장을 뒷받침할 근거가 없으므로 이 주장을 거짓이라고 판단하여 생기는 오류임을 알 수 있습니다. ④의 '유령 따위는 세상에 없어. 유령이 존재한다는 증거를 들 수 없잖아.'는 어떤 사실이 증명되지 않았다는 것만으로 그것이 거짓이라고 주장하는 것에 해당하므로 무지에 호소하는 오류라고 할 수 있습니다.

오답 피하기 ① '네 생각은 말도 안 돼. 좀 더 공부하고 와서 다시 이야기해.'는 상대방을 인신공격하는 오류에 해당합니다.

② '너 밥 좀 그만 먹어라. 그렇게 먹다가는 배가 터져 버릴 거야.'는 확대 과장의 오류에 해당합니다.

③ '오빠는 정말 불쌍한 사람이야. 우리 오빠를 이번만 용서해 줘.'는 연민에 호소하는 오류에 해당합니다.

⑤ '올해 크리스마스에는 눈이 올 거야. 왜냐하면 작년에도 눈이 왔거든.'은 성급하게 단정 짓는 오류에 해당합니다.

2 크릭은 외계 존재가 자신들은 우주선에 탑승하지 않고 미생물만 우주선에 태워 보냈을 것이라고 주장하였습니다. 이러한 주장에 대한 근거가 3문단에 제시되어 있는데, 첫째로 외계 존재들은 우주에서 오랜 시간을 여행하고도 복사 에너지에 손상되지 않은 채 지구에 도착하기 어려웠을 것이라는 점(ㄴ), 둘째로 생물 발생 이전의 지구 대기는 산소가 거의 없었을 가능성이 높으므로 산소 없이 존재할 수 있는 미생물을 탑승시켰을 것이라는 점(ㄷ)을 들고 있습니다.

오답 피하기 4문단에서 크릭이 '40억~50억 년에 걸쳐 우리와 비슷한 생물체가 발달하고 그들이 가장 단순한 생명 형태를 지구로 보내기에 충분한 시간이라고 주장하였다.'라는 내용을 통해 볼 때, 진화

에 충분한 시간이 주어지지 않았다는 것은 ㄱ은 크릭의 주장과는 맞지 않는 내용입니다.

3 2문단을 통해 '프랜시스 크릭'(ㄹ)이 '제임스 왓슨'과 함께 DNA 분자 구조를 밝혀냈음을 알 수 있습니다. 그리고 이를 바탕으로 화학자 레슬리 오겔과 함께 지구 생명의 '외계 기원론'인 정향 범종설을 주장하였습니다. 따라서 '프랜시스 크릭'(ㄹ)이 '알렉산드르 오파린'(ㄱ)과 함께 DNA 분자 구조를 밝혀냈다는 설명은 적절하지 않습니다.

오답 피하기 ① 1문단에서 '알렉산드르 오파린'(ㄱ)은 원시 지구에서 화학 반응으로 최초의 세포가 만들어졌다는 가설을 통해 '스반테 아레니우스'(ㄴ)의 범종설(생명이 우주에서 떠돌던 미생물을 씨앗으로 삼아 탄생했다는 주장)을 반박하였음을 알 수 있습니다.

② 3문단에서 '프랜시스 크릭'(ㄹ)은 「생명 그 자체」라는 저서를 통해 '스반테 아레니우스'(ㄴ)가 주장한 '범종설'을 변형한 '정향 범종설'을 제안하였음을 알 수 있습니다.

④ 3문단에서 '프랜시스 크릭'(ㄹ)은 '스탠리 밀러'(ㄷ)가 한 실험이 과학적 성과이지만 생명의 지구 기원론을 전적으로 뒷받침하는 것은 아니라고 판단했음을 알 수 있습니다.

⑤ 2문단을 통해 '스탠리 밀러'(ㄷ)가 한 실험으로 인해, 지구에서 생명이 저절로 생겨났다는 '알렉산드르 오파린'(ㄱ)의 가설이 증명되는 것으로 여겨지는 분위기가 형성되기도 하였음을 알 수 있습니다.

4 '생성하다'는 '사물이 생겨나다. 또는 사물이 생겨 이루어지게 하다.'라는 의미를 가진 말로, 문맥상 '만들다'를 대체할 수 있습니다. 그리고 '간주되다'는 '상태, 모양, 성질 따위가 그와 같다고 여겨지다.'라는 의미를 가진 말로, 문맥상 '여겨지다'를 대체할 수 있습니다.

오답 피하기 '발산하다'는 '감정 따위가 밖으로 드러나 해소되거나 분위기 따위가 한껏 드러나다.'라는 의미를 가진 말입니다. 그리고 '분별되다'는 '서로 다른 일이나 사물이 구별되다.'라는 의미를 가진 말이다. 또한 '분류되다'는 '종류에 따라서 갈라지다.'라는 의미를 가진 말입니다.

생각읽기 6 원소는 어떻게 만들어졌을까

0 ②	1 ④	2 ③	3 ③	4 ③

Q 우주를 구성하고 있는 원소의 대부분을 차지하며 빅뱅 과정에서 만들어진 원소 두 가지는 무엇인가요?

빅뱅 과정에서 만들어진 수소와 헬륨이 우주를 구성하고 있는 원소 대부분을 차지하고 있습니다.

이 글은 원소가 어떻게 만들어졌는지에 대해 설명하고 있습니다. 특히 빅뱅의 과정, 별 내부에서의 핵융합 반응, 초신성의 폭발로 세분화하여 각 과정에서 만들어진 원소들을 제시하고 있습니다.

■ 문단으로 생각읽기

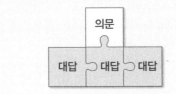

[의문 – 대답 – 대답 – 대답]의 생각 구조

의문 제기
'원소는 어떻게 만들어졌을까?'란 물음을 던지며 원소의 생성 기원에 관한 의문을 제기함. (1문단)

의문에 대한 답
원소의 생성 기원에 대해 빅뱅의 과정, 별 내부에서의 핵융합 반응, 초신성의 폭발에 의해 생성된 원소로 세분화하여 설명함. (2~4문단)

0 이 글은 지구상의 원소가 어떻게 만들어졌는지에 대해 다루고 있습니다. 따라서 글쓴이가 말하고자 하는 핵심 화제는 원소의 생성 기원이라 할 수 있습니다.

출제 의도 이 문제는 글의 핵심 화제를 정확하게 파악할 수 있는지의 여부를 묻고 있습니다.

1 3문단에 의하면, 별 내부에서 가벼운 수소가 헬륨 원자핵으로 바뀌는 과정이 프레드 호일, 윌리엄 파울러 등과 같은 과학자들의 노력으로 설명되었음을 알 수 있습니다.

오답 피하기 ① 4문단에 의하면, 무거운 원소에 해당하는 우라늄은 초신성의 폭발 시 발생하는 에너지로 인해 만들어졌습니다.
② 2문단에 의하면, 조지 가모와 랄프 알퍼는 수소와 헬륨 원소가 빅뱅의 과정에서 생성되었다는 것을 처음으로 밝혀내었습니다.
③ 1문단에 의하면, 지금까지 알려진 원소의 종류는 118개로, 그중 일부는 기계 장치를 이용해 실험실에서 만들어졌습니다.
⑤ 2문단을 통해 조지 가모와 랄프 알퍼가 발표한 논문에서는 수소와 헬륨 이외의 원소들의 기원에 대한 설명은 하지 못했음을 알 수 있습니다.

2 '철'보다 무거운 원소는 초신성의 폭발에 의해 생성된 원소인 '라듐, 우라늄' 등이고, '철'보다 가볍고 '헬륨'보다 무거운 원소는 핵융합 반응으로 생성된 원소인 '마그네슘, 규소, 황' 등입니다. 그리고 빅뱅의 과정에서 나오는 원소는 '수소, 헬륨'인데, 3문단에서 별 내부에서 수소가 가장 가벼운 원소라고 하였습니다. 이를 고려하여 무거운 원소부터 가벼운 원소 순으로 나열하면 '라듐 〉 철 〉 마그네슘 〉 수소'가 됩니다.

3 〈보기〉에서는 철 원소가 핵융합에 의해서 만들어질 때 일시적으로 철보다 무거운 원소가 만들어질 수도 있지만 그 원소는 다시 분해되어 안정된 철로 되돌아간다고 했습니다. 이는 핵융합 반응으로는 철보다 더 무거운 원소를 만들 수 없다는 사실을 뒷받침하는 내용으로 볼 수 있습니다.

4 '이목을 끌다.'는 '주의나 관심 따위를 쏠리게 하다.'라는 의미를 가진 어구로, 문맥상 ⓐ에 들어가기에 적절합니다.

생각의 구조화 MIND MAP

생각읽기1 ㉠	생각읽기2 ㉠	생각읽기3 ㉣
생각읽기4 ㉢	생각읽기5 ㉣	생각읽기6 ㉡
1 빅뱅	2 금, 연금술	3 화폐
4 선사	5 범종설	6 원소

생각읽기 **1** 네안데르탈인은 왜 사라졌을까

0 ④　　　**1** ⑤　　　**2** ⑤　　　**3** ③　　　**4** ②

Q 유년기의 차이가 두 인류에게는 어떤 결과를 가져왔나요?

유년기의 기간 차이는 두 인류의 지적 능력과 사회성의 수준 차이를 불러왔으며, 이로 인해 네안데르탈인이 현생 인류와의 경쟁에서 밀려 도태되었습니다.

이 글은 네안데르탈인의 멸종에 관한 여러 가설을 소개하고 있습니다. 네안데르탈인이 사라진 원인으로 짧은 유년기에 따른 도태설, 기후 변화설, 질병 감염설, 학살설, 인구 통계학적 분석 등 여러 가설을 제시하며 네안데르탈인의 멸종에 대해 생각하게 합니다.

■ 문단으로 생각읽기

[도입 − 견해 − 견해 − 첨가]의 생각 구조

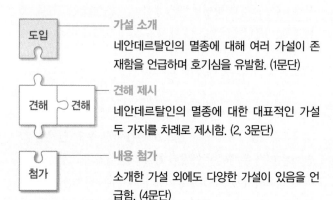

도입 ── **가설 소개**
네안데르탈인의 멸종에 대해 여러 가설이 존재함을 언급하며 호기심을 유발함. (1문단)

견해　견해 ── **견해 제시**
네안데르탈인의 멸종에 대한 대표적인 가설 두 가지를 차례로 제시함. (2, 3문단)

첨가 ── **내용 첨가**
소개한 가설 외에도 다양한 가설이 있음을 언급함. (4문단)

0 이 글은 네안데르탈인이 멸종된 원인에 대한 여러 가지 가설을 소개하고 있습니다.

출제 의도 핵심 화제는 글에서 주로 다루고 있는 제재를 말하는 것이므로 글의 주제와 밀접한 관계가 있습니다.

1 3문단에 따르면, 네안데르탈인이 극심한 빙하기에 적응하지 못해 멸종되었다고 언급하고 있습니다.

오답 피하기 ① 1문단에서 네안데르탈인과 현생 인류는 약 7,000년 이상을 공존했다고 설명하고 있습니다.
② 2문단을 통해 네안데르탈인의 생물학적 수명은 30~35년으로 짧아서 뇌를 발달시키거나 사회적으로 성장할 수 있는 시간이 부족했다는 것을 알 수 있습니다.
③ 네안데르탈인이 사라진 원인을 설명할 수 있는 명확한 근거는 아직 없다고 1문단에서 언급하고 있습니다.
④ 네안데르탈인의 멸종 원인으로 언급되는 짧은 수명, 식습관 등은 외부적 요인이라 할 수 없습니다.

2 〈보기〉는 네안데르탈인이 고기를 불에 익혀 먹지 않았기 때문에 현생 인류에 비해 음식으로부터 충분한 양의 에너지를 얻지 못했을 것이라고 보고 있습니다. 따라서 〈보기〉의 관점에서 이 글의 내용을 이해하면, 네안데르탈인이 고기를 날로 먹는 습관 때문에 생존에 필요한 에너지를 충분히 얻지 못하여 멸종되었을 것이라고 생각할 수 있습니다.

오답 피하기 ① 〈보기〉에서 음식을 날로 먹었다는 내용은 나와 있지만 이 때문에 질병에 걸렸다는 언급은 하지 않았으므로 〈보기〉의 관점에서 어긋납니다.
② 〈보기〉에 따르면 음식을 익혀 먹을 때 더 많은 체내 에너지가 쌓인다고 하였습니다. 따라서 음식을 날로 먹을 때에는 더 많은 식량이 필요하게 될 것이므로 적절하지 않습니다.
③ 〈보기〉에 따르면 네안데르탈인도 불을 사용하고 도구를 만들었다는 것을 알 수 있으므로 적절하지 않습니다.
④ 〈보기〉는 네안데르탈인이 음식을 익혀 먹지 않았음을 말했을 뿐 도구를 사용하지 않았음을 주장하는 것이 아니므로 적절하지 않습니다.

3 3문단에 따르면, 네안데르탈인이 현생 인류에게 밀려 추운 북쪽 지역에서 거주하였다고 설명하고 있습니다.

4 ⓐ는 '드러나지 않거나 알려지지 않은 사실, 내용, 생각 따위를 드러내 알리다.'의 의미를 지니고 있습니다. 따라서 이와 유사한 것은 ②의 '그 기사는 사건의 전모를 자세히 밝혔다.'입니다.

생각읽기 2 로마 제국은 왜 멸망했을까

0 ④   1 ④   2 ④   3 ⑤   4 ③

Q 게르만족은 왜 로마를 침공하였을까요?

게르만족을 무시하는 로마의 이주 조건 때문에 게르만족이 고통에 시달리면서 로마에 대한 분노가 폭발했기 때문입니다.

이 글은 로마 제국이 멸망한 원인과 관련하여 로마의 내부적인 문제에 초점을 맞추어 설명하고 있습니다. 외부의 침공을 받을 수밖에 없었던 로마 제국의 정책, 지배층들의 권력 투쟁, 종교로 인한 사회 부패 등을 제시하며 로마 제국의 멸망과 관련된 문제점들을 보여 주고 있습니다.

■ 문단으로 생각읽기

[도입 – 근거 – 근거 – 근거 – 정리]의 생각 구조

의문 제기
도입
로마 제국의 멸망에 대해 궁금증을 갖게 함. (1문단)

견해 제시
근거 근거 근거
로마 제국의 멸망 원인을 로마의 내부적인 문제에서 찾아 근거로 제시함. (2~4문단)

마무리
정리
로마 제국의 멸망은 여러 원인들이 쌓여 점진적으로 이루어진 것임을 강조함. (5문단)

원리로 생각읽기

독해연습 1　**1** 반론　**2** 찬성, 반대
독해연습 2　**1** 성무선악설　**2** (나)

---

0 이 글에서는 로마 제국이 멸망한 원인의 큰 부분을 로마 내부의 상황에서 찾고 있습니다. 따라서 로마 스스로가 멸망을 자처했다고 보는 글쓴이의 관점으로 볼 때 ④가 제목으로 가장 적절합니다.

> **출제 의도** 제목에는 글의 핵심 화제뿐만 아니라 글쓴이의 관점도 반영되어야 합니다.
>
> **오답 피하기** ①, ③ 글에서 언급된 내용이긴 하지만 글쓴이의 핵심 주장을 반영하는 내용은 아닙니다.
> ②, ⑤ 글의 내용과 맞지 않는 내용입니다.

1 이 글의 내용에 따르면 스틸리코 장군이 게르만족의 공격으로부터 로마를 구하면서 스틸리코를 지지하는 세력이 커진 것이지 그 스스로가 권력에 욕심을 가졌다고는 볼 수 없습니다.

2 ㉠의 앞뒤 문장을 살펴보면, 앞문장은 로마 제국 멸망의 주원인으로 외부적 요인 즉, 야만족들의 약탈과 침략을 주로 언급한다고 되어 있습니다. 반면 뒷문장에서는 로마 제국의 멸망에는 내부적 문제도 큰 비중을 차지한다고 설명하고 있습니다. 따라서 ㉠에는 로마 멸망의 주된 이유가 외부의 약탈과 침략에만 있는 것인지에 대한 의문을 제기하는 문장이 들어가는 것이 적절합니다.

3 이 글은 로마가 멸망한 원인을 내부적인 문제에 초점을 맞추어 설명하고 있기는 하지만, 그렇다고 외부의 침입에 대해 부정하는 것은 아닙니다. 즉 내부적으로 문제가 있었고 이에 외부의 침입까지 더해지면서 멸망한 것으로 보는 관점입니다. 〈보기〉에서도 고려가 귀족과 사찰에 의해 국고가 빈 상태에서 홍건적과 왜구라는 외부적 요인이 더해져 무너지게 되었다고 설명하였으므로, 고려와 로마는 모두 외부의 침입이 나라의 멸망에 영향을 주었다고 볼 수 있습니다.

4 ⓐ와 ⓑ의 앞부분을 보면 '이민족 침략자들이 로마의 숨통을 끊어 놓았다'고 언급하고 있습니다. 이 문장과 대응해 보면 ⓐ는 '이민족 침략자'를 가리키는 것이며, ⓑ는 '로마'를 의미한다고 볼 수 있습니다.

3 지구상에서 사라져 가는 언어들

0 ④	**1** ②	**2** ②	**3** ⑤	**4** ③

Q 다양한 언어의 존재가 중요한 이유는 무엇인가요?

언어가 언어 사용자들의 역사, 전통, 사고방식 등을 담고 있는 만큼 다양한 언어의 존재는 문화적 다양성에 기여하기 때문입니다.

이 글은 많은 언어들이 소멸 위기에 처해 있는 것에 대한 문제점을 지적하며 언어는 집단의 역사와 문화, 가치관 등을 담고 있기 때문에 언어가 소멸된다는 것은 그만큼 세계가 인류의 역사를 잃는 것과 같은 것이라는 점을 강조하고 있습니다.

■ 문단으로 생각읽기

[도입 – 전개 – 주장 – 부연]의 생각 구조

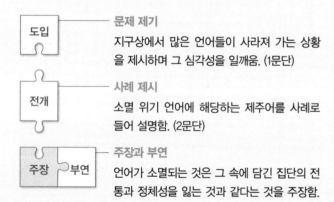

도입 — 문제 제기
지구상에서 많은 언어들이 사라져 가는 상황을 제시하며 그 심각성을 일깨움. (1문단)

전개 — 사례 제시
소멸 위기 언어에 해당하는 제주어를 사례로 들어 설명함. (2문단)

주장 · 부연 — 주장과 부연
언어가 소멸되는 것은 그 속에 담긴 집단의 전통과 정체성을 잃는 것과 같다는 것을 주장함. (3, 4문단)

0 이 글에서는 언어를 단순한 소통의 도구로만 보지 않고 언어에 그 언어를 사용하는 집단의 전통과 정체성이 담겨 있다고 보고 있습니다.

> **출제 의도** 한 문장으로 내용을 요약할 때에는 제목과 마찬가지로 글의 핵심 화제가 반영되어야 합니다.

1 이 글에서는 핵심 화제인 소수 언어에 대해 설명하기 위해 우리나라의 제주어를 예로 들고 있습니다. 또한 언어의 중요성을 설명하기 위해 팔라우의 어부를 인터뷰한 내용과 일제 강점기에 일제의 한국어 사용 금지 정책을 예로 들고 있습니다.

2 마지막 문단에서 소통의 편의성을 위해서는 보편적인 언어를 사용하는 것도 의미가 있지만 몇 개의 주류 언어만 남게 된다면 인류 역사의 큰 부분을 잃게 될 것이라고 설명하고 있습니다. 따라서 소수 언어가 소통의 편의성에 기여한다는 것은 적절하지 않습니다.

> **오답 피하기** ① 1문단에서 유엔은 2019년을 '세계 토착어의 해'로 정하고 사라지는 언어에 대한 사람들의 관심을 일깨우고 있다고 하였습니다.
> ③ 2문단에서 우리나라의 제주어가 인도의 코로어와 함께 유네스코의 '소멸 위기 언어 레드북 홈페이지'에 소멸 위기 언어로 등재되어 있다고 언급하고 있습니다.
> ④ 마지막 문단에서 언어는 한 사회 집단을 다른 집단과 구별하는 중요한 기준이 된다고 말하고 있습니다.
> ⑤ 3문단을 통해 다양한 언어들은 인류의 문화적 다양성에 이바지한다는 것을 알 수 있습니다.

3 〈보기〉는 언어를 소통의 도구로만 보는 관점으로, 소통의 효율성을 위해 언어의 통일이 필요하다고 주장하고 있습니다. 반면 이 글의 글쓴이는 언어가 소통의 도구로서의 기능을 넘어서 인류의 역사, 전통 등을 담고 있다고 보고 다양한 언어의 보존이 필요함을 주장하고 있습니다.

4 ㉠의 '식별하다'는 '분별하여 알아보다.'의 의미를 지니므로 이를 대체할 수 있는 단어로는 '구별하다'가 가장 적절합니다.

> **오답 피하기** ① '혼동하다'는 '구별하지 못하고 뒤섞어서 생각하다.'의 의미로 ㉠의 반의어에 해당합니다.
> ② '예측하다'는 '미리 헤아려 짐작하다.'의 의미입니다.
> ④ '유추하다'는 '비슷한 점에 기초하여 다른 사물을 미루어 추측하다.'의 의미입니다.
> ⑤ '분석하다'는 '복잡한 것을 풀어서 개별적인 요소나 성질로 나누다.'의 의미입니다.

생각읽기 4 지금은 사라진 조선의 법 이야기

0 ②   1 ②   2 ③   3 ②   4 ②

Q 법률이 시대에 따라 달라지는 이유는 무엇인가요?

법률은 사회의 특성을 반영하기 때문에 시대가 달라지면 법도 달라지기 마련입니다.

이 글은 현대에는 사라진 조선의 법률 사례를 소개하며, 법률도 사회의 특성을 반영하기 때문에 시대의 변화에 따라 소멸되거나 변화가 생길 수 있음을 말하고 있습니다.

■ 문단으로 생각읽기

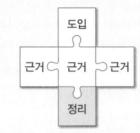

[도입 – 근거 – 근거 – 근거 – 정리]의 생각 구조

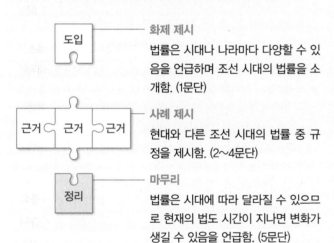

도입 — 화제 제시
법률은 시대나 나라마다 다양할 수 있음을 언급하며 조선 시대의 법률을 소개함. (1문단)

근거 — 사례 제시
현대와 다른 조선 시대의 법률 중 규정을 제시함. (2~4문단)

정리 — 마무리
법률은 시대에 따라 달라질 수 있으므로 현재의 법도 시간이 지나면 변화가 생길 수 있음을 언급함. (5문단)

---

0 (가)에서는 법률의 일반적인 특징을 제시하고 조선 시대의 법률 이야기를 화제로 제시하며 글을 시작하고 있습니다. (나)~(라)에서는 현대 사회에서는 사라진 조선의 법률 사례를 나열하고 있으므로 이들 문단 간의 관계는 대등한 관계로 볼 수 있습니다. 마지막으로 (마)에서는 앞의 내용을 정리하며 끝맺고 있습니다.

출제 의도 글을 구조화하려면 각 문단의 핵심 내용을 이해해야 합니다. 결국 글의 핵심 내용을 체계화한 것이 글의 구조입니다.

1 이 글의 시작과 마지막 부분을 보면 법률은 시대의 특성을 반영하기 때문에 시대마다, 또 사회마다 다양한 기준이 있음을 알 수 있습니다. 즉 이 글에서는 현재의 법도 시간이 지나면 소멸되거나 바뀔 수 있음을 강조하고 있습니다.

2 이 글에 따르면 법률은 사회의 특성을 반영하므로 시대마다 다른 기준이 적용될 수 있음을 알 수 있습니다. 따라서 조선 시대의 법률을 현대의 관점에서 보면 잘못되었다고 여길 수 있지만 조선 시대의 관점에서는 타당한 기준이 될 수 있습니다.

오답 피하기 ①, ④, ⑤ 이 글에서 언급되지 않은 내용이므로 적절하지 않습니다.
② 이 글에서는 법률이 사회를 반영한다고 했을 뿐 사회를 바꾸기 위해 법률을 만든다고 설명한 것은 아니므로 적절하지 않습니다.

3 (나)에서 조선 시대의 법전인 『경국대전』에 "나이 80세 이상이 되면 양민이거나 천민이거나를 불문하고 1품계를 수여하고, 원래 품계가 있는 자는 또 1품계를 더하되 당상관은 왕의 교지가 있어야 임명한다."라고 언급하고 있습니다. 따라서 노인직은 천민이라도 예외 없이 벼슬이 내려졌다는 것을 알 수 있습니다.

4 ㉠에서 신분마다 의복에 차이를 두는 규정이라고 설명하였으며, ㉠의 뒤에서는 자신의 신분에 맞지 않는 의복을 착용할 경우 어떤 형벌을 내렸는지 사례를 들어 보여 주고 있습니다. 따라서 ㉠의 의복 규정은 신분의 차이를 분명하게 하기 위해 생겨난 것임을 알 수 있습니다.

5 단토의 예술 종말론

0 ② **1** ① **2** ③ **3** ⑤

Q 단토의 예술 종말론은 어떻게 해석할 수 있을까요?

예술 종말론을 통해 이제 무엇이든지 예술이 될 수 있는 예술 해방기가 도래하였다고 볼 수 있습니다.

이 글은 단토의 예술 종말론을 소개하는 글로 그가 예술 종말론을 선언하게 된 계기를 제시하며, 단토의 견해를 바탕으로 예술 작품이 되기 위한 조건, 내러티브로서의 예술사 등의 이론을 설명하고 있습니다.

■ 문단으로 생각읽기

[도입 – 전개 – 주장 – 부연]의 생각 구조

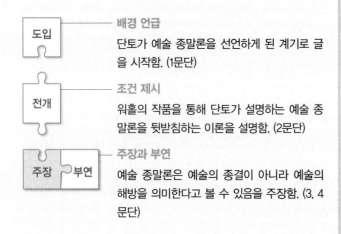

배경 언급
단토가 예술 종말론을 선언하게 된 계기로 글을 시작함. (1문단)

조건 제시
워홀의 작품을 통해 단토가 설명하는 예술 종말론을 뒷받침하는 이론을 설명함. (2문단)

주장과 부연
예술 종말론은 예술의 종결이 아니라 예술의 해방을 의미한다고 볼 수 있음을 주장함. (3, 4문단)

0 이 글의 마지막 문단에서 단토가 말한 예술 종말론은 예술의 종결을 의미하는 것이 아니라 오히려 예술의 해방으로 볼 수 있다고 설명하고 있습니다.

> **출제 의도** 표제는 글 전체의 제목, 부제는 표제를 보충해 주는 역할을 하므로 제목을 정할 때와 마찬가지로 글의 핵심 화제와 글쓴이의 관점이 잘 드러나야 합니다.

1 이 글에서는 단토의 예술 종말론이 지닌 긍정적인 의미를 언급하고 있으며, 예술 종말론이 지닌 한계점에 대해서는 언급하지 않았습니다.

2 마지막 문단에서 예술의 종말은 예술 생산의 종말이나 예술가의 종말을 의미하는 것이 아니라 오히려 예술의 해방을 의미한다고 설명하고 있습니다. 따라서 예술을 정의하는 기준이 없어지면서 예술 작품 생산이 침체 상태에 이르렀다는 설명은 적절하지 않습니다.

3 〈보기〉의 작품은 소변기라는 일상적 사물을 예술 작품으로 재창조한 것입니다. 이는 기성 제품을 그대로 사용한 것이므로 작가의 예술적 기교나 솜씨보다는 사물에 부여되는 의미가 더 강조된 작품으로 볼 수 있습니다.

> **오답 피하기** ① 1문단을 통해 단토는 이제는 눈으로 지각할 수 있는 특징만으로는 예술을 말할 수 없다고 생각했음을 알 수 있습니다. 이와 마찬가지로 뒤샹의 「샘」 역시 시각적인 특징만으로는 화장실 소변기와의 차이점을 구분하기 어렵습니다.
> ② 2문단에서 일상적인 물건과 예술 작품의 구분은 해석과 의미 부여 여부에 달려 있다고 설명하였으며, 〈보기〉에서 뒤샹도 사물의 새로운 개념과 정체성을 창조했다고 주장하고 있습니다.
> ③, ④ 단토는 예술계라고 정의할 수 있는 예술에 대한 체계와 믿음이 예술 작품으로서의 지위를 부여한다고 설명하였습니다. 따라서 「샘」이 초기에 작품으로 인정받지 못한 것은 당시 예술계에 맞지 않았기 때문이며, 후에 작품으로 인정받게 된 것은 새로운 예술계가 형성되었기 때문으로 볼 수 있습니다.

생각읽기

6 세포도 나이를 먹는다

| **0** ④ | **1** ② | **2** ① | **3** ④ | **4** ⑤ |

Q 세대가 거듭되어도 유전 정보가 사라지지 않는 이유는 무엇인가요?
DNA를 감싸고 있는 텔로미어가 유전 정보를 보호하고 있기 때문입니다.

이 글은 세포 노화의 원인으로 가장 주목받고 있는 텔로미어에 관해 설명하고 있습니다. 텔로미어의 길이가 노화점 아래로 짧아지는 것을 막는 데에 텔로머레이스라는 효소가 영향을 주므로 세포 수명을 연장하기 위해 텔로머레이스를 활성화하는 방법이 있음을 제안하고 있습니다.

■ **문단으로 생각읽기**

[도입 – 전개 – 부연 – 정리]의 생각 구조

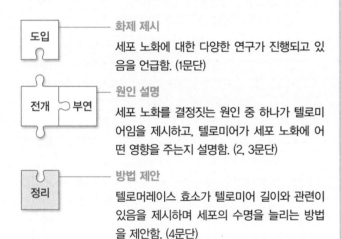

도입 ── **화제 제시**
세포 노화에 대한 다양한 연구가 진행되고 있음을 언급함. (1문단)

전개 ─ 부연 ── **원인 설명**
세포 노화를 결정짓는 원인 중 하나가 텔로미어임을 제시하고, 텔로미어가 세포 노화에 어떤 영향을 주는지 설명함. (2, 3문단)

정리 ── **방법 제안**
텔로머레이스 효소가 텔로미어 길이와 관련이 있음을 제시하며 세포의 수명을 늘리는 방법을 제안함. (4문단)

0 이 글에서는 세포의 노화를 일으키는 원인 중에서 텔로미어에 초점을 맞추어 설명하고 있습니다.

출제 의도 핵심 화제는 글의 주제와 직접적인 연관이 있어야 합니다.

1 이 글을 통해 정상적인 세포는 세포 분열 횟수에 제한이 있음을 알 수 있습니다. 이는 세포가 분열할수록 텔로미어의 길이가 짧아지기 때문입니다.

오답 피하기 ① 2문단에서 태아의 세포는 100회 정도 분열하고, 노인의 세포는 20~30회 정도 분열한다고 하였습니다.
③ 3문단에서 '세포가 분열할 때 복제되지 않고 사라지는 것은 DNA의 유전 정보를 담고 있는 부분이 아니라 DNA를 감싸고 있는 텔로미어'라고 나와 있습니다.
④ 3문단에서 '텔로미어가 유전 정보가 담긴 염색체의 끝부분을 모자처럼 보호'하고 있다고 나와 있습니다.
⑤ 4문단에 의하면, 텔로머레이스는 체세포에서 스스로 작동하고 있지 않습니다.

2 이 글에서는 세포의 노화가 일어나는 원인이 텔로미어의 길이가 짧아지면서 생기는 현상임을 밝히고 있으며(ㄱ), 텔로미어가 '텔로스'와 '메로스'의 합성어임을 설명하며 텔로미어의 개념에 대한 이해를 돕고 있습니다(ㄴ).

3 〈보기〉에서 암세포는 텔로머레이스가 활성화되어 있어 계속적인 세포 분열이 가능하다고 하였습니다. 이는 세포 분열 횟수에 제한이 없다는 의미이며, 텔로미어 길이가 짧아지지 않기 때문에 가능한 현상입니다.

오답 피하기 ①, ② 암세포는 텔로머레이스가 활성화되어 텔로미어의 길이가 짧아지지 않으므로 노화의 과정을 겪지 않습니다.
③ 유전 정보는 텔로미어에 의해 보호되고 있으므로 정상 세포이든 암세포이든 세포 분열이 반복되어도 사라지지 않습니다.
⑤ 정상 세포는 텔로미어의 길이가 점점 짧아지다가 더 이상 짧아질 수 없는 지점에서 노화가 되는데, 암세포는 텔로미어의 길이가 짧아지지 않으므로 오히려 반대되는 사례로 볼 수 있습니다.

4 마지막 문단에서는 체세포에서 텔로머레이스가 작동하도록 할 수 있다면 세포의 수명을 연장할 수 있을 것이라고 설명하였으므로 이와 관련된 내용이 이어질 수 있습니다. ①~④는 이미 이 글에 언급된 내용이므로 이어질 내용으로 적절하지 않습니다.

생각의 구조화 MIND MAP

생각읽기1 ⓒ	생각읽기2 ⓛ	생각읽기3 ㄱ
생각읽기4 ⓛ	생각읽기5 ㄱ	생각읽기6 ㄹ
1 네안데르탈인	**2** 로마 제국	**3** 소멸
4 변화	**5** 단토	**6** 텔로미어